SUDOKU
OVER 900 PUZZLES

ARCTURUS

ARCTURUS

US ISBN 978-1-4351-5492-6
UK ISBN 978-1-78599-301-5
AD004204NT

Manufactured in the UK

2   4   6   8   10 9   7   5   3

Contents

How to Solve Sudoku

There is no mystique about solving sudoku puzzles. All you need are logic, patience and a few tips to get you started. In this book the puzzles are graded at different levels, indicated by stars. The process for solving them is exactly the same, however.

Each puzzle has 81 squares formed into nine rows, nine columns, and nine 'boxes' each of nine squares which are shown heavily outlined:

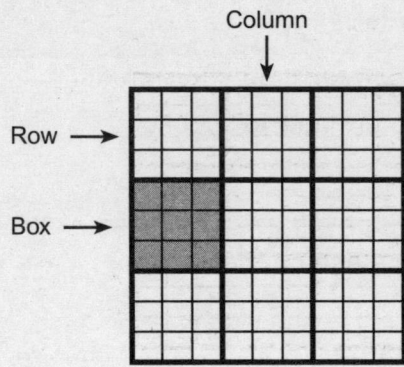

Each puzzle begins with a grid in which some of the numbers are already in place:

	9	6			8		3	
		1		4	2			
5						8	1	9
4		7	1	2				3
		8	7		6	5		
2				9	4	6		1
8	7	2						5
			3	5		1		
	3		2			4	6	

How to Solve Sudoku …

You need to study the grid in order to decide where other numbers might fit. The numbers used in a sudoku puzzle are 1, 2, 3, 4, 5, 6, 7, 8 and 9 (0 is never used).

For example, in the top left box the number cannot be 9, 6, 8 or 3 (these numbers are already in the top row); nor can it be 5, 4 or 2 (these numbers are already in the far left column); nor can it be 1 (this number is already in the top left box of nine squares), so the number in the top left square is 7, since that is the only possible remaining number.

The grid now looks like this:

7	9	6			8		3	
		1		4	2			
5						8	1	9
4		7	1	2				3
		8	7		6	5		
2				9	4	6		1
8	7	2						5
			3	5		1		
	3		2			4	6	

Alternatively, you could look to see where the 5 might be in the top right box. It cannot be in the seventh or ninth columns of the grid (there are 5s already in these columns), so it must be in the eighth column, in the only space available, as shown here:

7	9	6			8		3	
		1		4	2		5	
5						8	1	9
4		7	1	2				3
		8	7		6	5		
2				9	4	6		1
8	7	2						5
			3	5		1		
	3		2			4	6	

How to Solve Sudoku ...

A completed puzzle is one where every *row*, every *column* and every *box* contains nine different numbers, as shown below:

Column

Row →

Box →

7	9	6	5	1	8	2	3	4
3	8	1	9	4	2	7	5	6
5	2	4	6	7	3	8	1	9
4	6	7	1	2	5	9	8	3
9	1	8	7	3	6	5	4	2
2	5	3	8	9	4	6	7	1
8	7	2	4	6	1	3	9	5
6	4	9	3	5	7	1	2	8
1	3	5	2	8	9	4	6	7

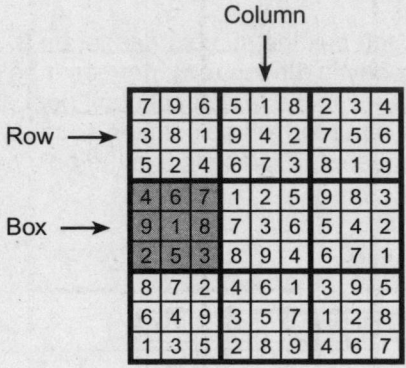

SUDOKU ★

1

2		9			5			8
		6		2		3	4	5
		7	6	4				
7	9		8		1		5	6
8		4		7		1		3
5	3		9		4		2	7
				8	6	7		
6	1	3		9		5		
4			1			2		9

2

3			5	8			4	2
		4		6	3			9
6	9				2	3		
1	8		9		6		5	7
		2		7		8		
7	6		8		4		3	1
		5	6				1	4
8			1	4		9		
9	4			3	7			8

★

SUDOKU

3

	6	4	3		7	5	1	
8				5			9	7
		7	2		9	4		
1			8	7	2			5
	7	3		6		9	2	
2			5	9	3			1
		8	7		5	2		
6	3			2				4
	9	2	1		6	8	5	

4

5			6		8	7		1
4	9	6	7		1		3	5
		1		4		2		
		4	2	1	6	9		
8	6			3			1	7
		9	4	8	7	6		
		5		6		3		
2	4		9		3	1	8	6
6		8	1		4			2

SUDOKU ★

5

5		1		3	9			8
8	6			4			3	9
			7		2	6		
	1		2		7	3	6	5
	7			1			4	
3	9	2	4		6		1	
		9	3		5			
1	8			7			2	3
2			1	6		7		4

6

5			7		4	1		8
		7	6			3		2
6		8	1	5				
	3		5	8			7	
7	8	5		4		2	9	1
	1			7	2		8	
				3	7	8		5
3		2			5	4		
8		4	2		9			6

★

7

7	3	8	2	5			1	
			6			3	9	
6	1		8		3			7
3			9			7	6	
		2	1	7	4	9		
	4	7			6			5
8			5		1		4	2
	5	4			2			
	9			3	8	5	7	1

8

4		1		5		6		3
	2		1		7		4	5
6		7		3		1		
5		2	3		8	9		1
	1		2	9	5		3	
3		8	6		1	7		2
		9		2		5		7
8	6		7		3		9	
2		4		8		3		6

9

	5	7	1		4	3	6	
9	1			6		8		4
	6		2		7		5	
7			5	2	6			1
	3	6		4		2	8	
1			7	3	8			6
	9		6		3		2	
2		3		7			1	5
	7	1	8		2	4	9	

10

		2		3			9	1
6			7		5	8		3
8	3		2		1	7		
1		8			9	4	7	
3				5				2
	2	6	8			3		5
		9	4		3		5	8
2		4	5		7			9
5	8			6		1		

★

SUDOKU

11

		5		8	1	6	2	
	4		9				3	
8		1		3		5		4
4	8	6	7					2
3			5	2	8			9
2					4	8	7	1
7		8		9		2		5
	2				6		1	
	9	3	2	4		7		

12

2	7			1			9	5
	8	4		5	9		7	
			6			2		
4	1		3			5	8	2
6			7	4	5			1
9	5	3			2		6	4
		9			8			
	3		4	2		6	1	
7	4			6			5	3

SUDOKU

★

13

9	5	4			2	6		1
		6	4		7		3	
				5	9	8	2	
1	6			9	4			8
8		2		6		4		7
5			2	8			6	9
	3	8	1	2				
	2		9		6	1		
6		9	3			5	4	2

14

6		7		4	8			9
9	2				5		4	3
4		8	9			2		7
			8	2		9	3	
	8		4		9		7	
	9	5		6	1			
3		6			4	1		2
8	1		7				5	4
5			1	3		7		6

★

SUDOKU

15

3	1				9		5	4
	9	6			1	8	3	
4			3	2	6			7
	3		1			2		
2	7			3			9	8
		5			7		6	
1			7	8	3			9
	2	3	9			7	8	
9	8		5				4	6

16

3	4	7				6	2	8
		9		4	2	7		
1				6	8			3
		3	9		6			1
	8		4	1	7		3	
6			8		5	2		
9			2	5				7
		4	1	8		5		
5	1	8				3	4	2

SUDOKU

★

17

5	3	8		7			4	
7			4		5		6	
			9	2	8		3	7
9			7		6	3		
	1	7		8		2	5	
		3	5		2			6
2	9		8	4	3			
	7		1		9			3
	4			6		8	9	1

18

1	5			9	3		8	
8					5		2	4
	9		6		8			3
		3	2	8		1	4	
9		1		6		7		2
	2	4		1	9	8		
6			7		2		5	
2	4		9					6
	7		8	4			9	1

SUDOKU

19

5			7		4		6	8
		6		2				1
4	8		9		3		5	
2		8	4		6		3	
	7			3			8	
	1		5		7	9		4
	2		3		9		7	6
8				7		5		
3	6		1		8			9

20

	5			1	9	2		4
3		4		2		6	8	
1	7					3	5	
	6		8			7		
4	8		1	9	2		6	3
		5			4		9	
	4	9					1	7
	2	6		8		9		5
8		3	9	7			2	

SUDOKU

21

	3		7		1			8
6	1		9			4	3	
			5	6			2	9
1		6		2	9	5		
	9	2		3		7	1	
		4	1	5		2		6
8	2			9	4			
	5	3			8		6	1
9			3		5		4	

22

2		1		8		6		
8		5			3	1		9
	9	4	1			8	7	
				6	2		3	1
4	6			3			5	7
5	1		7	9				
	2	9			8	5	6	
3		8	4			7		2
		6		5		3		8

★

SUDOKU

23

1		8		2		4		5
	2	6		5		8	3	
3			8		4			1
	8	9	2		7	1	5	
2			1	9	5			8
	1	4	6		8	7	2	
9			4		2			6
	6	2		7		3	1	
7		5		1		9		2

24

1			8		6			5
8		5		2		3		7
	2	4		7		8	1	
	8	7	9		1	6	2	
9			3	5	2			8
	3	2	7		8	5	9	
	4	9		3		1	8	
3		6		8		9		2
2			6		9			4

SUDOKU

★

25

3		9	4			7		6
	8		3	7			5	
4	7	2				1	3	9
	6				7	3		
2			9	4	5			1
		1	8				4	
9	1	5				6	2	3
	4			6	2		1	
6		8			3	5		4

26

3	2		9				6	1
		8		3	1			2
4		7			8	3	5	
2	5	3		8	6			
9				1				7
			4	5		6	2	3
	8	9	6			4		5
7			1	4		9		
5	3				7		1	6

★

27

4		5		6		8		9
	1	9		4		3	6	
8			9		7			1
	2	8	4		9	6	5	
9			5	8	6			2
	6	7	2		1	4	9	
3			7		2			6
	9	1		5		2	3	
6		2		9		7		5

28

	4		8	9			2	7
					3	6	1	8
6	5	8		2		9		
		1	6	7	2			
7		5		1		4		9
			9	5	4	1		
		2		6		8	4	3
8	6	7	4					
9	3			8	1		5	

29

7			8		4	2		5
3			9		2	7		1
		4		1			6	
	4	3	5		7			9
1				9				4
8			6		1	5	2	
	7			3		8		
4		5	2		9			6
2		6	1		5			7

30

		9	5	2	6	4		
5	3				4			6
	2	4			1	7	8	
	5		2		9			3
	6	3		5		2	4	
1			6		3		7	
	9	5	4			8	1	
7			9				5	2
		8	7	3	5	6		

★

31

3		4	1		5			9
		5		8		6	1	7
		6	7	2	9			
6			4		8		9	
2		1		7		3		8
	4		2		1			6
			6	5	7	9		
7	3	9		4		5		
5			9		3	8		4

32

9		6	2		5	8		4
	8			4			9	
3		4	8		1	6		7
	3		1	2	4		5	
5		2		7		1		8
	4		5	8	9		3	
4		9	7		3	5		2
	6			5			7	
7		5	4		8	9		3

SUDOKU ★

33

8		4				9	1	7
5		2	4	7			6	
3	7		8	1				
6					4	8		
	4	7	9	8	2	5	3	
		5	7					1
				9	8		4	2
	3			2	1	7		5
2	9	1				6		3

34

6			8	3		9	2	
	2		9		4		1	6
5		4	1					
1		2	5				4	
9		5	6	2	7	8		1
	3				1	2		7
					8	7		3
7	8		3		6		9	
	6	3		4	9			5

SUDOKU

35

	6		9				3	4
		2	4	1	6	5		
	8	5	3			6	9	
	4		2		1			8
	3	7		6		1	2	
1			7		9		6	
	5	4			8	3	7	
		3	6	7	2	9		
2	7				3		1	

36

9		7		8		5		2
	8	6	9			7	3	
3		2			7	8		4
7	6			3	4			
	2			9			4	
			1	5			7	9
1		3	8			6		5
	9	8			2	4	1	
2		5		6		9		7

SUDOKU

37

5		1		4	3			9
	9	8	2		7		3	
4						7	6	5
3				7	1	6		8
		4	9		6	5		
1		9	8	2				7
2	1	5						4
	3		5		4	9	2	
9			7	8		1		3

38

	4			7		1		2
1		9	3	8		7		6
7	5	8			2			
8				6	9		3	
	6	5		3		9	2	
	3		4	5				8
			1			8	7	3
2		3		9	8	5		4
6		7		4			9	

★

39

	6	9	3		2	8	7	
2			9	6		1		5
	7		1		8		6	
3			7	1	6			8
	4	1		2		6	9	
6			8	9	4			3
	1		6		9		5	
7		6		8	5			1
	5	2	4		1	3	8	

40

3		2		8		5		1
	7		6		1		8	
9	8		2		4		7	6
		4	8	1	7	6		
1	3			2			9	8
		8	3	9	6	4		
2	5		1		3		6	4
	1		9		8		5	
8		7		6		1		9

SUDOKU ★

41

9		8	3		1	2		6
6	5		7	4	2			9
	1			9			5	
	3		6	7	9		2	
4		7				9		8
	9		2	8	4		3	
	6			2			7	
7			9	3	8		1	5
5		1	4		7	3		2

42

3			9			8	7	2
9		2			8	5		
	5			4	3			1
		6		2			8	5
		3	4	8	1	7		
2	1			6		3		
7			5	1			6	
		4	6			9		8
6	3	5			2			7

SUDOKU

43

		7	9		8	3	6	
6	5			2				4
		4	6		1		7	
8	6				7	5		9
		3		9		1		
5		9	4				2	3
	8		3		5	4		
7				1			3	8
	4	1	8		9	2		

44

4	1			6	8			7
	6		1			3	9	
	5	9	4		7			1
	7			2		4		3
		2	5	1	3	9		
1		8		9			5	
7			2		5	6	3	
	2	4			9		8	
5			3	8			4	2

★

45

7		2		1		4		3
	5		9		3		2	
1		8		6		9		5
9		6	7		5	3		1
	7		4		1		9	
4		1	6		9	2		7
8		7		4		5		9
	1		3		7		8	
5		3		9		7		2

46

9			5		2		6	1
			7	9	3		5	
3	5	2		1			9	
7			1		6	5		
4	8			3			2	6
		1	4		8			7
	9			6		8	7	3
	7		3	4	5			
2	1		8		9			5

★

SUDOKU

47

4			6		8		1	9
	8		5	7		6		3
5	6	2			3			
6				3		1	5	
2			4	1	7			8
	3	7		6				2
			9			8	3	1
8		5		4	2		7	
3	9		7		1			5

48

	2		9		3			7
		1	4	7		5	6	
7		4		8		1		2
2	7	5			9			6
8				6				3
6			2			7	9	4
9		7		3		6		1
	3	8		2	6	9		
1			5		7		4	

SUDOKU

★

49

3		5	1		8	7		6
	8	7	2		9	5	3	
6				5				9
2			8	3	4			5
	5	3				4	1	
8			7	1	5			2
1				8				7
	2	8	4		1	6	9	
9		6	5		3	1		4

50

3	9	6	5					8
	8			1	2	7		
7					3		5	9
2		1		4		8	9	
6			1	3	8			2
	7	3		9		6		4
5	3		4					1
		4	7	8			6	
1					9	2	4	7

★

SUDOKU

51

5	2		9		3		4	8
9				4		3		5
4		6	5			2		7
			6	2		5	8	
	6			3			7	
	5	3		9	1			
8		9			4	1		2
3		5		8				9
6	1		7		9		3	4

52

7		8	2		3	9	4	
		4	5		1		2	
	5			9				7
5	8		4		6	3		
		9		3		5		
		1	9		7		6	2
4				8			1	
	7		6		9	4		
	6	5	3		2	7		9

SUDOKU

53

8		1			3	2		4
				7	4	9		3
		4	6		2			7
1	9		8	2			4	
	5	8		6		7	9	
	2			9	7		1	8
3			5		8	6		
7		9	2	1				
5		6	7			8		1

54

1	8				9		7	6
9			7	2		4		
	3		6			2		1
			2	1		6	5	8
4				7				9
5	1	8		3	6			
2		9			3		1	
		3		8	7			5
8	5		4				6	7

★

SUDOKU

55

2			8		4		9	7
8	4			5	1		2	
	5		3		2			1
		7		8	5	2		
5		8		3		6		9
		1	9	2		8		
3			6		9		4	
	6		2	7			5	8
9	7		5		8			3

56

7	8			1			3	5
9			7		4			8
	6	1		5		9	7	
	5	7	2		9	1	4	
2			3	8	1			7
	1	3	5		7	2	8	
	2	6		3		7	9	
1			4		2			6
3	4			7			2	1

SUDOKU

57

5		8		9			2	7
	4		3	2	1			
1						9	4	
2		5			9	7	3	4
	1		7	8	2		9	
9	7	6	5			8		2
	9	4						5
			2	6	7		8	
8	2			5		3		1

58

2	3		1			8		
	9		7	3			6	5
		7			5	4		2
4	1	6	3	2				
5		8		7		3		9
				8	1	2	4	6
7		1	9			6		
6	5			4	7		8	
		2			8		5	3

★

SUDOKU

59

1		2	6			9		3
8	3		9				2	
5			2	7		6	8	
3	1		4			8		
	9		3	1	6		5	
		7			5		1	4
	2	1		8	9			6
	8				4		7	5
6		4			2	1		8

60

9					3	7	8	6
	7		6	1		5		
4		2	7					9
	2	6		3				7
5			9	2	1			8
8				7		3	1	
6					2	4		3
		1		9	8		6	
2	5	3	4					1

SUDOKU

61

	9	1		5		3	4	8
3			4		2			7
	7			1			6	
	5	4	8		3	1	2	
8			6	7	1			4
	1	6	5		4	8	7	
	2			4			8	
1			2		8			9
5	8	9		6		4	3	

62

6		1	5		9			3
	5		4	7		9		
					8	5	2	4
2		6		5		8	7	
9			3		7			2
	1	4		8		3		5
1	9	8	6					
		7		3	2		4	
4			7		1	6		8

★

SUDOKU

63

	8			9		2	1	7
2	6			7	8			
	4		2				8	
4		6	5		3	8		2
	7	3		6		1	5	
1		2	7		4	6		9
	3				5		9	
			8	3			6	1
5	1	8		4			2	

64

6		8				3		2
	2	5		7	8			4
7			3		2			6
				8	5	4	9	
	7	4	9		6	2	5	
	3	9	2	1				
4			5		9			7
9			1	4		8	2	
1		3				6		9

SUDOKU ★

65

		7		5		3	1	
	4		2		8		9	6
5		6		9	1		2	
2		9	8	6				
8			7		2			4
				1	5	2		3
	9		6	4		8		5
6	7		5		3		4	
	5	3		8		6		

66

9		2	4			1		5
5	6				9	7		
	3			6	2			4
1	9	8		5	6			
4				2				3
			9	7		5	1	8
8			2	1			7	
		5	7				4	6
2		9			3	8		1

★

67

4				7	2			6
1		9			3	2		
	7					8	5	3
	2			3	4		1	8
7		1	9		8	4		5
9	4		1	6			3	
5	6	4					7	
		2	5			6		9
8			3	1				4

68

	3		5		8			2
	8		4	2	7		3	
	2			6		5	8	4
7			1		9	6		
3	5			4			1	9
		8	3		6			7
4	7	1		3			2	
	6		8	9	4		7	
8			2		1		6	

69

5			2		7	9		3
		6		8			5	
9			1		3	2		4
	3	2	7		9			6
4				1				7
1			5		2	8	4	
7		5	3		1			8
	9			7		4		
2		3	4		6			5

70

2			5		3	9		1
1		8	4					5
			2	9		4		7
	5	3	9	7			1	
8	6			3			7	9
	7			5	8	3	2	
7		9		1	5			
3					9	1		8
5		4	8		6			3

★

71

5	3		1	4			9	8
	4				2			7
	8	9		5		6	1	
8	2	4	9			1		
		3		1		5		
		1			4	7	8	9
	7	8		3		4	6	
4			5				7	
3	6			8	7		2	1

72

		5			4	8		
2		6	1	9				3
3	8			5			9	1
	6				7	9	8	2
	4			6			5	
9	1	7	8				6	
6	3			4			7	9
7				8	6	4		5
		1	2			6		

73

6		4	5	1	9			2
		8	4		3			
		1		7		4	9	3
4			7		8		5	
	8	3		9		2	6	
	5		6		2			7
2	9	5		8		1		
			2		1	7		
3			9	6	4	5		8

74

6			2	9			4	3
9	5		3		4		8	
	8		6		5			1
		9		4	3	2		
	3	4		8		6	5	
		7	5	2		4		
3			8		2		7	
	2		4		1		9	5
1	4			3	7			2

★

75

4	9			5		1		7
			6	3	4			
5	2			9		4	8	
6	7	5	1					9
		1	4	8	6	2		
8					9	6	1	3
	6	4		1			9	8
			2	4	5			
1		7		6			2	4

76

6	9				8	4		2
7		3	6	2		8		1
2					1		7	
	7	6		3				4
	1		8	5	6		3	
8				1		5	2	
	6		5					9
3		4		9	2	7		5
9		5	7				1	8

77

	7	2				5		6
8		9		6			4	3
	3		9	1	5			
	6				2	4	5	7
		3	5	8	9	2		
2	1	5	6				8	
			4	9	3		1	
6	8			2		9		5
3		1				7	2	

78

5	1		8		4		7	
6				2		1	8	4
4			1	6	7			
		7	3		9		2	
8		5		1		9		3
	4		5		2	7		
			4	9	1			7
7	3	1		5				6
	5		6		3		1	2

★

79

		3		7		8	4	6
4				2	1			
9	8				6		5	
7		2	4	1		5		
6	4		7		9		2	3
		1		8	2	4		9
	5		1				9	2
			5	3				4
1	7	6		9		3		

80

	6	1		8	7			4
8			5		6	1		9
		7				5		6
6				7	1	4	3	
	8		3		9		1	
	5	3	6	2				7
2		5				9		
4		6	1		3			8
3			2	4		7	6	

81

	9	1		5		3	4	
3	6		4		2			7
	7			1			6	
	5	4	8		3	1	2	
8			6	7	1			4
	1	6	5		4	8	7	
	2			4			8	
1			2		8		5	9
	8	9		6		4	3	

82

1	4		5	3			6	
3					6	1		
		6			4		8	7
6	9		3		1		2	8
		3		2		4		
5	2		7		8		9	3
9	1		8			5		
		7	9					2
	3			6	2		7	1

★

SUDOKU

83

4					8		2	7
1		3	2	4	9		5	
	5	8			1	3		
3	6		8			4		
9			6		5			2
		7			2		8	3
		1	5			9	6	
	2		1	7	6	5		4
6	4		9					1

84

2	3		8		6		5	9
5			4		2	6	7	
		7		9				1
	1		5			8		2
	4			6			3	
9		3			7		6	
3				4		5		
	7	4	1		3			8
1	9		6		8		4	7

SUDOKU

★

85

8			1	9	4			5
5	1	2	3			6		4
		4	6				1	
		1	8		9		2	
7		3		4		8		9
	9		7		6	4		
	8				3	9		
1		5			2	7	8	3
3			4	7	8			6

86

8	6		5	9	7			2
	1		8		6			
	9			2		8	6	5
		6	1		2			7
1	8			5			4	3
7			4		3	2		
5	7	4		1			9	
			9		4		2	
9			6	3	5		7	4

★

87

8		6	4	3		9		
2	7	4				3	8	1
3			8		2			7
4					3	5		
	2		7	8	6		1	
		8	9					2
6			2		4			9
5	4	1				2	7	6
		2		5	1	8		4

88

5			3	6				9
1	4		8				7	
		2				4	5	8
9		6		3	5	7		
8	5		1		9		6	2
		3	6	4		5		1
3	9	8				2		
	7				3		1	6
4				2	7			5

89

2			3	8			4	9
4	8				9	6	1	
		5			4		8	
	1			6		3		4
		6	5	4	1	7		
5		9		7			2	
	3		6			9		
	5	8	1				3	2
7	9			3	5			1

90

2	8			9			3	
6	9				3		2	4
	3	4	5			9	1	
				4	6	1		3
		6		5		2		
5		3	7	8				
	6	7			2	5	9	
8	1		9				4	7
	5			1			8	2

★

91

8				3	6		1	7
3		6			2	4		
	2	4		5	8			3
9	4		6			5		
	8		9		3		7	
		1			7		4	6
7			2	1		3	5	
		2	3			8		9
5	9		8	6				1

92

	7	3	6	4			2	8
2					7	5	1	
			8	1	2			3
	8	6	5			4	9	
4				8				7
	9	2			3	1	8	
5			9	3	6			
	3	9	1					6
6	4			2	8	3	5	

SUDOKU ★

93

3	8	5		4			9	2
1				9				3
		7	3		1	8		
5	9		2		3		7	1
	1	3	7		4	9	5	
7	4		9		5		3	6
		2	1		9	6		
6				7				4
8	7			5		3	2	9

94

6		7			1		4	2
		1		3	8			5
	5		2				9	8
5	4	3		1	9		2	
2								7
	7		6	4		9	5	3
4	3				7		8	
7			8	6		2		
8	1		9			6		4

SUDOKU

95

	9		4		8	7		6
3	5					1		8	
				6	9		2	1
5		2	3	8		9		
	3	7				2	6	
		8		2	6	5		3
6	2		8	5				
	4		6				3	5
1		5	7		3		4	

96

2	7	9				4	8	3
	5			2	3		7	
		1		8	4	9		
	9		5			1		
4			2	1	7			9
		8			6		3	
		5	3	6		7		
	2		1	4			6	
1	4	6				3	9	2

★

97

9			7	2	3			4
			4		1			9
4	3	1		6				2
	7		6		9	4		
8	5			3			9	1
		6	5		8		7	
2				9		8	3	7
6			8		2			
7			3	5	4			6

98

	6		2		5	3		7
	7		3		9	6	1	
		2		1				8
2		7	6				9	
4	1			9			2	6
	5				8	4		3
6				7		5		
	2	4	9		3		8	
7		8	4		1		6	

★

99

			9			6	1	3
5	1			6	2	4		8
9		8		3			7	
	2		4	5				
3	9	4				1	5	7
				1	7		2	
	4			7		3		5
7		1	6	4			8	9
2	3	6			8			

100

4			1		7	5		3
		2		9			8	
8			5		6	4		
	7	5	6		4			2
3	8			1			5	6
1			8		5	9	3	
		7	3		2			8
	4			6		3		
6		8	7		1			9

SUDOKU

★★

101

	6			8	7	5		1
	8		6		9		2	
	7	4				3		
4		6		7	1			
2			3		6			9
			9	5		8		6
		5				4	1	
	2		1		4		3	
1		9	5	2			8	

102

1	5			7	2	6		
8		6			5			1
					8	9	3	
	1	4	8					7
	2		4		6		9	
3					9	8	1	
	4	7	2					
5			6			4		2
		9	5	3			7	6

SUDOKU

103

2			1	8		6		3
	3				4			
6		4			7		5	
4		8	6			7		1
	2			1			9	
1		5			3	2		4
	8		9			3		7
			8				6	
9		6		2	5			8

104

			8			4	2	5
2				6	4		3	
	7	9			2	1		
7	4			8		2		
		3	6		1	5		
		5		2			8	6
		4	7			8	9	
	6		5	1				4
3	8	7			9			

105

	9			1			4	
		7	2		8	1		
5		1	3		9	7		8
	1		8	5	6		3	
2		6				5		1
	3		7	2	1		8	
9		4	6		2	8		3
		2	1		5	4		
	7			8			2	

106

			3	8	1			
	6	3		7			4	5
9		2					7	
8	2	1	7					6
		4	1		3	2		
7					2	5	9	1
	4					9		2
6	7			2		3	1	
			5	3	4			

★★

107

	1	6			2	7	5	
	7				5			3
		4	7	9	3	6		
9			5				7	
	2	8				9	4	
	3				4			1
		2	4	8	7	5		
4			2				9	
	6	3	1			2	8	

108

7	8	1				4	3	5
		4		8	1	6		
	3				7		9	
		6	9				4	
4			5		3			1
	7				2	8		
	2		6				5	
		3	7	2		9		
5	4	7				2	1	6

109

4				5	1			
9			8					
1				2		5	8	3
	8	3	5		9	2	4	
5	6						3	7
	4	9	7		6	8	1	
3	1	7		9				8
					7			2
			1	6				4

110

	9			8			5	
	6	8			7	3	9	
3	4		9				8	1
9		6	1	3				
		4				1		
				5	2	9		7
2	3				8		6	5
	8	7	4			2	1	
	5			6			7	

★★

SUDOKU

111

5	6	2				4		
	1				5		2	9
				3	8			6
		1	6	8		3		7
4			7		9			5
9		6		2	3	8		
6			1	4				
3	9		8				1	
		4				5	7	8

112

	3	2	8					4
6			2					
	7			5	1	3	6	
	1	4	6			7	2	
7				1				9
	2	5			3	8	1	
	9	3	4	7			5	
					5			3
5					9	6	8	

SUDOKU ★★

113

8		6		1		7		5
			2				4	
	1	9		3	7	8		
7			3			6	8	4
9								1
3	6	2			8			7
		5	4	6		2	7	
	3				1			
6		4		9		5		3

114

		2		4	1		8	
5		6	2					1
7					9	6	4	
6	5	3	9	7				
		8				2		
				6	4	5	9	3
	2	4	7					6
3					8	1		9
	7		1	5		3		

★★

SUDOKU

115

			8			4	1	6
		5		9	3		2	
1	8				6			5
7				1		6	5	
3			9		2			4
	1	2		7				3
9			7				6	8
	4		5	2		7		
5	7	3			1			

116

		4		6	1	8	3	
	9		2					
7		1		3		5		4
9	4	5	6					1
3								8
1					4	2	5	6
6		7		8		9		5
					3		6	
	1	2	9	5		7		

SUDOKU

★★

117

		7	9			1		
5			2	1				8
1	9	4				6	7	2
		6	5					9
	4		7		8		6	
3					1	2		
6	7	8				3	2	4
9				3	4			6
		5			2	8		

118

5		7		4		6		8
2	4			9	8			7
			3				1	
3	5	9			7	8		
		2				4		
		8	9			1	7	5
	9				4			
6			1	5			8	3
1		5		2		9		6

65

★★

SUDOKU

119

	4	1		7		2		8
			5	9	4			
6	3					7		
7			3			6	8	5
	2		4		5		3	
9	5	3			7			1
		2					6	3
			2	4	8			
1		7		3		5	4	

120

	5					9	8	7
		7	3	4				
8		1	9					2
	4	6		3	7		2	
		9	1		6	5		
	3		4	8		1	7	
2					3	4		1
				5	2	7		
6	9	3					5	

SUDOKU ★★

121

	9	3			8			4
		2			7		5	
1		5	3	2				8
		8		7			2	6
	7		8		3		1	
3	5			1		4		
4				9	2	6		5
	3		6			9		
6			5			8	7	

122

9					6			1
4	1	5				9	6	7
		3		9	5	8		
5			9			2		
	4		3		1		7	
		6			8			4
		4	7	2		6		
2	5	7				4	1	3
3			5					8

★★

SUDOKU

123

9			5		3		7	6
	8			1		4		
4			2		7		9	
3					4	6	1	
6				3				2
	7	5	9					8
	5		8		6			4
		9		2			6	
2	4		3		5			1

124

6	4			8			5	9
		5	7		9	3		
3				4				1
8	9		5		2		4	7
		2	4		1	9		
4	1		9		8		2	3
7				9				2
		4	2		7	6		
2	6			1			9	5

SUDOKU ★★

125

8	1	6				4	3	9
	3		6				5	
9			8	1				7
	6		2					1
		9	3		4	8		
7					5		9	
3				2	6			5
	2				7		4	
6	9	4				7	8	2

126

9				2	4			8
	2				7		6	
4	5	6				7	1	2
	4		2					3
		5	9		6	1		
7					8		5	
1	3	4				6	9	5
	9		4				8	
5			1	3				7

★★

127

			2	3		1		
9	2	8		6		5		
					9	7		
8	5		4		6		1	7
	3	4				9	8	
6	1		9		3		2	5
		6	5					
		2		7		8	5	4
		1		4	2			

128

1			7		5			8
5			6	1		2	4	
6	3						9	
				4	7	5	1	
		8	5		9	7		
	5	3	2	6				
	4						3	2
	7	2		8	4			1
8			3		2			9

★★

129

		2		6	4		5	
8					5	7		9
4	1	5	3					
	6	3		5				1
1			6		8			2
5				3		4	7	
					9	3	2	7
3		9	7					4
	4		1	8		6		

130

	8			9	2	4		
3		7			8			1
			5			8	6	2
	7	2		5				8
4			9		1			6
6				8		5	9	
7	4	5			3			
2			7			3		5
		9	6	1			2	

★★

131

	8					1	4	2
6		5			2	3		
9				8	3			
	3			2	9		6	1
8			5		1			4
5	9		6	7			2	
			2	6				9
		3	4			7		5
4	7	9					8	

132

	2		6	4		7		5
		6	7			3	1	
1	5		3					
8	1		9			5		
3			1		7			2
		4			2		9	8
					9		2	4
	7	9			6	8		
6		8		5	3		7	

★★

133

3		8	9	5		4		
	1	4		7		9	5	
					2			1
6	9	5	1				3	
	2						7	
	3				6	8	1	5
9			8					
	4	3		2		5	6	
		6		1	3	7		2

134

4					6			8
1	8	3				4	6	9
		2		4	3	5		
		6			5			1
	1		2		8		9	
3			4			7		
		1	9	7		6		
7	3	9				1	8	2
2			3					5

★★

135

5		4					9	
			3	8	6			
	7	6		9			1	2
8	4	3			9			7
		1	6		3	4		
9			4			2	5	3
7	9			4		6	3	
			1	6	2			
	1					5		4

136

	9		8		5	1		
	1		6		7	8	2	
		4		3				9
7		8			1		4	
	2			6			5	
	6		9			3		2
1				5		2		
	5	9	7		6		3	
		7	2		4		9	

137

	9	4			6			3
8	1		9	5				6
	5				7	1		
	6			7		5		2
		7	6		9	8		
9		1		8			3	
		9	2				4	
3				4	5		2	1
2			1			7	6	

138

			9			2		
4	9	5		6		8		
				7	4	3		
3	6		7		9		8	4
7		1				9		5
8	5		6		1		2	3
		3	4	1				
		4		2		5	1	8
		6			8			

★★

SUDOKU

139

9	2		8					4
	1		4	7				
		7				5	8	6
	9	1		3	2	8		
	7		6		9		5	
		4	1	8		2	6	
1	5	3				7		
				2	8		1	
4					5		9	3

140

8		2	9		1	6		7
	4			6			1	
		6	5		8	2		
	9		8	7	3		6	
6		7				3		5
	8		2	5	6		9	
		4	6		7	5		
	5			8			2	
9		8	3		5	4		1

SUDOKU

141

	8			1			6	
	5	3			9	8	1	
6	9		2				4	3
				8	3	6		7
2								4
1		7	4	5				
9	1				6		7	5
	2	5	7			4	9	
	7			9			8	

142

	4	1				8		7
2	5		4	7				
	3	6		2				9
	9				1	4		
1		2	8		6	3		5
		3	2				7	
5				6		2	3	
				8	4		6	1
8		7				9	5	

★★

143

	3			2		4		1
			5	9			8	2
	9	7				6		3
		1			4			7
	8	4	2		9	1	3	
6			8			5		
5		8				9	7	
3	4			7	5			
1		2		4			6	

144

8	2	6			7			
	9			4		3		2
5		4	8	9		1		
	6		9	3				
9	1						3	5
				5	4		6	
		3		8	6	7		9
7		1		2			4	
			1			2	5	8

145

		7		9	8			6
	5				4	2		9
	1	2	7				8	
				2	9	1	3	4
		6				7		
1	2	3	4	5				
	3				6	8	4	
7		9	5				2	
5			8	1		3		

146

6	1				4	7		
5					2		3	
3		8	6	5		4		
	3	6		8				7
	2		4		6		8	
4				2		9	5	
		7		1	5	3		9
	6		9					1
		9	3				2	4

★★

SUDOKU

147

	7				4		3	
		2		7	6	1		
3	8	6				7	5	4
	6		7			9		
8			2		3			5
		4			1		8	
6	9	5				8	2	3
		8	5	9		4		
	2		6				1	

148

		4		3			2	7
			8	9		5	3	
1		9					4	6
	6		5					8
7		5	3		9	4		2
2					7		1	
5	8					1		9
	4	7		1	8			
3	2			7		6		

SUDOKU ★★

149

1	9	7				2	5	3
6				3	1			4
		3			5	9		
		1	3					8
	7		6		9		2	
5					4	7		
		6	1			4		
7			2	8				5
2	1	8				6	9	7

150

7	9			4		5		
			2			7	6	8
	1			5	8		4	3
			9	5		6		
3		9				1		5
		6	4	3				
5	2		6	8			9	
8	7	3			1			
		4		7			1	2

★★

151

1	8				4		5	6
4				6				7
9		6	3			8		4
	4	9		8	5			
		1				5		
			2	7		4	3	
6		3			1	2		5
7				9				3
8	2		6				7	9

152

		1		9				5
8	3		7		6		2	
2			8		4		1	
9		3	1				7	
	4			7			3	
	5				2	6		8
	1		3		5			6
	9		6		7		4	1
3				4		2		

153

	5	8		3		9	7	
6	2			9	7		5	
			4					8
1	9	7			8	6		
		4				3		
		6	1			8	2	9
7					2			
	1		6	8			3	4
	6	5		4		1	9	

154

9					2	6	5	
3			7	4		9		2
	8				9	4		
		6		5			7	9
	5		8		6		1	
8	2			1		3		
		7	5				2	
1		2		7	8			6
	4	8	6					3

★★

155

8	7		5				1	6
1				6				2
5		2			3	7		9
			7	1		4	2	
		3				9		
	4	6		8	9			
6		5	2			8		4
4				5				1
3	8				4		9	5

156

		9		2		1		
	3	2	1			8	6	
6		1			5	7		2
1	5			9	4			
3								8
			3	6			1	7
4		3	8			2		5
	9	7			2	6	4	
		5		7		9		

157

		3			7		6	2
					3	9		
7	9		4	1				3
8	3				9		2	5
		1		5		7		
5	4		6				1	8
1				3	5		9	6
		6	8					
9	8		2			4		

158

	5				1			6
3	2				8	1		
	1	8	4	5		7		
4		1		3			2	
9			6		2			3
	7			9		6		8
		2		4	6	9	8	
		7	2				6	5
8			3				4	

★★

159

	4		7			5	3	
6	1	7						2
			4	2		9		
5		1	9	7				4
		6	1		3	2		
7				8	5	3		9
		9		5	7			
2						6	9	8
	8	3			6		4	

160

9	4			8		7		
			4			5	8	1
	6			1	2		9	3
				5	7	2		
3		4				6		5
		2	3	6				
5	7		1	3			4	
1	2	8			9			
		3		7			6	8

161

	6	4	5			9	7	
	5			7			3	
7	2				8		5	4
2		5	9	4				
6								9
				3	1	8		5
8	7		6				9	1
	3			2			8	
	4	1			7	3	2	

162

				3	7			4
	2				5		9	1
5	4	9				8		
		2	4	7		3		6
8			6		1			5
1		4		9	3	7		
		8				5	6	7
3	1		7				2	
4			2	8				

★★

SUDOKU

163

					3		6	
9	1		2	7				4
5		4		1		8		2
3	5	7	4			2		
		9				1		
		2			7	6	4	5
6		5		9		7		8
8				5	6		2	3
	7		1					

164

	7		3	1			6	9
4	9				5	8		
		6			4			
1	4		9				3	5
		7		3		2		
8	3				6		4	7
			1			9		
		1	2				5	6
9	2			7	8		1	

SUDOKU

165

	5			6			8	
		2	8		5	9		
9	8			1			4	6
1	2		6		3		7	8
		8	2		1	6		
6	3		4		8		5	2
2	9			3			6	4
		4	5		6	7		
	7			2			1	

166

	1	8	5	9				2
2		4	1			8		
			4				6	3
7	8				4	9		
	5		2		7		3	
		6	3				8	4
9	7				5			
		1			2	5		7
3				6	1	2	9	

★★

167

		8	1		7		3	
3				5		9		
	2	7	4		6		8	
2		5			3		6	
	1			6			2	
	9		8			7		4
	5		6		4	3	1	
		2		1				8
	3		9		2	4		

168

	3			9			2	
1			6		4			3
9		7	5		3	8		1
	7		9	4	5		6	
4		6				3		5
	9		2	3	6		7	
2		9	7		8	4		6
6			3		9			2
	1			6			8	

SUDOKU ★★

169

4	8							2
	7			6	2	8		5
	3		4		8		6	
			8	9		4		1
		5	1		3	6		
7		1		2	5			
	6		5		1		7	
2		8	9	7			1	
3							9	4

170

	8				9	3		2
	7	6	4				5	
		5		1	6			9
7	5	1	3	8				
		2				4		
				9	7	5	8	1
4			6	3		2		
	6				2	8	1	
3		8	7				9	

SUDOKU

171

	1		8			9	3	
9		5	3					
		7	1	2			8	5
	2				7	6		4
3			9		8			7
4		9	6				5	
1	4			5	3	8		
					6	7		2
	6	8			1		4	

172

4			6				1	
3	2		5			6		
6		5		4	7	9		
9				8		1	5	
	8		3		1		2	
	7	6		2				3
		3	1	7		8		5
		9			3		4	1
	5				2			7

173

		1			9		4	
7			1	6	4			5
5		2			8	9		1
		4			7		2	
3		8				7		6
	6		9			1		
4		5	2			3		8
8			7	3	1			9
	7		8			6		

174

8			6					
3				9		6	2	4
5				7	2			
	2	3	7		6	9	5	
6	4						7	1
	5	8	9		1	4	3	
			2	1				5
4	3	1		8				2
					3			9

★★

175

	5		6			4	2	
8	3	6						7
			5	7		1		
4		3	1	6				5
		8	3		2	7		
6				9	4	2		1
		1		4	6			
7						8	1	9
	9	2			8		5	

176

	2	3	1	7				
4		6					7	8
5		9		3			6	
		8			5			9
9	6		3		7		2	5
1			2			4		
	4			5		9		3
7	8					1		2
				8	1	6	5	

177

2	5	3				8	7	9
		6	8	3		4		
7			5					3
9			6			5		
	2		7		4		9	
		1			3			8
6					8			4
		5		1	2	9		
4	7	9				2	8	1

178

		3		7	4			8
	4		8				6	9
9		7			1		2	
6	5	1		9	7			
8								3
			1	2		6	9	5
	9		2			8		7
4	1				3		5	
5			4	6		2		

★★

179

	2				8	3		7
6	9		5				1	
1				4	6	8		
4	1	9	7	2				
3								5
				8	9	4	2	1
		5	6	7				3
	6				3		4	2
2		7	9				8	

180

	5	8					4	
		3	5		8	1		
		6		1	4		9	8
2	6			4	9			
9			2		3			1
			8	7			2	5
8	4		7	6		2		
		1	9		2	6		
	3					7	5	

181

5				6		3	7	
3	4	9	1					
	6	8		5	9		2	
4				7	5			
2		5				8		7
			6	8				4
	7		4	9		5	1	
					2	9	3	8
	2	1		3				6

182

2				4				9
1		7			2	3		4
6	4		8				7	2
	6	2		7	3			
	1						3	
			5	9		8	2	
4	8				1		5	3
7		5	4			9		6
9				6				8

★★

SUDOKU

183

7			9			4		8
1	5	9					3	
			7	3		2		
	9			6	4	8	2	
		5	1		8	3		
	4	1	2	9			7	
		2		4	9			
	3					5	6	2
6		8			5			7

184

		3	4		1		7	
				8	6	9	2	
	8	4			2	3		
8			2	9				6
9		2				4		1
5				6	4			9
		6	7			8	4	
	7	9	5	2				
	2		6		3	5		

SUDOKU

★★

185

1						2	6	8
	8	5	2				4	
		6	9	3				
3		7		9	6			4
		2	5		7	1		
9			3	8		5		6
				1	4	6		
	4				9	3	5	
2	7	9						1

186

9	5			1	3			
4		2				6	1	
7		8		9			4	
6			8			7		
	4	7	1		9	8	5	
		3			5			2
	2			8		9		7
	6	1				5		3
			3	6			8	4

★★

SUDOKU

187

9			1			5	4	
8	6				2			3
	3		6	7		1		
			8	1		7	3	9
	5						2	
3	7	8		9	4			
		2		4	6		5	
6			5				9	7
	9	4			8			1

188

1		3		4			6	
			1			5	9	4
2				5	8	7		3
	8		7	2				
	1	7				9	2	
				9	6		8	
6		9	5	7				1
8	4	5			3			
	7			6		4		2

SUDOKU

189

4				5	6			
6				7		5	9	2
8			9					
	9	2	5		8	7	4	
5	1						2	3
	4	8	3		1	9	6	
					3			7
2	6	3		8				9
			6	1				4

190

	7			8	5	1		4
2	5							9
	8		7		6		3	
7		2		5	1			
		3	9		7	6		
			6	4		7		8
	3		1		2		9	
4							1	2
6		1	4	3			8	

★★

SUDOKU

191

7		5				4	2	
1	9			2	7			
6		3		9			8	
		6			9			2
	5	9	3		4	6	1	
8			5			7		
	1			3		9		6
			7	4			5	3
	4	2				8		1

192

	9		6	2	4		8	
3	6				7		9	5
		4			3			6
6			3			2		
8	2						1	7
		5			8			4
2			7			8		
1	7		5				4	9
	3		8	1	6		7	

SUDOKU

★★

193

		7	8	2	1	6		
5		6			3	8		9
8					9		1	
1					7		5	
3		4				2		7
	2		9					8
	7		3					2
6		1	5			3		4
		3	7	4	8	9		

194

	4		2		7		8	3
9				8		6		
	3		1		9			7
4		9			3		2	
	8			2			9	
	1		6			7		5
6			8		5		3	
		3		4				1
5	9		7		2		6	

★★

195

1		9		5	6			3
4	8	5	7					
	2			4		1		7
			9	3			6	
	3	8				9	7	
	6			8	2			
3		4		2			9	
					1	5	4	6
7			5	9		8		2

196

3			8	9				4
8	9	1				2	6	3
	6		1				7	
	1		5					9
		3	6		2	8		
4					7		3	
	5				4		2	
1	3	2				4	8	5
6				5	1			7

197

	3	5		6		1		2
		4					6	8
			4	2	9			
	5		6			8	1	9
4			2		1			6
1	7	6			5		3	
			1	7	2			
6	8					5		
2		3		5		4	9	

198

		2			1			
		8	6	4				
		6		9		3	1	4
3	1		2		4		8	9
	5	4				7	3	
2	8		5		7		6	1
7	6	3		2		1		
				5	6	8		
			7			9		

★★

199

6	5		4		1		3	2
2			3		8			6
		4		6		9		
		6	7	5	3	1		
7	8						6	5
		1	6	8	2	3		
		2		3		8		
8			5		6			9
9	4		8		7		1	3

200

					3	6		
		3			8		9	5
6	8		2	4			3	
2	7		5				1	4
		4		7		8		
3	1				6		7	9
	4			3	7		5	6
1	6		9			2		
		5	1					

201

		5	3		1		7	
7				4		6		
	2	3	9		8		5	
	6				5	3		8
	1			9			2	
2		4	7				9	
	4		8		9	7	1	
		2		1				5
	7		2		6	8		

202

	6	8		4	1	3		
9	5		8			6		
	4		6					7
	3			2		7		8
2			5		7			9
1		6		9			5	
8					9		1	
		3			5		7	4
		5	7	1		2	8	

★★

SUDOKU

203

	7	1				2		6
	9			8		4		3
			6	7			8	5
7			8			3		
	5	3	1		4	8	2	
		6			2			9
4	2			1	6			
3		8		4			5	
5		9				7	1	

204

4				1	8		2	
1	9				3	5		
		8	2			6	9	
			3	5		9	7	6
	2						4	
3	6	7		9	1			
	8	3			4	7		
		9	5				1	2
	7		8	6				5

SUDOKU

★★

205

9		7		6	3			
		4			9	1		6
8			1		2	4		
	3		9	7			6	
	2	1				9	7	
	7			3	1		5	
		5	3		4			9
1		6	8			3		
			5	9		7		8

206

7			2		1		6	
4	5			9	8			
	6				4		2	9
		8	4	5		9		
	2	1				5	4	
		5		8	2	3		
2	9		7				8	
			3	4			5	7
	3		8		6			4

★★

207

	2	4	8				1	
1			5	9		6		
					4	2	8	3
6		2		7			5	
	5		6		9		3	
	7			2		1		8
5	1	7	2					
		3		6	1			7
	9				7	8	4	

208

1			2	3	8			4
4	6		7				9	8
	8		9			2		
		3			9		8	
5	7						1	3
	2		1			6		
		1			7		3	
2	4				6		5	7
7			8	5	1			9

★★

209

	8	4		5		6	3	
	1			4			7	
6			9		3			1
	5	3	6		2	4	9	
2			4		7			3
	4	7	3		5	2	1	
4			2		9			8
	9			3			2	
	2	8		7		3	6	

210

			9	2	3			
	3	5		4		7		8
6	1					4		
4			1			6	8	9
	7		3		9		1	
2	9	1			4			5
		7					6	1
5		4		1		9	3	
			7	3	8			

★★

SUDOKU

211

3		4	1			8		
					9	7	6	1
	1		7	2				5
		6		1			2	9
		5	8		2	6		
7	3			9		1		
2				8	6		7	
9	5	3	4					
		7			3	9		4

212

			3	4	6		7	
			1		7		8	
1	7	3		9			4	
9			2		5	6		
	2	5				8	1	
		6	8		9			7
	4			8		3	6	2
	9		4		2			
	6		7	5	3			

SUDOKU ★★

213

	9				8	3		
5					4	7	2	
4			7	3		9		6
		5		6			9	7
	6		4		7		8	
1	3			8		4		
9		1		2	3			5
	8	4	9					1
		2	1				7	

214

	6			9			7	
2			5		8			6
	4	9		1		2	5	
	1	5	3		2	9	8	
3			7		9			5
	9	7	1		5	3	6	
	3	4		7		5	2	
9			8		3			4
	8			5			3	

★★

215

		9	4	2			6	
					8	3	1	5
1	8		5					9
7				1		5	9	
4			6		2			3
	1	6		7				4
2					7		5	8
9	7	4	1					
	3			6	9	7		

216

		6	8		2			5
4		7	9			8		
			6	5		1		9
	8		5	1			7	
	3	4				5	1	
	1			8	4		6	
5		1		7	8			
		2			5	4		7
9			4		3	2		

217

		1	2	8		5		
	8		3				7	
7	4	2				8	9	3
	2				8	6		
4			7		1			9
		3	5				4	
2	6	9				4	1	7
	1				2		5	
		4		6	9	3		

218

	6		9	2			4	7
		7			6			
3	8				4	6		
2	1		3				5	9
		4		5		2		
8	5				7		1	6
		9	8				7	1
			1			3		
7	3			6	5		2	

★★

219

		7	2	4			3	8
1		8	6					
	2		3			1	6	
	4				7	9		5
6			1		3			7
5		1	9				8	
	9	3			2		5	
					9	7		4
2	5			8	6	3		

220

		8	5	6			4	2
		3	2		7	6		
	7	2					5	
				1	2		9	7
4			3		9			6
9	8		4	5				
	3					1	7	
		6	9		4	8		
2	5			8	1	9		

★★

221

			1	9		6		3
4		2	6					5
1			5		8	9		
	5		9	3			4	
2	7						3	9
	3			5	2		1	
		6	2		7			8
8					9	4		2
3		9		4	5			

222

	6			3	9		7	
8					5			3
4	3	5				8	9	2
2					6		5	
		4	7		8	2		
	1		3					9
7	2	8				9	4	1
6			9					7
	5		4	1			2	

★★

SUDOKU

223

6	3	9		1			2	
			6	2	4		3	
			9		3		8	
		1	5		7			4
7	5						9	8
4			8		1	3		
	1		2		5			
	4		3	7	6			
	2			8		5	4	6

224

8			7		1		5	3
4			2		5		8	
	9			6		4		
1					4	3	6	
3				1				2
	5	7	8					9
		8		2			3	
	7		9		3			4
2	4		1		7			6

SUDOKU

★★

225

	3	1			6		5	
5				9	8	4		
			1			3	6	2
	7			3		5		6
	8		9		4		2	
4		3		7			8	
8	5	7			3			
		2	5	4				7
	9		7			6	1	

226

7	1	3	8					
	2	4		5	1	6		
5				4		9	7	
3				9	5			
6	5						2	9
			4	2				3
	8	6		7				4
		9	3	1		8	5	
					6	7	1	2

★★

227

			7	4		2		
	3		8			6	5	
5	2	8						9
2		6	4	5				7
		9	6		1	8		
3				7	2	1		4
9						7	1	8
	6	4			7		3	
		2		9	3			

228

	2	5	7		9	6	8	
3				6				9
		9	1		4	5		
1			6	4	7			8
	9	7				4	1	
8			3	9	1			6
		3	9		6	1		
2				1				5
	4	1	8		2	3	6	

★★

229

3		6		2		7	9	
		2					5	4
			9	1	8			
8	3	4			5			2
	5		8		9		6	
7			2			5	8	1
			3	9	6			
5	4					6		
	9	8		5		2		7

230

5			1		3			2
	9	7		6		1	5	
		1		9		3		
	1	4	9		8	2	6	
9			2		6			1
	2	3	7		1	8	9	
		6		2		4		
	7	9		8		5	2	
4			3		9			7

★★

SUDOKU

231

1	7	3				8	5	6
4					8			1
	9			6	5		7	
	6				2			8
		5	3		1	7		
7			4				9	
	4		8	2			1	
3			9					2
5	2	9				3	8	7

232

	3				4		6	9
4	5			9	7			
1			6		8		3	
		7	4	5		9		
	6	8				5	4	
		5		7	6	2		
	2		7		3			4
			2	4			5	1
6	9		1				7	

SUDOKU

★★

233

		1	6		2	7		
3						6		2
9	6		3	1		4		
5	2			8	6			
	1		7		5		9	
			9	3			5	4
		5		4	8		6	3
2		8						7
		4	5		9	1		

234

6	8	1				9	5	7
7			1					2
	5		8	6			3	
	3				2			5
		5	7		9	8		
1			4				6	
	7			4	1		2	
4					3			9
5	1	9				3	4	8

★★

SUDOKU

235

5	7			4			1	9
1			5	3		4		2
		8			6			
9	8	1			3		5	
	4						2	
	5		1			9	3	6
			4			3		
6		5		9	8			7
7	3			2			9	8

236

2		9	6				3	
1			4			7		
7	5			1	2		6	
	2	7		5				3
		4	2		6	5		
6				4		1	8	
	3		1	9			7	8
		2			8			9
	8				7	4		6

SUDOKU

237

	3	9		6				8
					2	1	4	3
		7	4	8		6	5	
1				5	6			
9	5						8	7
			8	9				1
	8	2		4	1	9		
5	4	3	7					
6				3		7	2	

238

9	3	4	7					
2					4	5		6
		8		1	9		4	
	1	7		4				3
3			1		2			8
4				7		9	5	
	9		3	2		1		
7		6	5					9
					6	7	8	5

★★

239

	9		2		7			6
7				5		4		
	3		8		6		5	9
	2		4			6		1
	5			8			7	
3		7			9		8	
1	7		6		8		4	
		9		3				2
4			5		1		9	

240

	6	1		5	3			
7	9			1		8		
4	3					5		2
	8		4					3
1		4	7		2	6		9
9					1		5	
5		2					6	8
		6		7			9	1
			3	2		4	7	

241

9	2				8		5	3
		4			9			2
	5		2	1	4		6	
		3			6			4
6	1						7	8
2			9			1		
	9		6	7	2		8	
1			8			6		
7	8		3				4	5

242

7	6	2						5
		9	6			7	8	
			3	1			2	
2	8		1	7				3
	5		8		4		6	
9				3	2		4	1
	2			5	9			
	1	8			3	9		
5						4	3	6

★★

243

9			4					
		2		5	3	8		7
	5	3		1		2	9	
	7				9	5	3	6
	1						4	
5	9	8	6				7	
	6	5		4		7	2	
4		1	7	9		6		
					8			3

244

8		1		4	7	2		
7	5	6	9					
	4			1		3		5
	6			3	4			
4	2						3	8
			1	8			6	
9		2		5			1	
					2	5	8	7
		3	6	7		9		4

245

7				2	5	3	9	
4	1				6			
		3			9	6		7
6	3				4	1		
	4		8		7		5	
		2	6				3	8
8		5	7			9		
			5				8	2
	2	7	9	1				4

246

			6			4	9	2
6	2				9		7	
		7		8	3			1
	5			2		9		7
	3		8		1		4	
2		1		5			3	
4			7	1		5		
	8		5				6	9
5	7	3			2			

★★

247

	3	8		4			2	1
4		9					6	
			7	8	6			
3	9	7			4			2
		4	3		8	6		
1			2			3	4	5
			8	5	3			
	2					4		9
7	6			2		8	1	

248

		9		2		8	5	1
		4			5			
		6	9	1				
4	6		7		3		9	5
	7	1				3	8	
8	5		4		1		6	2
				7	9	6		
			3			2		
3	9	8		4		5		

★★

249

4			7			2	8	
	5		6	3		7		
9	6				1			5
5	3	9		4	8			
	2						1	
			9	7		3	5	4
6			2				4	3
		1		8	6		2	
	4	8			9			7

250

6	9		5	8				4
		4			6		2	3
					4	9		
1	5		2				8	7
		8		1		6		
7	4				9		3	1
		2	7					
9	7		3			5		
8				4	1		9	2

★★

251

	4	3	2	7		6		
	7				1			4
8	2				6	5		
	6			1		9		7
1			6		2			3
4		2		3			5	
		9	4				6	1
2			9				8	
		5		8	7	4	9	

252

5					6	7		3
2	1	6	9					
		8		4	2		6	
6				9		2	7	
1			4		5			8
	4	9		6				1
	2		1	5		4		
					3	9	8	7
9		3	7					2

★★

253

5				9		6	3	
3	7	4	2					
	8	9		5	7	1		
			9	8				4
1	5						8	6
4				6	5			
		6	4	7		2	5	
					1	3	7	8
	2	1		3				9

254

4			7	9		1		
2	3				4		7	
	5		8			9		2
			9	2		8	6	3
1								4
6	2	3		5	8			
9		4			5		2	
	6		1				8	7
		5		3	7			6

★★

255

	3		8	9	4		7	
		4	5					8
	7	1	2			5	4	
9					5	4		
	6	2				3	9	
		8	3					1
	8	7			1	6	2	
3					2	9		
	2		4	6	3		5	

256

		4	3		6			1
6				9			2	
		8	7		1	9		4
8	6				4	7		
		9		7		6		
		3	2				1	5
5		6	1		7	2		
	4			8				3
2			9		5	4		

257

7		1	3		2			8
		8	6		1			9
	9			4		5		
	7	4			9			2
6				2				7
5			8			1	3	
		7		6			8	
9			5		7	3		
4			2		3	9		6

258

9	5	6			2			
	3		6	7				5
		1	5			4	8	
7	2			5		9		
		9	1		7	3		
		5		2			6	8
	4	2			8	6		
6				1	9		7	
			4			8	2	3

★★

259

				1	7	3		5
	9	1					6	7
		4		3			8	2
1					3		2	
	2	5	8		9	6	3	
	7		6					4
2	3			8		5		
5	4					9	1	
8		6	7	9				

260

	6	8		9		2	4	
	1			8			7	
2			4		5			1
	8	7	9		4	3	1	
3			7		8			4
	9	4	3		2	8	5	
8			5		3			6
	5			4			3	
	3	6		7		4	2	

SUDOKU

★★

261

		7			8			
	8		2	3			9	7
1	5				9	8		
3	6		1				4	2
		9		4		3		
5	4				7		6	8
		2	5				7	6
7	1			8	4		3	
			6			1		

262

9			1					6
8	6	4				9	1	3
		2	4	9		7		
		1	7					8
	8		6		2		3	
4					9	5		
		8		5	3	1		
5	4	3				8	6	2
2					4			7

★★　　　　　　**SUDOKU**

263

5					2	1	4	
					5			7
	2	7	9	6			5	
	8	5			7	4	3	
6				3				2
	3	9	1			6	8	
	6			5	3	7	1	
1			8					
	7	8	4					9

264

		5	9	8	7			
		4		2		5	7	1
		3	4		1			
3			1		8		5	
	8	1				6	2	
	5		2		3			9
			6		9	2		
6	7	9		3		4		
			7	4	5	9		

265

2	4		3			9		
		8			6	7	4	
1			8	2			6	
				9	3	4	5	7
	6						1	
3	7	5	2	4				
	5			7	8			9
	8	3	1			5		
		4			9		2	6

266

		4			8		2	9
	7				5			6
		8	9	6		3		7
	6	1		5				8
	3		8		9		5	
4				3		9	7	
1		7		2	6	4		
2			1				9	
8	5		7			1		

★★

267

1		4	2		3	6		8
	2			1			7	
8			6		5			1
	3		1	5	8		6	
9		5				1		4
	1		9	4	6		3	
5			4		1			7
	8			6			5	
7		2	5		9	3		6

268

			8					3
8			6			4	5	
	3	6		2	1	8		
	1	7			5	9	2	
2				7				6
	8	9	3			7	4	
		2	7	8		5	3	
	9	3			4			1
5					9			

269

		2	1		3	8		
5		8	2		6	4		7
	9			4			2	
	3		6	1	4		7	
2		6				1		3
	7		3	2	9		4	
	5			3			8	
1		3	5		7	9		4
		9	4		2	3		

270

6			5	4	9			
8				7		5	2	6
3			2		8			
		6	3		7		9	
2		4				7		1
	3		4		2	6		
			9		1			7
9	1	5		3				8
			6	8	5			9

★★

271

7	8				3			9
			5			6	3	2
		3		4	2		1	
6				3		4	5	
1			4		9			6
	2	8		5				3
	4		6	9		2		
8	5	1			7			
2			8				7	5

272

6		2						4
		9		3	4		2	1
		7	6		2	3		
			2	8			6	5
	1		5		7		3	
9	5			4	1			
		3	1		5	9		
4	2		8	9		5		
7						8		6

273

	4				8			2
5		3			1	8		9
		8	7	9	4	6		
	2				6			7
8		9				2		4
3			4				1	
		4	3	2	7	5		
1		5	8			7		6
7			6				3	

274

7					6	3		
6	1		2	7			8	
4		5			1		6	
8				9		1	3	
		9	3		4	5		
	6	2		5				4
	8		4			7		3
	4			2	3		9	1
		1	5					2

★★

275

	2				4			
6		3		5		8		2
		8	3	6		1	7	
2	6	1			9			7
5								4
7			2			6	9	3
	4	5		2	7	9		
9		6		4		7		8
			1				3	

276

8	2				9	1		
		7			1			
	1		4	3			9	7
3	6		8				5	4
		9		5		3		
2	5				7		6	1
7	8			1	5		3	
			6			8		
		4	2				7	6

SUDOKU ★★

277

	7	6				3		
	9		6		7		2	
	8			2	3	1		7
4		8		3	1			
1			4		9			2
			7	5		4		6
7		3	5	8			4	
	2		1		4		8	
		9				6	5	

278

		9			8	4		3
4	5	8	3					
7				2	1		9	
		1		6			7	4
		5	2		7	1		
9	8			4		6		
	6		9	7				5
					4	9	1	6
8		3	6			2		

SUDOKU

279

				1	5		4	8
1		9				3	5	
2				8		7	6	
	1				8	6		
4		6	7		9	8		3
		5	3				2	
	6	8		7				4
	4	2				1		9
3	7		5	9				

280

9			7			8	3	
5		8			4			6
		4	6	3			1	
			3	8		5	7	2
		1				4		
8	5	2		9	7			
	9			5	6	2		
2			1			6		7
	4	3			9			8

281

	5	6			3	2	1	
8	3		9				4	6
	2			1			8	
1		7	4	5				
9								4
				2	6	8		7
	7			3			2	
3	1				8		7	5
	9	5	7			4	3	

282

3	1		2		5		7	8
		5		1		4		
	7		9		8		1	
		1	8	3	6	2		
9	6						3	1
		2	7	9	1	8		
	9		1		3		4	
		7		8		9		
5	4		6		9		8	2

★★

SUDOKU

283

5		8	6	3				9
					9		8	
	9				5	4		7
2		6	4			3		1
	3			2			5	
1		9			8	7		2
8		1	7				6	
	4		1					
3				9	2	8		4

284

		8	9	5	6	1		
	9		8					3
4		2	7			8		5
	3		1					6
8		5				3		9
2					9		7	
7		4			8	6		1
6					1		2	
		9	6	3	2	4		

SUDOKU

★★

285

7	5		6	1		4		
	2	4	7				5	
			2			8		9
	9		8			2		5
6			4		3			8
5		3			2		1	
3		1			6			
	7				4	3	6	
		8		9	7		4	1

286

					3	4	6	
3		6			5			2
5	4			8	2	7		
	9	1	7					8
	7		5		6		3	
4					1	6	9	
		5	3	4			2	9
9			2			5		1
	8	7	1					

149

SUDOKU

287

		8	3			4		1
6			9	2			3	
3	7	9			5			
		3		5			1	9
		7	8		2	6		
5	2			3		7		
			4			1	6	5
	9			8	7			2
4		5				1	9	

288

2			3				6	1
	6		9	4		3		2
	7	8	1					
	1	2	7					8
		7	6		5	9		
4					1	2	5	
					9	5	4	
6		4		8	3		7	
9	5				6			3

289

	1		8		9	4		
	4	3	1		6	2		
7				3			8	
		6	4				2	8
		8		6		3		
1	5				7	9		
	9			2				4
		7	6		1	8	5	
		4	5		3		7	

290

					2	7		
4	2	6		5		1		
			4	3		9		
9	5		2		3		1	4
3		8				2		6
1	6		8		5		7	9
		9		8	4			
		4		7		6	8	1
		5	1					

★★

291

	1			4				8
5		4	6		7	9		
6			8		3	5		
2	6				1	3		
		8		7		4		
		7	5				8	9
		5	2		4			1
		1	7		6	8		2
3				9			5	

292

	1	5		6	7		8	
3			9			2	5	
			2					1
	2	8	1			3	7	
4				7				8
	7	9			5	6	2	
5					6			
	9	1			4			6
	6		3	8		5	4	

293

		8	2		3			9
	4			1		2		
1		9	8		7			5
7			9			5	2	
2				7				1
	8	6			4			3
4			7		8	6		2
		3		5			9	
9			6		1	4		

294

		5		1		8		
6		1			8	2		3
	3	8	4			7	1	
				3	6		7	8
	6						2	
4	8		9	5				
	9	6			2	1	4	
5		7	1			3		9
		4		7		5		

★★

SUDOKU

295

				4	9	7	6	
		9	1		3		4	
	5	8			6	3		
3				7	4			8
2		5				4		7
7			5	3				9
		1	4			5	8	
	6		2		5	1		
	4	7	3	8				

296

	4	2				6		3
1	8		5	3				
	9	7		8				4
	6				7	9		
4		9	8		3	7		1
		5	1				2	
2				7		8	9	
				6	5		4	7
6		3				1	5	

SUDOKU

★★

297

2	1			5		9	3	
			4	9	6			
	4					8		5
1			5			6	8	3
		4	9		3	5		
7	5	3			1			2
8		5					1	
			3	7	9			
	2	9		1			4	6

298

5	4		6					
	8		2	3		1		4
		2	1			6	5	
		3			8		7	9
6			5		1			8
9	5		7			4		
	1	7			2	9		
2		9		4	6		1	
					7		8	3

★★

299

	2		4		3		6	
5				2				8
	6	3	9		8	1	2	
9			3	1	7			2
	1	2				4	7	
3			6	4	2			9
	3	9	7		4	8	5	
4				3				6
	5		2		1		4	

300

4	7	3				2	9	8
6				8	4			1
		8			9	7		
9					1	3		
	3		6		7		2	
		4	8					5
		6	4			1		
3			2	5				9
2	4	5				6	7	3

301

8				4				1
	9	3	1		6	2	4	
	1		7		5		9	
2			5	1	8			4
	6	1				5	7	
5			6	7	4			2
	8		4		1		5	
	5	7	3		2	4	8	
3				5				9

302

	7		2		6		8	
6	2							3
	9		3	8		2		1
9		5	1	3				
		1	7		5	8		
				4	2	6		5
3		2		9	4		5	
7							4	6
	8		5		1		9	

★★

303

		8	2	4		7		1
	3				1			4
		1			7		9	5
	7	3		6				8
	9		3		5		6	
5				9		1	2	
3	4		5			8		
2			9				7	
7		6		2	3	5		

304

		3		5		7		
7		2	6			1		4
	4	8			2	5	3	
				3	4		7	9
6								1
5	9		1	8				
	8	6	9			2	1	
2		5			7	9		8
		9		2		3		

SUDOKU ★★

305

	7	3	9	1		5		
6	2				3	7		
	1				7			4
	5			8		4		3
8			4		2			6
9		7		6			2	
3			6				9	
		5	2				4	1
		2		9	4	8	3	

306

		8	3				9	
5		3		8	4			7
	1	6	5					3
		7		2			5	9
	2		6		9		1	
3	4			1		6		
7					6	9	8	
6			9	4		5		2
	5				1	4		

SUDOKU

307

	1	2	9					7
		4	7				6	
9		7		4	5			3
		3		8			9	6
	8		2		6		1	
7	5			1		2		
2			6	5		9		8
	9				1	5		
3					2	6	4	

308

			8	9	2			
7		1					8	
	6	9		7			5	4
4					5	6	7	3
		7	9		6	8		
6	1	2	7					5
2	8			5		9	4	
	5					7		1
			6	3	9			

309

		7			5		9	6
		2	4	3		5		7
	1				7			3
	5	1		8				2
	9		1		6		8	
6				9		7	4	
4			9				5	
5		8		4	1	6		
1	3		6			2		

310

6			9		8		5	
5	2		6		1		3	
		4		2				9
7		6			4		8	
	9			1			2	
	1		5			9		3
8				3		5		
	4		1		6		9	7
	5		7		2			4

★★

311

				4	6		9	
1	2	3				4		
6					2		7	5
	1	7		2	9	6		
	3		5		1		4	
		2	7	8		9	5	
8	5		3					6
		4				8	3	9
	9		2	7				

312

	3	5			2		1	
	8		9			5		4
		2	1	4				6
3	5	7		8	9			
		6				2		
			4	5		3	7	9
8				3	1	7		
2		4			8		5	
	7		6			1	9	

★★

313

	2	9		4				5
	6	5					8	7
1		4		7	3			
	3				1	6		
5	9		7		4		2	1
		8	2				9	
			3	8		5		2
8	7					3	1	
6				2		9	4	

314

		7		3		8		
3		5		6		7		4
	4		7		8		1	
1		8	5		7	2		3
	3		1		6		7	
7		9	3		2	1		6
	9		8		3		5	
5		3		2		4		1
		6		1		9		

★★

315

	3	2	1					8
	5		7			6		
4	6			5	3			1
3		6		4			8	
		7	3		1	4		
	1			7		5		9
8			5	2			9	6
		3			9		2	
9					6	7	1	

316

					2		7	
3		7		9		5		1
4	8		1	5				3
5	6	1	7			8		
		2				9		
		8			6	7	5	4
6				7	8		2	9
8		3		2		6		5
	1		4					

317

	6				5	8	9	
				7	6	4		
3	1	5						7
8		1		5	4			6
		3	9		1	7		
5			8	2		9		4
7						3	4	2
		4	5	8				
	2	9	3				6	

318

	8			1			5	
7		9	5		2	1		4
		5	3		6	9		
	6		2	3	1		4	
5		2				3		6
	4		6	5	8		1	
		8	1		5	6		
3		6	7		4	8		1
	7			6			9	

★★

319

3	9	6				1		
8			9				5	2
			8	1			4	
		9		7	5	4	2	
	6		3		2		1	
	3	5	4	9		8		
	4			5	9			
7	2				6			8
		1				7	6	4

320

				3	5	4		1
8		3			4			9
9			8		7	6		
	3		4	1			5	
4	1						7	8
	2			5	8		1	
		4	5		9			2
5			6			8		3
1		6	2	4				

321

9			8	6			3	
		5	3			7		2
3	4	8			1			
1	6			3		4		
		4	5		6	9		
		3		1			2	8
			7			2	9	1
7		1			2	8		
	8			5	4			6

322

	3	7			1		8	
	8		3		6	4		
				7	5	1	9	
7			1	9				5
9	1						3	6
2				5	3			9
	9	4	2	1				
		1	5		8		2	
	5		4			3	7	

★★

323

3	8			4			2	7
					1	3		
	9	6	2	7			8	
2	7	5	3					6
1								4
6					5	7	9	3
	5			3	6	1	4	
		2	9					
8	6			1			7	5

324

	4			7		2		
		8	1		9			4
3		9	5		6			8
2			8			9	5	
1				6				3
	3	7			4			6
7			6		5	4		1
4			2		3	5		
		3		1			8	

325

	9		4					1
4		1	6			8		3
		8	9	5	1	7		
	3		7					9
7		5				2		6
1					4		5	
		4	1	2	7	6		
2		6			3	9		8
5					6		7	

326

		6	5	7			3	
					9	2	1	4
1	9		4					6
	1	3		8				5
5			3		7			2
8				1		4	6	
7					8		4	9
6	8	5	1					
	2			3	6	8		

★★

SUDOKU

327

7			3		5			9
	1	6		4		5	7	
		9		1		8		
	8	1	5		4	9	2	
2			1		8			5
	5	4	7		2	3	1	
		3		5		2		
	6	2		8		7	5	
1			2		3			6

328

			1	4	3			
9		4		8			7	5
	8	6						1
	7				5	9	2	8
		8	4		9	1		
6	9	3	8				5	
5						8	6	
1	3			5		4		7
			9	2	4			

SUDOKU

★★

329

		4	5		3			7
7			9			8		3
2		9	1	8				
	2		3	1			6	
3	5						2	9
	1			2	9		8	
				9	6	4		2
8		3			4			1
6			7		1	9		

330

		3			4		5	
2	8				6		1	4
4			7	1	3			9
		5			9		7	
1	4						3	5
	2		3			6		
3			2	5	7			8
8	6		4				9	7
	7		9			2		

★★

331

	9		2		8			7
		5		1			8	
1	7		3		9			4
	6	9	5					2
8				3				1
3					7	8	4	
5			9		3		6	8
	2			4		7		
7			1		6		5	

332

			6		7		5	
6	7	1		3			2	
			1	2	4		7	
3			8		9	4		
	8	9				5	6	
		4	5		3			7
	4		7	9	1			
	2			5		1	4	8
	3		2		8			

333

6			7			4	3	
	2	7		1	8	6		
			6					2
	6	9	2			5	4	
1				5				7
	8	5			3	9	1	
3					9			
		1	5	6		3	2	
	9	2			4			8

334

		7		9	4			5
			1			2	8	3
1	3				8		7	
	6			3		8		7
	4		9		5		2	
3		5		6			4	
	9		6				1	8
6	7	4			3			
2			7	5		6		

★★

SUDOKU

335

			9				7	
2	4			6	1			8
5		8		4		3		1
9	5	6			8	1		
		2				4		
		1	6			7	8	5
7		5		2		6		3
3			7	5			1	9
	6				4			

336

1					7	3	6	
					1			5
	7	5	4	9			1	
	2	1			5	6	8	
9				8				7
	8	4	3			9	2	
	9			1	8	5	3	
3			2					
	5	2	6					4

SUDOKU ★★

337

			5				7	3
	3	5	8			2		
7		8	2	4			6	
1	9				6	4		
6			3		8			5
		7	9				3	1
	8			7	5	1		2
		1			2	9	8	
4	6				9			

338

	9	4		3		1	5	
6			7		9			4
	7			1			9	
	8	1	9		5	6	7	
9			3		6			1
	6	3	8		1	9	2	
	2			6			3	
5			1		7			2
	4	6		8		5	1	

★★

SUDOKU

339

	8			1				4
3		1	9		6	5		
6			2		4	3		
		9			3		4	5
		4		9		1		
7	6		8			2		
		3	1		7			8
		8	6		9	4		7
2				5			3	

340

	7		1			8	4	
		2	7	5			1	3
8		3	4					
	5				2	6		9
4			8		1			2
9		8	6				3	
					6	2		5
7	9			3	4	1		
	6	1			7		9	

SUDOKU ★★

341

7			2	1		6		
	8		9			1		4
4	5				7		2	
3	4	5		8	9			
6								7
			1	4		9	3	5
	3		6				9	2
1		7			8		4	
		8		5	2			3

342

			8	5	3	6		
			2		9	7		
3	9	6		4		2		
	8		4		7			6
4		1				9		5
6			9		5		7	
		2		7		8	1	3
		4	1		8			
		8	3	2	6			

★★

SUDOKU

343

	3	8	6			4	5	
	2		8					9
		7	9	3	1	8		
6					9		4	
	9	2				3	8	
	1		7					2
		5	1	2	4	9		
4					7		1	
	7	1			8	5	6	

344

					4	3		
			6	8		9		
8	4	7		1		6		
1	9		3		8		4	7
	7	5				8	2	
4	6		2		5		9	3
		4		3		7	6	5
		9		2	6			
		1	5					

SUDOKU

★★

345

					3	4	8	5
6		7	4					9
	4		5	2		1		
8				4		3	2	
1			9		2			8
	7	5		3				4
		2		9	8		5	
5					7	6		3
7	1	3	6					

346

5	6	8		9			7	
			5				2	
				8	7		4	
7		5	3		1	2		4
6	3						8	1
4		9	8		2	6		5
	4		7	1				
	9				3			
	5			2		3	6	7

179

★★

SUDOKU

347

	8	2		7				6
3		7	9	5				
	1	6					4	5
		4			8		2	
6	2		7		5		8	3
	9		3			1		
4	5					9	3	
				4	9	6		8
1				8		2	7	

348

		8	7	6	2	5		
3		5			1	7		9
7					9		2	
2					8		3	
1		4				6		8
	6		9					7
	8		1					6
5		2	3			1		4
		1	8	4	7	9		

SUDOKU ★★

349

		1			7			
		5	4	2				
		4		9		6	7	2
1	5		8		3		4	7
	8	2				3	6	
6	7		1		2		5	9
3	4	6		1		7		
				8	4	5		
			3			9		

350

4		7		3		8		5
	9		1					
		5		2	7	6	3	
7					5	1	8	2
3								6
9	5	8	2					7
	7	1	9	8		4		
					3		2	
2		4		6		9		8

★★

SUDOKU

351

		9	5				7	
7	5		3				4	1
1			9	8	7			6
	7				5	8		
8	6						3	2
		4	6				9	
5			7	2	6			3
3	2				4		1	9
	8				3	6		

352

	6				9		2	
3				7	5			1
1	2	4				9	7	5
7					8		9	
		5	4		2	1		
	1		6					3
8	5	3				4	1	9
6			9	8				2
	4		3				8	

SUDOKU

★★

353

	4	5					1	9
	7	2		3				8
3		6		9	5			
		8	4				5	
4	3		7		1		2	6
	2				3	9		
			5	1		7		4
6				7		2	3	
1	9					6	8	

354

		1	6	4		5		
3			2					8
8	7	5				6	2	4
5					3	1		
	6		8		7		5	
		4	9					2
6	1	9				2	7	5
7					1			9
		3		9	2	8		

★★

355

					4	7		
		8			5		4	1
7	1		3	2				6
3	5		1				2	4
		9		3		6		
4	6				7		8	3
2				6	8		1	9
5	7		9			2		
		1	2					

356

4							1	7
	3		7		1		9	
5		1		3	4		6	
8		7	1	2				
		3	8		9	5		
				4	5	8		6
	8		2	6		1		4
	6		5		8		3	
7	2							9

357

			4		3			5
			7	8	9			2
2	7	4		6				3
	2		8		4	5		
1	6						8	4
		9	5		6		2	
3				5		1	7	9
9			2	3	7			
6			9		1			

358

		4	8		2	7		
	8			1			2	
1	6			9			8	4
7	2		6		8		5	1
		1	7		9	8		
8	3		1		5		7	9
6	1			5			4	7
	9			7			3	
		3	2		1	6		

★★

359

	5	8			4			
		1		3	9		8	7
9					7	5		4
	2	5			6			8
	4		7		5		1	
3			1			6	2	
6		7	9					2
2	9		4	8		7		
			6			1	3	

360

8						2		3
		7	1		4	5		
9	6		2	5		4		
			6	2			3	4
	1		4		8		7	
5	4			9	1			
		5		7	9		6	1
		8	3		6	7		
3		6						9

361

4			5		8			
1				3		5	9	8
8			9	1	7			
	7		2		6	3		
5	4						6	2
		8	4		3		7	
			8	6	9			7
7	9	2		4				1
			1		2			3

362

		3	6		5	4		
2		7						1
		6		3	7		8	9
6	2			7	8			
	4		1		6		5	
			5	9			6	3
5	8		9	4		3		
9						8		2
		4	8		2	1		

★★

SUDOKU

363

	9					2		6
			9	8	1			
	7	5		2			4	8
		7	2			4	6	1
9			8		4			2
4	2	3			7	5		
8	5			7		1	9	
			4	3	8			
2		6					7	

364

5			1					8
	9		6	7			3	
7	6	1				2	9	5
	3				8			9
		9	5		2	6		
1			4				7	
9	1	2				3	4	6
	5			4	1		8	
4					3			2

SUDOKU

★★

365

	9			7	3			8
4	2				9	6		
		8	5			1		3
			4	6		8	1	7
5								2
8	7	6		9	1			
6		7			2	3		
		9	1				4	6
2			3	4			5	

366

		3	5	6				
		5		9		7	8	6
		1			8			
1	3		4		2		5	8
	4	6				2	7	
7	8		1		6		3	9
			2			9		
2	5	7		1		8		
				4	5	3		

★★

367

9			3	4	2			
1			8		6			
6				7		8	3	9
		1	4		8		9	
8	4						7	5
	9		1		7	2		
2	3	5		1				6
			2		5			7
			9	6	3			2

368

3					5	2	8	
5			8	1			4	7
		4			6		1	
9		1		6			5	
		7	5		8	6		
	3			7		4		8
	2		9			8		
4	9			2	1			3
	5	6	4					9

369

7			4	8				5
	2		9				6	
4	8	9				1	2	7
	9		3					8
		7	2		1	4		
5					6		7	
9	7	1				5	4	3
	3				5		1	
2				3	9			6

370

9						3	8	
			1	5	6			
7	2			9		6		4
8	1	2	3				9	
		3	6		1	7		
	4				9	1	5	3
1		6		3			4	9
			7	6	2			
	3	8						7

★★

371

		6	2		8	5		
	9					8	2	
8	3			6	9	1		
				9	3		1	4
6			4		5			3
2	4		8	7				
		4	7	1			9	8
	2	7					5	
		1	3		4	6		

372

		3	4			5	1	
7	2				6	8		
6				9	1		3	
9	3	8		6	5			
	4						7	
			2	8		3	9	5
	7		1	2				4
		6	5				8	2
	8	9			7	1		

373

	8			3			1	
4		2	6		1	3		5
		3	7		4	2		
	6		4	5	9		3	
3		5				9		7
	4		2	7	3		6	
		8	3		5	7		
6		4	9		7	8		1
	7			4			2	

374

4	5		3	2			7	
	8	7		4		9	3	
					1			6
8	1	2	7			3		
		5				4		
		3			2	6	8	7
2			4					
	6	8		5		2	9	
	9			8	6		1	3

★★

375

		3	1		7		6	
	5	8		2	9			
	6				8	2	1	
9			8	5				2
7	1						8	5
5				9	1			4
	2	1	3				9	
			4	8		3	5	
	4		9		6	8		

376

		5		6		4		
	9	1	5			6	7	
6		8			2	5		9
8	5		7	9				
1								7
				4	3		2	5
2		6	1			7		3
	3	9			6	8	4	
		4		8		2		

377

	7			9			5	
	5	8		4		9	2	
1			7		5			8
	1	4	6		9	5	3	
5			4		1			9
	6	9	5		2	1	7	
2			9		7			3
	8	1		6		2	9	
	3			1			4	

378

3		4			2	6		
		7	5				1	9
6			3	8			5	
			4	5		7	8	6
1								2
8	4	6		7	9			
	2			9	3			1
7	9				4	5		
		3	1			8		7

★★

SUDOKU

379

		1	9				2	8
5	9			4	3		1	
			1			5		
1	7		5				6	2
		4		6		9		
3	6				8		7	4
		8			7			
	4		6	1			8	5
7	5				2	3		

380

		7	5		6	4		
	4			2			3	
8		2	4		1	7		9
	8		1	5	2		6	
6		5				1		4
	2		6	4	3		8	
2		3	9		8	6		5
	7			6			9	
		6	2		4	3		

SUDOKU ★★

381

		7	2			3		9
4			8		3	7		
2		1	5	9				
	1		3	5			6	
	8	3				2	1	
	5			1	2		9	
				2	6	1		4
		6	7		5			2
3		9			4	5		

382

	4	8		5			6	3
			1	7	3			
	5					2		9
8	2	1	9			5		
9			3		1			4
		6			5	7	9	1
2		9					4	
			4	3	8			
3	1			9		6	5	

★★

383

2	4	9				3	8	5
	7			8	4		1	
		8			5	2		
	5				1	9		
9			7		2			3
		4	8				6	
		7	4			1		
	9		3	6			5	
4	3	6				7	9	2

384

	3	2		6		9	8	
		9		3	2	1		4
8			7					
	4				8	3	2	5
	6						7	
3	8	1	5				4	
					1			2
7		6	4	8		5		
	5	3		7		4	9	

385

	1	7		2		3	5	
		4		1		8		
5			3		9			4
	8	1	2		3	4	6	
6			8		1			3
	3	2	6		5	9	1	
1			9		6			7
		9		3		6		
	7	6		8		5	3	

386

	7	1			2	8		
	5			3	4			
9						5	2	1
3	6		5	4				8
	2		6		7		9	
4				1	3		7	5
2	4	6						9
			8	9			5	
		8	4			7	3	

★★

387

3					8		5	7
				6	9		2	
2	8	7				1		
	5	2		7	6	9		
	1		4		5		8	
		3	2	9		6	4	
		1				8	9	4
	2		3	1				
5	6		9					3

388

2				9			3	
	7	8	4		5	6		
	6		1		7	2		
8	9				2	5		
		1		5		8		
		3	6				7	4
		2	3		8		4	
		9	5		4	1	2	
	8			1				6

389

8		4		3		7	2	
			9	2	1			
		9					6	3
4			3			6	1	7
	9		2		7		3	
5	7	3			4			8
6	3					4		
			7	5	2			
	2	8		4		9		1

390

6		2			9	7		4
	4	8	2			1	5	
		5		1		6		
1	3			8	7			
9								7
			4	5			6	3
		3		2		5		
	8	9			3	2	7	
2		1	6			3		8

★★

391

8	5	9				2		
				7	6			5
	1				8		9	3
3		5		9	7	6		
2			4		3			8
		1	5	6		7		4
7	3		6				1	
5			1	2				
		2				8	4	6

392

			8			6	2	7
	8	2			6	9		
9				3	5		1	
		4		2			9	6
		5	3		1	7		
1	2			4		5		
	7		9	1				4
		3	4			8	6	
5	4	9			2			

SUDOKU

★★

393

2	6	9		7				3
			3	9				1
					6			5
	3	6	4		8	5	1	
8	2						4	9
	1	7	5		9	2	6	
7			8					
1				4	3			
6				5		8	3	2

394

2		1	6	5		3		
5	7	8			4			
	9			8		4		1
	6		9	7				
7	3						4	2
				3	2		6	
8		3		9			2	
			1			6	8	5
		4		2	5	9		7

SUDOKU

395

		3	7	9			5	
					4	2	3	7
6	1		3					8
	7	1		4				3
5			8		9			2
2				3		9	4	
7					1		6	4
1	4	5	6					
	9			8	2	7		

396

3	6			1			5	7
	8			3			9	
		7	5		4	8		
5	1		2		7		4	3
		2	9		3	5		
9	3		1		5		8	2
		3	4		2	6		
	4			5			2	
6	2			9			7	5

204

SUDOKU

★★

397

		7		2				9
	5		7		4	3		
	8		3		1	5	2	
	4				9	6		3
	2			1			7	
7		8	5				1	
	7	6	1		3		9	
		9	6		2		5	
5				8		4		

398

3					4	8		5
		6	1		3			7
9		4		6	7			
	5			9	6		3	
6	9						2	8
	7		8	3			9	
			3	5		6		9
1			2		8	4		
8		5	6					1

SUDOKU

399

	2		9		7			6
		4		3			9	
3	6		2		8			5
8			6			9	5	
9				8				3
	1	2			4			7
4			8		2		1	9
	7			5		6		
6			1		3		4	

400

	4	9		8			2	6
7		3					8	
			9	5	1			
5	3	1	8					4
		2	1		9	3		
8					3	6	7	1
			6	9	2			
	2					7		3
4	8			3		9	1	

SUDOKU

★★★

401

		4	2					
	2			7	8		1	
	7						9	
				4			8	3
3	4		6		7		5	9
6	1			9				
	6						3	
	5		8	2			7	
					9	8		

402

			2	5		4		7
						9		2
	8		3				5	
			1				6	
7				2				5
	9				8			
	7				9		1	
6		9						
4		2		7	3			

★★★

SUDOKU

403

		2			5			
		6	1	8				
		7		3		4	5	1
	2							7
4		5				9		8
1							3	
7	9	4		2		1		
				9	1	6		
			7			3		

404

				2				9
			6		4	3	1	
			8		1	2	5	
		9	5		7	6	3	
6								5
	3	7	4		2	9		
	6	1	2		3			
	7	8	9		6			
2				1				

SUDOKU

★★★

405

			6				7	
3								
2		8	4	1				
	6		5			7	8	
1				8				9
	8	2			7		3	
				9	8	2		1
								8
	5				4			

406

5				7				1
8	2		5		1		7	4
			9	8	4			
	6						3	
1								5
	7						2	
			3	6	7			
7	9		2		5		4	6
3				9				2

★★★

407

4							6	
9	8			7				
					3	1		
		3			1		7	
7	5			4			1	6
	9		5			2		
		5	8					
				6			4	7
	2							9

408

		9				1		
	1		8		7		2	
4			1		5			6
		7	5	8	3	6		
	5						8	
		6	7	1	9	3		
8			4		6			3
	9		3		1		7	
		4				2		

SUDOKU ★★★

409

			1		9		6	4
			6		7		3	5
				5		2		
2			8		3		4	9
		9				3		
8	4		5		1			2
		5		6				
6	9		4		5			
7	8		9		2			

410

1				4	6		3	
			8			7	9	2
	8	9			7	1		
3	9			5		6		
		6	4		3	2		
		5		9			1	7
		4	5			8	7	
6	5	1			9			
	2		1	3				5

SUDOKU

411

	1		4				5	
7		2						
9		6	7	1				
					5		2	
1				7				9
	3		8					
			9	4		7		6
						2		3
	8				2		9	

412

	1	4			7		3	
7	3			2	8	4		
					1	6		5
3		9	1				2	
8			9		4			6
	5				6	1		3
9		2	8					
		6	7	5			4	2
	7		4			9	8	

SUDOKU

★★★

413

	6		5		9		8	
2		4				5		9
	3						6	
		1		7		3		
	7		3		2		4	
		2		4		6		
	1						2	
9		8				7		3
	5		9		8		1	

414

		8	1		2	4		
	9		6		4		2	
			9					
	6	4	2		3	5	7	
3				5				4
	7	9	4		8	2	3	
				3				
	1		7		6		5	
		7	8		1	6		

415

9						4	7	
	3				8	1		
2		1			9			5
		8			3			
	1						6	
			6			2		
4			3			8		2
		3	4				9	
	7	5						4

416

	7	8				1	6	
4	6						9	2
			1		8			
3			6		2			4
			8		7			
9			3		5			1
			9		4			
1	9						5	7
	4	5				9	2	

417

			3	2	5			
5				9				7
3	9		8		7		6	2
	2						5	
1								8
	3						7	
4	7		1		8		3	6
8				3				1
			6	4	9			

418

6		8		1		4		7
9	7						3	2
	8		1		6		9	
3								6
	1		3		2		4	
1	6						7	5
8		2		4		9		1

SUDOKU

419

	1	2				7	6	
8	3			9			2	4
		8	3		9	1		
	7						3	
		9	6		7	4		
6	8			4			9	1
	9	3				2	5	

420

	5	7		2		8	4	
6								9
1			4		6			3
		8		5		9		
			2		1			
		9		6		3		
8			5		7			2
9								5
	7	3		1		4	6	

SUDOKU ★★★

421

5		8	4		7	3		9
			5	9	8			
4								8
1		2	8		9	5		6
		9				2		
8		5	3		6	9		1
7								3
			1	3	2			
3		1	9		4	8		2

422

4	5			1			9	2
	3	8				6	5	
		4	5		6	9		
	6						7	
		1	7		2	5		
	2	7				8	4	
1	8			5			6	9

★★★

423

8	9			7				
			8		2	3		
	4		3					
	8	1			3			
	7			8			9	
			5			6	1	
					4		8	
		5	6		8			
				9			4	2

424

	3	6		4		1	9	
		5	6		2	7		
6		9				4		8
2	5						6	1
3		7				9		5
		8	7		3	6		
	7	2		9		8	4	

425

						5		7
				2		9		4
	6		3				2	
	7	1			8			
		9		4		2		
			6			4	1	
	9				7		8	
3		5		9				
7		4						

426

	9		7		2		3	
1			5		9			2
				8				
6	5		8		1		7	3
		9		4		8		
3	7		6		5		2	1
				5				
5			4		6			7
	6		2		8		4	

★★★

SUDOKU

427

2	6						9	4
9		8		1		5		3
	4		3		1		5	
3								6
	8		2		6		1	
1		4		8		2		5
7	9						3	1

428

2					9			
8			4	5				
5				3		1	9	8
		4					3	
9		2				7		6
	8					4		
4	6	1		2				5
				7	8			4
			6					3

SUDOKU

429

		1	3					
				6			8	4
9				1	8		2	
			5			3		
	7			4			6	
		2			1			
	4		6	5				7
8	6			7				
					9	5		

430

3					5			
9				4		5	2	1
7			9	2				
		5					4	
2		6				1		8
	3					9		
			6	9				7
1	8	9		3				5
			8					4

★★★

431

8					9			1
	4	9						
	7	2		8				
			3				4	5
	8			4			6	
9	5				1			
				6		4	8	
						9	7	
3			2					6

432

3			1		5			2
		5				1		
9		6		4		3		7
			2		6			
		1				6		
			7		4			
6		8		2		4		5
		7				8		
4			6		8			3

433

			8	5			7	
	7	6				5		
	8	3	9			6		
					9		6	
6	3						1	5
	4		5					
		4			5	1	3	
		5				8	9	
	2			8	7			

434

	6				5	1		
	7	4						5
5					6		9	8
	9		6					
		2				3		
					3		8	
8	2		1					7
1						4	5	
		6	9				2	

★★★

435

	6		3		4		5	
5								2
		7		9		6		
9		4	6		1	7		3
			7		2			
7		2	4		9	1		5
		8		2		4		
3								1
	7		1		3		8	

436

	4	1				5	6	
9			1		4			2
2								7
	7			3			8	
6			5		7			3
	2			6			5	
5								8
8			9		1			4
	3	7				1	9	

437

		5						
			1	6				
3	7		2	5			1	8
		3		1				9
7			4		5			3
9				7		4		
2	4			8	9		6	7
				4	6			
						9		

438

	7		1		2		6	
		1				4		
5			8		4			9
2		6	3		9	7		8
4		7	2		5	3		1
7			4		3			6
		8				9		
	2		9		1		5	

★★★

SUDOKU

439

	2	3	4		1	7	8	
			8	7	3			
		7				5		
	9	6	2		4	8	3	
	3						4	
	4	8	7		6	2	9	
		2				1		
			9	4	2			
	7	4	1		5	9	2	

440

3		7	9		6	8		1
			8	3	1			
8								6
2		3	4		7	1		8
		5				3		
4		1	3		8	5		2
7								9
			5	7	2			
5		8	6		3	2		7

SUDOKU

441

			5	9			8	
					3		6	
3	8	7		1			2	
		8						6
	4	1				9	3	
5						8		
	2			6		7	5	4
	1		4					
	5			2	8			

442

	7	5		6		1	8	
	8		5		3		9	
3	5						6	4
7		4				9		2
9	6						1	8
	4		9		7		5	
	9	3		1		6	2	

SUDOKU

443

	8			2		5	9	7
	1			5	8			
	4		7					
7						2		
6	5						3	9
		4						8
					3		2	
			8	6			1	
8	9	3		4			7	

444

		4	3		6	5		
1			2		8			6
	6						7	
	9		7	6	2		4	
8								3
	4		9	8	3		2	
	1						5	
2			6		9			7
		9	4		5	8		

445

1				6	9	7		
	6		3					
				8		9		5
			2				3	
		4		5		8		
	7				6			
9		8		4				
					1		2	
		5	8	2				4

446

		2	5		8	1		
7			9		2			3
	4						2	
	5		6	8	9		3	
		9				8		
	3		4	2	5		6	
	7						1	
8			3		7			6
		4	2		6	5		

★★★

SUDOKU

447

		7		2		5		
	2		9		8		4	
3			1		6			7
1		6				7		8
	4						1	
5		2				9		4
4			7		2			6
	7		3		1		2	
		3		9		8		

448

	7							
9	4			1	2			
					6	8		
4		9	8			7		
	1			9			5	
		6			3	9		8
		3	2					
			9	5			1	4
							9	

SUDOKU

★★★

449

	2		3		7		5	
		1				3		
6			4		1			9
	3	6	2		4	8	1	
	4	9	5		8	6	7	
4			1		5			2
		7				5		
	6		8		3		9	

450

5		3				1		6
	7	2				3	9	
			5		6			
	5		8		4		2	
			6		1			
	9		3		7		8	
			2		9			
	1	4				2	5	
2		7				9		4

★★★

SUDOKU

451

	9						1	
		7	8		5	4		
6			9		3			2
	4	1	5		9	2	7	
	5	3	2		6	8	4	
7			3		2			4
		9	1		8	6		
	8						3	

452

9	8	6		4				5
			6					7
				1	8			2
	5					7		
3	1						9	6
		4					8	
2			8	3				
4					5			
8				7		3	5	9

SUDOKU

453

4								1
	9		2		4		6	
		5	1		7	3		
6		2	3		8	7		9
9		1	5		2	4		8
		9	8		1	6		
	2		4		3		5	
7								3

454

8	2			6			5	3
		9				7		
6			8		1			9
	1			8			3	
			9		7			
	8			5			1	
4			1		2			6
		1				5		
2	9			3			4	1

★★★

SUDOKU

455

		8			7	3		2
		7				1		5
4				1	6			
					5			9
2	9						7	3
8			7					
			1	7				6
6		9				7		
1		2	5			9		

456

	5						7	
7			2		8			1
6		4		1		3		2
		6		2		8		
			7		5			
		8		4		2		
8		9		6		7		3
1			8		3			9
	4						8	

SUDOKU

457

7			4		2			3
		1	7		3	6		
	4			9			8	
	3	5				1	9	
1								2
	6	2				8	7	
	7			3			5	
		4	2		6	7		
3			9		8			1

458

	8	7	9	4		5	6	
			7	5				
9								
	9			3				1
	1		2		5		8	
5				8			9	
								2
				7	3			
	4	3		2	6	8	1	

★★★

459

	4		9		1		5	
				4				
		1	6		7	9		
	8	5	1		4	6	3	
2				9				7
	1	4	7		3	5	8	
		2	5		6	8		
				7				
	3		4		2		6	

460

2			4		9			3
3								7
	4	9				8	5	
	7			6			1	
5			7		8			6
	3			5			8	
	6	7				9	2	
8								1
1			9		2			4

461

1	7							9
				9	2		7	
8	2				4			1
			4				1	
	8	1				9	6	
	5				9			
5			9				8	6
	3		7	2				
9							4	2

462

	5	1		7		9	2	
3			5		6			4
8								6
		3		6		8		
			7		4			
		8		2		1		
2								8
7			2		9			1
	6	5		4		3	9	

★★★

SUDOKU

463

				4				
		9	6		2	7		
8			3		9			2
1		3	4		8	6		7
	9			5			4	
7		6	1		3	2		8
3			5		1			6
		1	2		4	5		
				3				

464

	3	2		7	9			
	9							
					8			5
9		4	5					6
	7			9			3	
1					4	2		9
4			6					
							1	
			8	3		9	2	

SUDOKU

★★★

465

3			4		8			7
		9				4		
	1		3		5		2	
		8	6	7	3	1		
	7						6	
		3	1	5	2	8		
	9		7		1		5	
		5				2		
8			5		6			4

466

	6			2			1	
4			8		1			3
		8	3		7	9		
3	5						7	2
		7				6		
6	2						8	4
		5	4		6	3		
1			2		9			5
	3			1			6	

★★★

467

2	9						5	3
			6		3			
8		3				2		6
	6		8		1		7	
			9		4			
	5		2		7		3	
1		5				4		9
			4		5			
3	8						6	1

468

	3	9	5		8	4	1	
		8		1		7		
			4	9	7			
	7						9	
		5				2		
	8						4	
			3	6	1			
		2		4		5		
	4	3	2		5	6	8	

469

		2			3			8
	7				9	2	6	
4		5					9	
					8	3		
1								2
		6	1					
	5					7		4
	6	3	8				5	
9			5			8		

470

2								4
		9	8		2	7		
	6		4		1		3	
9	4		6		8		2	5
7	8		3		5		1	9
	9		5		4		7	
		8	2		3	6		
1								3

SUDOKU

471

2	3						5	9
		7				1		
		6	3		2	7		
7				9				5
		9	5		1	4		
1				4				8
		8	6		3	2		
		5				8		
4	1						3	6

472

3		4		9		7		1
5			1		3			4
	8						3	
		9		2		3		
			6		7			
		3		8		2		
	6						7	
7			3		2			5
9		8		5		1		2

SUDOKU

473

		8						2
	4		6					
				5		3		9
		2	4				8	
9		4		3		7		5
	1				7	9		
2		6		9				
					1		7	
3						5		

474

		9				5		
	4		9		1		2	
3			6		5			8
	1	8	4		7	3	6	
	5	7	2		6	8	9	
2			5		4			6
	3		7		9		8	
		4				1		

★★★

475

5	3		8		9		7	6
9			2	4	5			8
3		5	9		6	8		4
		4				6		
7		9	4		1	2		3
6			5	2	4			9
4	9		1		8		6	2

476

7	1			4			8	6
	5		3		8		4	
		9				5		
3				7				8
			9		5			
1				8				3
		7				3		
	4		6		3		2	
2	3			1			6	5

477

	4					6		
				7		1	9	
3			8					
	6		3					4
	3	1		9		7	2	
5					2		1	
					5			2
	8	6		1				
		9					7	

478

	2	4		6				
6			3					8
	9	1						
7		2	8					
		6		2		4		
					5	7		9
						2	9	
5					9			4
				4		1	3	

★★★

SUDOKU

479

9	1	3		4		5		
				6	1	2		
			9			8		
4							1	
	6	7				9	3	
	5							8
		4			5			
		2	1	7				
		1		8		3	5	7

480

		9	5		6	4		
	7	1				8	9	
	5						1	
2			8	4	9			6
5			3	2	7			1
	2						8	
	4	7				1	6	
		6	1		3	5		

SUDOKU ★★★

481

			5		2	4		1
				3			9	
			7		9	3		5
7		5	1		8	2		
	8						5	
		2	9		6	1		7
8		9	3		4			
	2			9				
3		7	6		5			

482

9	1		6		4			
		2		5				
5	6		3		2			
1	3		2		8			4
		6				7		
4			1		7		3	6
			5		9		7	2
				2		4		
			8		6		5	3

★★★

SUDOKU

483

	6	1		4		8	5	
2								7
9			1		7			3
	9			7			2	
			4		3			
	2			8			6	
4			8		5			6
8								2
	1	7		3		5	9	

484

4				9				
	7	9	3					
	3	5	2		4			
	2	6	9		1	5	4	
5								7
	1	7	8		5	3	2	
			4		8	7	6	
					3	2	8	
				2				5

SUDOKU ★★★

485

	9		1		4		2	
		8	2		9	4		
				7				
	3	7	6		1	2	5	
6				8				7
	8	2	3		7	9	6	
				5				
		3	9		6	5		
	6		4		3		1	

486

			6				8	
				2		9	4	
6			9		3			
5	7		1					
	4			9			2	
					6		9	7
			5		9			1
	8	3		4				
	9				8			

★★★

487

8								7
		7	2		5	6		
	1	9		6		5	3	
	9			5			2	
			8		7			
	2			1			5	
	4	2		9		3	7	
		6	3		2	4		
1								2

488

3		2		5	7		8	
1		5				7		9
				1				
	2	6			9			
	9						2	
			6			9	3	
				9				
9		1				4		2
	3		1	4		5		6

489

	4		5			7		
3		9	7					5
5						8	2	
		3	6					
	6						1	
					7	9		
	2	5						4
8					4	1		3
		1			9		7	

490

8			5		9			2
				1				
		5	3		8	9		
5		7	4		3	6		1
	1			2			4	
9		4	6		1	2		5
		3	8		6	4		
				7				
7			9		4			6

★★★

491

		5	1		3	9		
9				2				1
	2		8		6		5	
6	1						3	7
		4				1		
5	9						6	4
	3		2		7		9	
1				6				2
		7	4		9	8		

492

	7		1		2		3	
		9	5		4	8		
3				9				6
2	1						4	3
		8				1		
9	6						8	5
7				5				4
		3	7		1	9		
	8		3		9		2	

★★★

493

7					9			
4			6	8				
6				1		9	8	2
		9					1	
8		5				2		3
	7					6		
2	3	6		7				9
				5	6			4
			3					1

494

	2	7		5				
		6					8	
			4					9
	7				3			1
	3	5		2		7	9	
8			9				6	
3					1			
	5					2		
				7		6	4	

★★★

495

		8	5					3
4		6					5	
	5		8			9	2	
		9			8			
1								7
			7			2		
	2	1			3		6	
	3					5		4
8					9	1		

496

				3			1	7
		4	2			3		
							6	5
	8	5			9			
	1			7			3	
			4			8	7	
5	7							
		1			5	9		
2	6			1				

★★★

497

						9		
5	8		3	9			1	7
			5	6				
	4			5		1		
	1		2		9		7	
		2		7			4	
				2	6			
6	7			8	4		3	2
		4						

498

	9	4	6				3	
	3	2					8	
			4	8		2		
		7	8					
3		9				1		8
					6	3		
		5		4	2			
	8					6	4	
	7				8	9	1	

SUDOKU

499

2								4
		6	4		2	8		
5		7		9		1		6
			1		9			
4								5
			8		5			
3		5		8		2		9
		9	5		3	6		
1								3

500

		8	3		9	4		
3			2		8			9
				6				
1		9	5		6	3		4
	6			4			1	
7		3	1		2	6		5
				7				
2			8		5			1
		7	9		1	5		

SUDOKU ★★★

501

							3	
7		8		3	6	9		2
				1	8			
5				8			2	
2			3		4			9
	4			9				5
			1	4				
9		1	5	7		4		6
	5							

502

				7			3	
			1		2	7		4
			6		8	5		2
5		9	8		7	3		
	6						4	
		3	4		9	6		5
9		1	3		6			
6		2	7		5			
	7			2				

★★★

SUDOKU

503

	8			2			9	
3			6		4			7
		6	7		8	5		
	4	2				6	1	
9								4
	7	5				9	2	
		1	2		3	8		
6			5		9			1
	9			8			6	

504

			1		9	4		5
				6			7	
			5		3	6		8
		7	2		8	9		4
	9						8	
4		2	6		1	7		
9		5	4		6			
	6			5				
2		3	9		7			

505

5		4				6		1
8	2						7	5
			6		4			
	7		2		5		9	
			1		6			
	4		3		9		8	
			7		8			
3	1						4	8
2		8				3		7

506

3			2		1			5
		8				3		
	5			7			6	
	6	1	9		5	7	2	
			8		6			
	9	3	7		2	6	8	
	2			8			4	
		9				1		
4			1		9			6

SUDOKU

507

9		1				5		4
			5		9			
	3	4				9	8	
	8		4		6		9	
			3		2			
	5		1		7		6	
	1	9				7	5	
			2		8			
8		7				3		2

508

			3		9			2
	3	7		5				
		8	2					
			1			4		6
		5		3		7		
4		3			2			
					8	3		
				7		8	9	
1			6		3			

509

7			3		2			6
		1				2		
3		2		8		7		9
			1		7			
		5				3		
			8		3			
4		3		7		6		1
		9				5		
6			5		9			8

510

		3	2		1	6		
				6				
2			3		8			9
3		5	9		2	4		6
	2			7			5	
7		4	5		3	1		2
1			8		9			4
				5				
		7	1		4	8		

★★★

511

4			3		8			9
		5	1		9	2		
	8						6	
	3		5	1	2		9	
		7				4		
	2		9	4	7		3	
	5						1	
		1	2		4	6		
8			7		1			3

512

7	9			4			6	8
	6	3				1	5	
		6	2		7	4		
	2						3	
		9	6		3	8		
	8	1				2	7	
9	3			6			1	4

513

					9		5	
		6						
4		7		1	3			
	9				8		4	5
		1		4		2		
7	4		5				6	
			4	2		1		7
						4		
	8		3					

514

6								7
9			8		6			5
	3	4		2		1	8	
		7		6		5		
			2		9			
		1		3		7		
	4	5		9		8	6	
1			3		4			2
7								3

★★★

SUDOKU

515

1		3		4		9		7
	5						6	
	2		3		6		8	
2				6				5
			4		8			
5				9				1
	4		9		7		1	
	9						5	
3		6		8		7		2

516

	8			9			2	
3	4		2		8		6	9
			6	4	1			
7								5
	2						8	
9								3
			9	7	5			
1	9		8		3		7	6
	5			1			3	

SUDOKU ★★★

517

	3		2		1		7	
7								5
		6	4		9	3		
8	6		5		3		4	2
2	1		8		4		6	3
		2	9		7	1		
9								8
	5		6		8		9	

518

		6	3			7		2
3			6				5	
8	9					6		
			1					7
	4						1	
2					3			
		5					9	6
	3				2			4
4		7			5	8		

★★★

519

9			5		1			8
		6	8		3	5		
				9				
1		5	7		8	4		2
	7			4			5	
2		9	6		5	8		7
				7				
		2	3		6	1		
3			1		2			4

520

		2		1		3	7	8
		6	8					
		9		7	2			
	6							2
4		7				5		3
8							1	
			2	4		9		
					5	1		
2	5	3		6		8		

521

	3		9					
8				3	6	7		
				5		6		4
	7				3			
		2		4		5		
			1				9	
6		5		2				
		4	5	1				2
					8		1	

522

2			5		8			1
				7				
		8	3		1	5		
7		6	9		3	4		5
	9			2			7	
5		2	6		7	9		8
		9	1		6	3		
				4				
6			8		9			4

★★★

523

		5		8		2		
	4						6	
9			6		4			5
	9	8	2		3	6	1	
			9		8			
	3	2	7		6	9	4	
7			4		2			1
	1						8	
		9		3		7		

524

7		5	2			8		
		8					6	9
	3		8					2
5			1					
	1						4	
					2			7
4					7		2	
8	6					3		
		9			3	5		4

525

		5	8	4	7	3		
	3	4	1		2	7	5	
4		6	7		1	9		5
3								7
2		7	5		3	6		8
	9	3	2		5	8	6	
		2	4	7	8	5		

526

3								8
9			4		6			3
	4	6				1	7	
		3		1		7		
1			7		8			2
		8		2		5		
	8	2				9	4	
5			9		4			6
7								5

★★★

527

	8		6	7				
		2	5			4	6	
		7				2	8	
	2				5			
7	9						4	2
			7				1	
	5	6				7		
	4	9			7	1		
				6	8		3	

528

	4	8	7		6	2	9	
			9	4	1			
	6			2			7	
		5				3		
	7						6	
		2				8		
	3			1			8	
			2	5	3			
	2	1	6		8	9	5	

529

		2	7		8	6		
3								7
	5		2		1		9	
2			5	1	9			8
	6						4	
8			4	6	2			5
	3		6		5		1	
1								9
		8	1		4	7		

530

	8						3	9
1				7		2		
9		4			3		5	
	2	5	6					
					7	9	6	
	4		5			6		8
		6		4				1
2	3						9	

★★★

531

		7		2		4		
3			7		9			1
	8		5		3		9	
1		9				2		4
	4						5	
2		5				6		3
	3		4		1		6	
6			8		2			7
		4		7		3		

532

	5	2		3		1	6	
4								8
9			4		6			7
		1		5		8		
			9		3			
		8		4		7		
1			2		5			3
8								5
	2	7		9		6	4	

533

7					5			2
	3	8						
	9	1		7	8			
4					6			
		7		8		1		
			2					3
			5	1		9	8	
						4	3	
6			3					1

534

	3		6				9	
				9		5		1
						4		7
			3			1	8	
		5		1		9		
	7	8			2			
7		1						
6		4		5				
	5				7		2	

SUDOKU

535

4		1		8		3		5
	2						6	
	7		5		2		9	
		6		2		9		
			8		7			
		3		4		6		
	3		4		1		8	
	6						4	
1		9		7		5		2

536

			7	4				
	7	8	5	6		9	4	
5								
4				8		5		
		2	1		4	8		
		5		3				2
								1
	3	6		1	9	2	8	
				7	3			

SUDOKU

537

	6						4	
9		7		5		1		6
1			9		6			3
		6		8		5		
			2		7			
		8		4		6		
3			6		8			7
8		9		3		4		5
	7						2	

538

2				9	5			
9				8		4	1	2
3			4					
	5					8		
4	3						6	7
		2					5	
					7			8
5	1	7		3				9
			2	6				5

SUDOKU

539

4						2		1
		9		6			7	
	7	8			3			6
7	4		5					
					7		3	2
3			1			4	6	
	2			5		9		
1		4						8

540

2	7					3		
		4			3	9		6
6					5		8	
					8			5
	1						6	
9			1					
	3		2					8
5		9	8			2		
		2					7	4

SUDOKU

★★★

541

	2		1		7		8	
3			4		6			2
		8				5		
	1	7	6		9	2	3	
	3	9	2		5	7	6	
		4				9		
7			8		4			1
	5		9		3		4	

542

4	2					8		
		7	8			3		9
9			1				6	
			6					1
	5						9	
3					5			
	8				4			6
1		3			6	4		
		4					2	7

★★★

SUDOKU

543

	9			3				
4		5	7		1			
3		7	6		9			
1			5		8	6		7
	7						8	
5		6	9		2			1
			3		4	8		9
			2		7	3		6
				9			1	

544

	9				4	2	3	
		4			9			6
1		8					9	
					7	3		
5								7
		2	4					
	6					9		1
4			2			5		
	3	5	6				8	

SUDOKU

545

			1	2		8		5
	6		9				2	
						7		9
	7				6			
		3		5		2		
			4				9	
9		5						
	3				1		4	
8		2		3	5			

546

				2		6		
			3		1		7	9
			9		4		2	5
7	8		2		3		6	
		1				5		
	6		8		5		1	7
1	9		7		2			
8	4		1		6			
		2		9				

547

	8				5			
1	5			3				
			6		8	9		
	2	6	9					
	3			8			7	
					4	2	8	
		4	8		1			
				7			3	8
			4				5	

548

		2		6		9		
6		7	9		2	1		8
			5	1	7			
8								6
		9				2		
3								4
			3	4	6			
7		4	8		9	6		5
		8		5		3		

549

		5				3		
	7		6		1		2	
9			8		5			1
		8	7	6	2	1		
	4						9	
		2	1	9	4	8		
5			4		6			8
	6		2		9		3	
		7				6		

550

6		2				7		1
		5	4		2	6		
3								9
	6		8	1	3		9	
	2		7	9	4		5	
2								5
		1	6		5	8		
8		3				2		7

SUDOKU

551

3	5	9		4		7		
					3	1		
			8	2		9		
	9							1
	4	6				3	2	
8							9	
		8		7	9			
		4	6					
		7		1		8	5	6

552

8								1
	4		3		8		6	
		9	1		2	8		
4		6	7		1	2		5
1		2	5		9	7		4
		5	6		4	3		
	2		8		7		5	
3								9

SUDOKU

★★★

553

		8		4		6		
5			7		2			8
	2						7	
	5	4	6		3	7	9	
			5		4			
	3	6	1		7	5	2	
	9						4	
1			2		6			9
		5		3		1		

554

	6						8	
		5	4					
	3			7	5		2	
				4			9	8
4	2		3		8		1	6
6	5			1				
	9		5	3			7	
					7	1		
	4						3	

SUDOKU

555

		3				6		
5	1						9	2
	8		1		9		3	
7				6				1
	9		3		4		5	
1				2				4
	2		4		1		7	
8	7						4	5
		1				2		

556

2								4
	4	1		8		7	3	
	9		4		3		1	
		8		5		4		
			7		6			
		4		2		5		
	7		5		4		9	
	8	2		9		3	5	
6								7

SUDOKU

★★★

557

					8			9
	4	1		6	2			
		5						
8					7		9	4
		6		4		3		
4	1		9					5
						4		
			4	3		6	1	
7			2					

558

	4	7				3	9	
	6		5		8		7	
		9				8		
5			7	6	4			2
9			3	2	1			8
		4				2		
	8		1		9		5	
	9	5				6	3	

SUDOKU

559

		6	8		5	3		
4								1
	7		9		4		2	
8		9	7		2	5		3
3		1	4		8	2		6
	6		2		9		3	
5								9
		4	5		1	7		

560

8								
			2				3	
5		9	8	4				
	8	1			3		6	
4				8				5
	7		1			9	8	
				5	2	8		9
	1				6			
								7

SUDOKU ★★★

561

	8	5				3	6	
7	9			2			5	4
		7	9		2	8		
	3						9	
		2	6		3	4		
6	7			4			2	8
	2	9				5	1	

562

4			5	1				
1				8		9	6	4
2					9			
		4					5	
9	2						7	3
	5					8		
			3					8
5	6	3		2				1
				7	4			5

SUDOKU

563

				4				
		2	1		8	7		
	6		7		2		8	
	4	5	3		1	9	7	
3				6				4
	7	6	5		4	3	2	
	5		2		3		9	
		3	8		5	1		
				9				

564

	1		7		4		8	
2								7
		9	3		2	5		
9	7		1		3		2	6
5	3		8		6		4	9
		3	2		8	1		
4								8
	9		6		7		5	

288

565

				5	7			1
9	2	7		4				8
			2					3
	4					7		
6		5				9		2
		8					3	
4					8			
7				3		8	6	9
1			7	6				

566

		5	4					8
	4					3		1
9	7		8				4	
					8			9
		6				2		
7			6					
	1				5		7	2
4		3					5	
2					9	8		

★★★

567

		7				2		
8			3		7			4
3	9			1			8	7
	7			6			1	
			5		9			
	6			2			7	
6	3			4			2	1
4			7		6			9
		9				5		

568

5			9		7			3
		9		8		4		
	2		5		3		6	
	7	6				5	4	
2								7
	1	3				8	2	
	9		7		6		5	
		5		3		1		
3			8		4			2

569

						7		
6					2			
				5	9	1	8	
7			6				1	8
		3		8		5		
8	6				4			2
	1	5	8	3				
			9					4
		8						

570

3	4	7		8				1
			7					5
				2	6			3
		6					3	
9	8						2	7
	3					5		
6			3	1				
8					9			
1				5		9	4	6

★★★

571

			2		6	4		9
			7		1	5		2
				5			1	
7		2	9		8	6		
	8						2	
		6	1		3	9		7
	6			1				
8		1	5		4			
5		7	3		2			

572

8								6
	7		6		5		4	
		3	1		2	9		
3		1	7		4	5		2
9		7	2		6	8		3
		4	8		1	6		
	3		5		7		9	
5								1

SUDOKU ★★★

573

7				6			3	
		8	9				5	4
	5	9				2		
					1	7		8
5		1	6					
		5				9	7	
1	2				8	4		
	3			4				1

574

		7	2		3	8		
	1		7		9		2	
6				4				9
5	2						4	3
		3				6		
4	6						1	7
2				9				6
	9		4		8		5	
		5	1		6	2		

★★★

SUDOKU

575

	5	8		3		6	2	
9	7						5	1
3			6		4			5
	1						4	
8			1		5			2
4	6						8	9
	9	3		5		2	1	

576

1			7	5	3			6
5		6	2		4	1		3
3	4		1		6		7	9
	6						3	
9	5		3		2		1	8
6		8	4		1	9		7
4			5	3	7			1

SUDOKU ★★★

577

	1		6		7		3	
		9				8		
4			9		5			2
	5	7	2		4	3	6	
	8	3	7		9	1	2	
1			5		2			3
		6				5		
	9		8		6		4	

578

9			3	1	8			2
7		5	9		2	6		8
1	9		2		7		8	6
	7						1	
6	3		1		4		2	5
3		7	4		9	2		1
2			8	3	1			7

★★★

SUDOKU

579

	9	6				1	7	
		2	1		6	5		
5								4
	6			7			8	
		1	8		5	9		
	3			4			6	
6								7
		7	6		8	3		
	2	3				8	9	

580

4	9						3	
	8				9	1		4
		5		6				2
			7			8	5	
	7	4			6			
2				1		7		
3		7	8				1	
	4						9	5

SUDOKU ★★★

581

			3	9				6
5	1	3		4				8
					1			2
	4					3		
7		9				5		1
		8					2	
4			8					
3				2		8	7	5
6				7	3			

582

		7		8		9		
6			4		1			7
	8		3		5		2	
1		4				7		3
	2						1	
9		8				5		2
	7		1		6		8	
2			8		7			4
		6		5		3		

★★★

583

			3	9	4			
9		5	6		1	8		4
6				8				1
		7				2		
1								6
		8				5		
2				3				5
8		3	5		6	4		7
			2	7	8			

584

	2	7				3	6	
			7		3			
8	6						9	4
1			4		6			8
			2		7			
9			5		1			3
3	9						5	2
			8		9			
	8	5				9	4	

585

1				6	9	4	8	
				5				
	9	2				5	6	
					2		3	8
8								2
4	2		3					
	7	8				2	5	
				2				
	6	3	5	7				4

586

				2		1		7
	8		6		7			
					8	3		
			8			7	5	
		1		7		2		
	4	5			9			
		7	3					
			7		4		9	
6		3		1				

★★★

587

	3		5		8		7	
		1				9		
5			9		6			4
		6	2	4	5	3		
	4						2	
		5	3	8	7	6		
6			8		2			9
		8				7		
	1		4		3		8	

588

			8	6	9			
6	4		7		5		8	9
8								5
1	9		6		8		3	2
	3						6	
2	6		1		4		9	8
4								7
3	8		5		6		2	4
			3	4	2			

589

8			4		6			5
		1		5		3		
	3		2		9		7	
	8	4				5	1	
2								8
	6	3				9	2	
	9		3		5		8	
		6		4		7		
5			7		2			3

590

	8				3			
		9						5
				2		7		6
	1		4			6		
9		8		5		4		2
		2			8		3	
2		5		9				
6						1		
			7				4	

SUDOKU

591

	7	4				2	8	
5			8		2			3
6								5
		9		1		6		
1			7		6			4
		7		4		5		
9								7
2			3		8			9
	8	3				1	6	

592

5								8
9				7	4			2
		4	6					
				6			8	1
2	6		9		8		5	3
4	5			3				
					7	3		
1			4	9				7
6								9

SUDOKU ★★★

593

	1		6					8
8		4	9			3		
		9					5	2
					7			4
	8						7	
6			1					
3	5					2		
		2			1	4		6
1					2		9	

594

			6		8			
2		8				6		1
1	7						3	5
	5		9		4		6	
			8		2			
	9		1		3		7	
5	6						2	4
7		4				5		3
			5		7			

★★★

SUDOKU

595

3	5	7		2			1	
			3				4	
				1	6		5	
2						6		
	8	9				4	3	
		6						5
	6		5	9				
	2				8			
	1			4		7	6	8

596

		6	2		5	8		
				8				
	5		3		9		2	
	9	7	8		2	4	6	
3				5				1
	6	4	7		3	2	8	
	4		9		6		1	
				3				
		9	1		8	7		

SUDOKU

597

7				9				1
		9	6		4	3		
	3		8		1		7	
3		7				6		2
	2						1	
6		1				8		5
	5		7		2		4	
		8	5		9	7		
1				6				9

598

				9			8	2
		6	7					
	3			6	2			4
		4			6			
1				8				9
			5			7		
8			9	5			1	
					3	5		
9	2			1				

★★★

SUDOKU

599

	8	6				7	3	
7		9				2		6
			2		7			
	3		6		5		7	
			8		1			
	2		9		4		5	
			1		3			
3		4				8		1
	9	7				4	2	

600

	5		8			6	3	
	8					9	2	
		4	7	2				
		5			8			
1		6				3		8
			9			1		
				8	2	7		
	1	7					8	
	6	2			9		1	

SUDOKU

601

	3		1		4		6	
4				2				9
		7	3		8	1		
8	2						3	5
		9				8		
1	6						9	2
		3	6		9	5		
9				4				3
	5		2		7		4	

602

				9			1	3
		8	5		3			
				8		2		
	4	6			7			
	1			3			9	
			8			4	3	
	3		2					
			3		6	7		
5	2			1				

★★★

SUDOKU

603

	4	5		9		3	2	
8			2		1			6
1								7
		3		4		7		
			9		8			
		7		1		6		
7								4
3			4		5			9
	5	6		8		2	1	

604

1								4
	9	4		3		8	6	
		7	4		8	9		
	4			1			2	
			6		5			
	3			2			4	
		6	2		4	7		
	1	3		7		2	8	
5								6

SUDOKU

605

6			1		3			7
		2	9		5	8		
	5						1	
	4	1	3		8	5	7	
	7	9	4		2	3	6	
	2						9	
		6	5		4	7		
8			2		1			3

606

					3		4	9
				9		2		
			6		4		7	8
8	5		4		2		9	3
		2				8		
7	9		1		5		6	2
2	3		9		6			
		6		1				
1	8		3					

SUDOKU

607

4	5	3		8				7
					3			2
			9	7				4
		8					9	
1	6						2	3
	9					4		
9				6	4			
8			1					
7				2		1	5	9

608

		9	8		4	6		
7		2				5		9
4								2
	4		7	3	1		2	
	3		9	6	5		8	
3								5
6		7				2		8
		8	1		2	4		

310

SUDOKU ★★★

609

3	2			6			1	5
9								8
	7		8		9		3	
			6		2			
5								9
			5		7			
	3		4		5		6	
4								2
6	8			7			5	4

610

5				3				1
		1	8		5	9		
	9		2		7		3	
4	2						1	9
		5				4		
6	8						5	2
	1		6		3		8	
		7	1		4	6		
3				2				5

★★★

SUDOKU

611

		8	6		4	2		
	2			1			9	
1			3		7			5
	1	9				5	7	
5								4
	6	4				3	2	
2			4		8			1
	8			7			3	
		5	1		2	6		

612

			8	7				5
4		7				9		
6		2	9			3		
					9			3
2	9						1	6
1			4					
		1			4	6		7
		9				1		8
8				9	7			

SUDOKU ★★★

613

7			9		3			8
	8						6	
9		5		7		2		1
		9		2		3		
			8		6			
		3		9		1		
5		8		1		4		3
	3						2	
4			3		5			7

614

6								3
4			3		2			1
	5	2		8		7	9	
	6			7			5	
			1		8			
	4			3			6	
	2	3		1		9	4	
8			9		7			5
7								6

★★★

SUDOKU

615

		3	4		9	1		
	1		7		6		8	
5								3
4		7	5		1	8		2
1		8	2		7	9		4
2								6
	9		6		3		4	
		6	8		2	5		

616

2			7		9			8
7		9		5		2		1
		3				9		
			5		7			
		6				7		
			3		2			
		1				6		
4		7		2		8		3
8			6		1			5

SUDOKU ★★★

617

					4	6		
2	1			3				
7			2	6			8	
			6			7		
3				1				9
		4			5			
	9			5	3			1
				9			2	3
		5	8					

618

		7	8			2		
							4	5
				2			9	1
3		4			6			
1				9				2
			7			3		9
5	8			1				
9	4							
		1			4	6		

SUDOKU

619

				9		5		4
	2		3					
7						6		
9			2				3	
2		7		6		9		8
	1				8			5
		5						1
					4		8	
6		9		7				

620

9	1			7			2	5
		3				6		
		4	3		5	8		
	2			9			6	
			4		7			
	6			3			8	
		2	1		9	7		
		6				9		
1	8			4			5	3

SUDOKU

621

		4				5		
3	8			2			6	9
		7	9		4	1		
	5			4			1	
			2		7			
	6			3			5	
		6	3		8	2		
8	1			7			9	4
		5				3		

622

		1	8		5	3		
7		8		1		6		4
	3						9	
8				4				5
			3		9			
5				8				6
	5						4	
3		7		6		5		2
		2	5		7	1		

317

★★★

SUDOKU

623

	7			4	5			
	4			3		8	7	2
	1		2					
7						5		
	2	1				6	9	
		5						3
					9		3	
9	5	8		1			4	
			7	6			5	

624

	3		1	8				
	2				5			
	1			4		8	9	5
		2						1
7	8						6	9
5						4		
1	9	6		2			5	
			6				4	
				7	1		3	

SUDOKU ★★★

625

		4	7	9	2	8		
	3	2	8		4	6	5	
2		3	4		6	9		8
9								6
4		5	9		1	3		7
	4	9	1		8	7	6	
		6	2	7	9	4		

626

7	2			6	5		9	3
				1	3			
		6						
	4			7		8		
	7		6		8		2	
		2		3			4	
						4		
			1	8				
8	5		4	9			7	1

★★★

627

	2	6				7	3	
1			6		2			8
8								5
		5		9		4		
7			5		3			9
		8		7		3		
3								4
4			2		1			6
	5	9				1	2	

628

			5	2				
	5	9	3	4		1	7	
								4
		6		5				1
		1	8		4	7		
8				7		6		
6								
	2	7		9	6	3	8	
				8	2			

★★★

629

		2	8		6	1		
8			4		3			6
				2				
1		9	2		8	5		3
	7			6			4	
2		8	5		4	9		1
				4				
7			3		1			9
		5	7		2	3		

630

2					4			8
				8		5	6	
						4	1	
					2		3	4
	9			1			8	
3	1		7					
	6	4						
	8	1		9				
9			5					7

★★★

SUDOKU

631

	7	2				6		
	8	1			9	2		
				6	8		7	
			9				2	
2	1						4	6
	5				6			
	3		7	8				
		5	6			4	1	
		6				8	9	

632

	6						7	
9		4		1		2		8
	5		7		4		3	
5				7				6
			3		1			
6				2				9
	1		8		2		9	
4		7		3		8		5
	2						6	

SUDOKU

633

				1			3	8
		7	4					
	5							2
	2		7			5		
8	7			3			6	1
		9			6		8	
3							1	
					9	6		
2	4			8				

634

	4		5		1			
			4					3
				8		5		7
6	9		2					
7				5				8
					4		6	5
3		1		7				
5					3			
			9		5		2	

323

★★★

635

2			3	1				
5				4		6	9	2
7					6			
	2					3		
6	1						4	8
		7					2	
			8					4
3	9	8		7				5
				5	2			3

636

				6		4		9
	1		5		3			
			9					5
					1		3	2
8				5				6
5	2		7					
9					7			
			4		5		7	
6		5		8				

637

2			4		6			3
	9						1	
5	7						2	6
		9	8	7	1	2		
		3	5	9	4	6		
6	5						8	1
	3						6	
8			2		3			7

638

		2		8		1		
			4	7	5			
8		4	2		1	7		6
3								9
		1				2		
6								8
4		9	1		6	8		5
			8	9	3			
		6		5		3		

★★★

SUDOKU

639

				5	1			4
			2					9
6	5	2		7				1
		1					9	
8		6				3		5
	7					2		
2				9		1	8	6
7					8			
4			1	3				

640

	1						6	
		3	4		2	7		
	9	8				4	3	
1			6	9	5			3
7			2	1	8			4
	8	4				6	5	
		5	7		3	9		
	7						4	

SUDOKU ★★★

641

7		1		9	3			
					4		2	
3								
	6				8	1	3	
9				3				7
	3	8	2				5	
								6
	8		5					
			4	7		3		1

642

	9	4		6				
6			1					5
	8	1						
1	2		5					
	6			8			7	
					3		8	2
						1	9	
3					4			7
				7		8	6	

SUDOKU

643

				3	1	8		
6		8						3
5		1			9			6
		4			3			
	6	5				7	3	
			9			6		
4			3			5		7
3						9		1
		2	8	1				

644

		5		8				9
	4		3			1		7
7	3						6	
	2	7	8					
					2	4	5	
	7						3	5
6		2			4		1	
9				1		2		

328

SUDOKU

★★★

645

	2		6		4		5	
3			8		5			4
				3				
1	3		5		2		4	7
		7		9		5		
8	5		4		7		9	1
				7				
6			1		8			9
	1		2		6		8	

646

2								7
	1		7		4		9	
		3	5		8	6		
6		1	8		7	2		3
3		5	1		9	4		8
		9	2		5	7		
	3		4		1		6	
4								5

★★★

SUDOKU

647

			1		6		7	4
			5		9		6	2
				2		5		
6	9		8		7			1
		8				6		
1			3		5		9	7
		1		5				
5	8		4		2			
9	2		6		3			

648

			3				6	
5	9	3		4			8	
				1	5		7	
		4						5
1	2						3	9
8						6		
	7		5	2				
	5			6		2	9	8
	4				8			

SUDOKU ★★★

649

		4	2		6	5		
	2						6	
5				8				1
1	9		6		3		2	4
			8		4			
8	4		9		1		7	6
4				9				3
	7						8	
		3	1		2	7		

650

3							4	6
	4	5	6					8
	9			7		1		
1		8			2			
			7			4		2
		2		5			9	
5					8	2	3	
6	1							4

SUDOKU

651

3				8		4	5	2
7			4					
9				6	5			
	5					8		
4	2						6	1
		7					3	
			5	1				9
					3			8
2	3	1		7				5

652

1		4	9		5			
3		2	4					
	5			3				
2		6	7		1	9		4
	1						2	
8		9	3		6	5		1
				9			1	
					4	7		9
			5		7	8		2

653

	5			8				
8		1	3		9			
4		3	7		6			
6		4	2		1			5
	1						6	
5			8		7	4		2
			6		5	2		9
			4		8	6		3
				3			8	

654

		1	9	5				
		5		6		1	3	2
		4			2			
1							9	
	4	2				7	8	
	9							6
			7			6		
7	3	9		4		5		
				8	1	9		

★★★

655

7	6						9	5
9		2				1		6
			9		7			
		4	3		5	7		
			8		1			
		9	4		6	2		
			2		8			
3		7				5		9
1	8						2	3

656

				8				
	3		1		5		7	
6			7		3			5
8	4		2		1		9	7
		2		6		8		
7	6		4		8		2	3
4			3		2			9
	2		5		4		1	
				9				

★★★

657

	8	5			4	6		
		6					7	3
9					6		4	
			4				8	
2								1
	5				2			
	1		8					4
3	6					9		
		7	9			5	1	

658

1	4				2	8		
3				7			9	
		5				2		1
	8	9	6					
					7	6	1	
9		2				1		
	6			4				3
		4	8				6	5

SUDOKU

659

			9	6	5			
9				1				8
5		1	8		2	7		6
		6				9		
3								2
		5				8		
4		8	2		3	5		7
2				5				3
			1	4	7			

660

1			4			9	3	
	3			1		5		
8		2						6
2	4		3					
					7		6	3
9						6		8
		5		7			2	
	1	6			8			4

661

		7			8			
			3		2			8
	2	5		4				
					9	1		6
		4		2		5		
1		2	8					
				5		7	3	
9			2		6			
			7			2		

662

	6	3		9		5	2	
		1	5		3	6		
7								3
	3			7			4	
			8		2			
	9			4			3	
8								2
		2	3		4	1		
	7	9		1		4	5	

★★★

663

8			2		6			4
4		9		5		6		3
5	7						2	6
	1	8				7	3	
9	4						8	5
1		5		9		2		8
6			3		8			7

664

		3				7		
9			8					
		8		3	5	2		
				9		5	4	
	4	9	6		3	1	7	
	6	2		7				
		1	5	8		3		
					7			5
		6				4		

665

				4				
	4		3		6		1	
		8	1		5	3		
	6	3	9		1	7	2	
9				7				3
	2	4	8		3	1	9	
		2	5		8	6		
	5		6		2		7	
				9				

666

8		9	4					7
2		3						4
			1	2		6		
		5	3					
	4	8				9	5	
					4	7		
		1		4	2			
4						1		5
5					3	2		9

★★★

667

	6						2	
	5	9	1		2	6	7	
			6	5	7			
	4	5	8		9	7	6	
		3				5		
	8	7	5		6	3	4	
			3	9	4			
	3	6	2		5	4	9	
	9						1	

668

	2					4	5	
		8		9				1
1		7			3		9	
					1		4	3
2	1		6					
	3		5			2		9
4				6		8		
	5	2					7	

669

					3	9		
				8		5		6
	3		2		6			
			3			6	1	
		5		6		8		
	7	1			4			
			6		7		4	
2		9		5				
		6	9					

670

4								2
		2	1		9	7		
	8	5		7		9	3	
	1			8			9	
			4		2			
	5			9			1	
	6	1		5		3	2	
		7	3		1	6		
8								1

SUDOKU

671

			9		3			
9	6						3	1
3		4				2		6
		5	1		8	9		
			2		7			
		3	6		5	4		
8		9				1		3
2	7						4	8
			7		4			

672

		4				3		
9			5		3			1
	8		2		6		7	
	6	8	1		9	2	5	
	9	7	3		2	8	4	
	1		6		4		3	
8			9		5			7
		5				6		

342

SUDOKU ★★★

673

	4	1	3	6				9
				7				
	2	6				3	7	
9		7	4					
2								7
					7	4		2
	7	8				1	3	
				3				
5				1	8	2	9	

674

					4	2		
7	4	8		3		9		
			9	7		5		
3							4	
	8	1				7	6	
	9							2
		5		6	9			
		4		2		8	9	1
		3	1					

SUDOKU

675

8		7	4		5	6		3
6			2	3	8			7
1	7		8		4		3	9
	8						6	
9	2		7		6		5	8
7			3	8	2			5
2		9	5		7	1		6

676

1			5		2			8
				3				
		5	8		1	7		
6		8	3		9	1		7
	3			7			6	
4		1	2		6	3		9
		4	6		8	9		
				4				
2			9		5			6

SUDOKU

677

6	9						3	7
				9				
8	1		7	6		5		
					4	1		3
		3				8		
4		8	3					
		1		2	9		4	6
				3				
9	3						8	2

678

5			9					
			5		4	8		
9	1			6				
			3			7		5
6				5				2
7		4			8			
				2			5	6
		3	1		5			
					3			9

★★★

SUDOKU

679

				4		5		
			2		9		3	8
					7		4	9
4	8		1		6		5	2
		5				3		
6	3		9		5		7	4
3	1		7					
7	5		4		2			
		2		1				

680

	8	1				7	6	
		2				5		
	3		9		8		1	
8			6	5	9			3
1			4	7	2			5
	7		1		3		4	
		8				3		
	2	4				6	8	

SUDOKU

681

			5				9	
6		4	7	3				
		7						
8	7				9		1	
		3		7		4		
	2		8				7	6
						2		
				4	5	6		7
	8				1			

682

	7			3	5			
	8		4					
	3			6		9	7	4
7						5		
	4	8				2	1	
		5						6
1	5	9		8			3	
					1		6	
			7	2			5	

347

★★★

683

		6	9			5		
				5			3	2
							8	9
	8	7			4			
	1			8			5	
			6			9	7	
9	3							
8	5			1				
		1			2	4		

684

	6			8		3		
9					7	1	4	
7		1						5
			2				9	6
2	1				8			
1						6		7
	2	5	9					4
		3		4			2	

685

	2	5				3	1	
7	6						2	4
			3		5			
4			7		2			8
			1		3			
5			9		8			6
			4		6			
1	9						6	5
	7	6				9	4	

686

3			9					
		1				5		
		4		7	3	8		
				9		6	5	
	9	8	4		5	2	1	
	1	3		2				
		6	3	4		7		
		9				4		
					7			2

SUDOKU

687

	4		5		9		8	
		6	7		4	3		
1								4
5			2	9	7			3
	7						9	
3			1	4	5			2
6								8
		9	3		6	2		
	1		4		2		5	

688

	2		8		4		5	
1				5				7
		7	1		3	2		
6	4						7	2
		1				6		
9	3						1	4
		8	6		7	9		
5				4				1
	7		5		9		3	

SUDOKU ★★★

689

	4	8		5		1	9	
9	2						7	6
5			7		6			1
	6						4	
8			4		5			2
4	5						3	9
	8	7		1		2	5	

690

	3	4						7
7					9		6	5
	9				7	2		
					8		5	
		1				8		
	6		9					
		9	6				1	
5	1		2					3
2						4	7	

SUDOKU

691

8	4		9	7			3	2
		7						
			3	1				
5				4		6		
4			6		7			8
		8		3				5
				6	1			
						5		
9	6			2	5		1	4

692

		7		9		5		
	9		4		6		1	
1			8		5			7
	5	4				3	8	
2								5
	7	1				2	4	
3			7		2			6
	8		3		9		7	
		5		4		9		

SUDOKU

693

5				7		1	6	4
3				8	6			
9			1					
		9					5	
1	4						8	2
	6					7		
					5			7
			6	2				3
4	5	2		9				6

694

1			9		3			8
	8						9	
		4	7		8	2		
2	4		6		9		5	3
3	9		5		1		4	6
		3	8		6	5		
	7						1	
5			2		4			7

SUDOKU

695

	1						3	
		9		6		4		
4			2		5			1
	6	5	4		7	9	2	
			9		3			
	9	3	5			6	7	1
9			7		2			8
		8		3		5		
	2						7	

696

	7			5				
4		2	1		7			
5		3	2					
8		1	5		6	7		4
	4						3	
3		6	9		4	1		2
					2	9		1
			7		9	8		3
				1			4	

SUDOKU

★★★

697

4					3			
		5	1	4			8	
				5		2	1	
9			4					
	1			8			5	
					7			6
	2	8		1				
	6			7	2	3		
			9					7

698

		9				8		
		4	7		8	1		
6	7			2			3	5
9				3				6
			2		1			
4				8				9
7	8			1			5	4
		2	3		5	6		
		3				9		

SUDOKU

699

7	5						2	9
		3				1		
		1	9		2	4		
	7			5			1	
		8	7		3	5		
	6			8			3	
		2	4		9	6		
		6				7		
9	4						8	3

700

4	3			5				
	1		3	8				6
					2	8		
			8			1		
	5			4			7	
		2			9			
		9	6					
7				9	5		4	
				7			5	3

★★★

701

	9		5		4		7	
	5	7				2	6	
		8				1		
7			8	2	3			1
5			4	1	6			9
		5				9		
	8	3				6	5	
	2		9		7		3	

702

	7		1		4		6	
	9						1	
4		3		8		2		5
		9		5		3		
			6		8			
		7		1		9		
1		4		6		7		2
	5						9	
	8		2		5		3	

★★★

SUDOKU

703

4		3		2				
			3		8		5	
9			5					
3	6				5			
2				3				4
			1				7	6
					9			3
	1		7		3			
				4		8		9

704

	2		4	9	6		5	
5	4		8		1		9	2
	7	5	1		4	9	3	
		4				2		
	3	6	2		5	8	4	
3	6		5		8		2	7
	5		6	4	9		8	

SUDOKU ★★★

705

		8	9		6	7		
5	2			4			3	6
		9				1		
	1			9			7	
			8		4			
	3			5			1	
		1				5		
2	7			8			6	9
		3	2		5	4		

706

4	7	6		3			5	
			5	6			8	
					4		9	
		3						4
7	1						6	2
5						9		
	3		1					
	8			2	5			
	4			9		1	7	5

359

★★★

707

		9				8		
	8		3		9		5	
4			8		6			2
	3	7	9		1	2	4	
	1	2	5		7	9	3	
7			1		8			3
	6		2		4		7	
		5				6		

708

6	9	8		5		7		
			9			4		
				7	1	8		
1							8	
2		3				9		4
	5							1
		1	8	2				
		5			3			
		7		4		1	3	6

709

7				1	6			
4				2		8	6	5
9			8					
		9					4	
8	5						1	3
	6					2		
					4			2
5	4	3		9				6
			6	3				7

710

5	7			9			6	1
1			8		7			4
7		8				2		9
	2	5				3	4	
9		4				1		6
2			5		4			7
4	8			6			9	3

SUDOKU

711

	6						5	7
2				1		4		
8		4	3				1	
			4			3	7	
	4	6			9			
	3				5	1		6
		7		9				2
6	5						8	

712

9			3				6	5
	4	2						9
	3		9			7		
			8				5	
		1				8		
	6				3			
		3			6		1	
7						2	9	
5	1				7			4

SUDOKU

713

		2	3					
		8		1		6	3	9
		4		9	8			
	3							1
	7	9				5	6	
2							8	
			8	7		4		
5	8	6		2		3		
					5	1		

714

		7				3		
		4	7		6	8		
9	5			2			1	6
	1			9			3	
			4		2			
	3			7			8	
5	8			4			6	7
		1	5		9	2		
		3				9		

★★★

SUDOKU

715

6	2			9			3	5
4								8
	7		4		8		6	
			2		9			
5								4
			7		5			
	6		5		1		9	
1								2
9	8			7			5	1

716

3				1				4
	8		9		5		6	
		9	2		4	5		
5	3						2	8
		2				6		
1	6						7	9
		6	3		1	9		
	5		8		2		4	
7				9				5

SUDOKU

★★★

717

		8				7		
	7		5		1		3	
3			9		4			2
	2	3	4		6	1	5	
	4	1	3		8	6	2	
5			7		9			1
	9		6		2		8	
		6				9		

718

2				8				3
			9	4	1			
9	8		2		3		6	4
	6						8	
3								2
	5						7	
7	9		3		6		1	8
			8	7	5			
6				1				5

★★★

719

	4	1				5	9	
3				5	1	6	7	
				9				
					4	8		6
6								4
7		4	8					
				4				
	8	5	9	2				7
	6	2				9	4	

720

					1		9	
		5	9	3		2		
		8				7		
				6		9		7
7		6	8		2	5		1
8		4		1				
		2				1		
		3		2	9	4		
	6		3					

721

8	1			9	4			
					6	3		
	7							
1		8	3			7		
	9			8			2	
		6			5	8		3
							8	
		5	4					
			8	2			9	1

722

	1	7						
3			8					5
	2	9	1	3				
					5			7
	3			1			2	
6			4					
				2	8	1	9	
4					7			2
						7	6	

SUDOKU

723

		8	5		1	4		
				2				
7			8		6			5
4		1	6		9	5		7
	8			3			2	
9		6	7		2	1		4
6			9		3			1
				6				
		9	2		5	3		

724

5		1		4		9		2
2	8						6	7
	2		3		1		4	
3								8
	5		2		8		9	
9	6						3	1
8		5		2		4		6

725

7			2		9			6
		1				8		
	4		1		5		3	
5		9	3		4	6		2
8		6	9		1	7		3
	7		5		3		6	
		2				5		
1			8		2			4

726

	1						6	
4			7		3			8
		8	9		2	1		
	5	4	6		8	7	9	
	9	2	5		7	4	8	
		6	4		5	3		
9			3		1			2
	3						5	

SUDOKU

727

7								4
	4		9		1		2	
		6	4		3	8		
8			1	4	7			5
	3						9	
1			3	9	5			8
		9	6		8	5		
	7		5		4		1	
6								2

728

				2			8	
			8		7	2		3
			1		3	9		6
		1	4		8	6		7
	5						3	
7		3	5		6	1		
2		7	3		4			
5		8	9		2			
	1			8				

SUDOKU

★★★

729

3			4	6	5			7
6		7	8		2	3		5
9	6		5		8		3	1
	7						5	
5	2		3		7		4	9
7		1	2		3	9		4
2			6	5	4			3

730

2				7	4	8		
4		9		5				
			6				7	
	6		1					
5				9				3
					7		2	
	1				8			
				3		4		5
		3	5	1				9

★★★

731

	7	4		1	5			
					9			8
	5							
5		3	8					6
	1			5			7	
2					3	4		5
							2	
3			6					
			9	7		5	4	

732

			7			8		
7	6	3		9		5		
				5	1	3		
	1							3
	2	4				7	8	
9							1	
		1	3	2				
		5		8		1	6	4
		9			4			

733

	9						3	
	2	7				8	5	
		5	1		8	4		
9			6	2	3			5
4			7	9	1			8
		6	5		4	2		
	7	8				3	6	
	4						8	

734

		9	6		5	3		
3								2
	8			1			9	
1	5		9		7		8	6
			8		2			
8	2		5		1		7	3
	4			2			5	
6								7
		8	7		6	4		

★★★

735

	4						7	
1			7		8			5
		6	1		2	9		
	8		3	5	1		6	
		5				3		
	1		6	2	9		8	
		4	5		6	2		
8			2		3			7
	2						9	

736

9			7		1			2
1		3				5		7
	2						8	
		6		8		1		
7			4		2			3
		1		5		4		
	1						5	
6		9				3		4
5			1		4			6

737

9								3
	8		9		3		1	
		1		5		6		
8		5	7		6	3		2
			5		8			
7		6	3		4	8		9
		8		7		4		
	4		6		9		2	
2								5

738

	6						9	
1			9		6			8
		2		7		1		
	9	8	6		4	2	5	
			7		8			
	3	6	5		2	7	8	
		4		5		8		
3			2		9			4
	7						3	

★★★

739

1		8				7		9
	2						4	
	3		8		1		2	
2				9				7
	9		7		4		6	
4				6				5
	5		3		8		1	
	7						5	
6		4				8		3

740

			4	3	6			
6		4	9		1	3		8
		9				6		
4		6	8		7	5		3
3								2
2		5	6		3	7		4
		1				8		
5		8	3		9	2		6
			5	8	2			

★★★

741

2			8		6			3
	9			2			5	
		3	7		5	9		
9	3						1	8
		1				5		
5	8						4	7
		4	9		1	6		
	5			8			2	
7			4		2			9

742

		4	8		9	2		
	1						3	
	5	7				8	4	
1			3	5	6			4
2			9	1	7			8
	7	8				3	6	
	2						8	
		6	2		4	5		

★★★

SUDOKU

743

				5	6			7
7	4	3		1				5
			4					2
	1					6		
9		8				2		4
		6					7	
1					9			
5				2		3	9	6
6			7	8				

744

		4	9			2		
8	6							
5	3			4				
					1	8	7	
	4			5			3	
	5	7	2					
				3			6	9
							5	8
		1			8	3		

SUDOKU

745

4	6		7	1		5		
1	3						2	7
				2				
					2	3		6
		3				2		
2		5	6					
				7				
8	2						7	4
		9		4	8		5	3

746

		5	9		7	4		
9	1			3			6	2
		8				7		
	8			2			1	
			3		4			
	5			7			8	
		2				8		
7	9			4			5	6
		3	2		6	1		

★★★

SUDOKU

747

			4	2	9			
		8				2		
	4	2	3		1	9	6	
	9	4	6		3	7	5	
	3						9	
	5	6	2		7	4	3	
	6	5	1		8	3	2	
		1				6		
			5	3	6			

748

1		2		4		8		5
	7						1	
3			5		1			2
		4		6		1		
			9		8			
		1		7		6		
8			1		6			3
	9						8	
4		7		3		5		6

SUDOKU ★★★

749

7					2			
	4		7	8			6	
	1						3	
	7	1		5				
	6	2	3		4	1	5	
				2		3	9	
	2						4	
	9			4	7		8	
			8					5

750

			3	1	7			
3	6		4		5		7	1
1								8
9	2		5		6		3	7
	3						5	
7	5		9		1		2	6
6								4
5	1		8		4		6	2
			6	5	2			

★★★

SUDOKU

751

3								2
		9	2		5	8		
	1		4		7		6	
6	9		7		2		3	1
1	4		9		8		5	7
	8		3		4		2	
		1	5		9	6		
5								4

752

	3			4	7			
	4			5		2	3	8
	1		2					
		3						7
1	2						6	9
7						5		
					6		5	
8	7	6		1			4	
			3	9			7	

SUDOKU

★★★

753

		2				1		
5			7		6			8
	9		3		2		4	
3		7	9		4	8		6
1		8	2		7	5		4
	5		4		3		8	
2			6		1			9
		6				3		

754

6		2	5		7	8		3
7			9	4	6			5
8	7		4		1		9	2
	4						3	
2	6		7		3		5	4
3			6	9	4			7
4		7	1		5	3		9

★★★

755

9		4				6		1
	3						5	
	8		9		4		3	
		3		6		1		
	6		1		5		7	
		5		7		2		
	2		8		9		4	
	1						2	
5		7				8		9

756

	6			3			4	
		4	9		5	7		
1			2		8			3
	4	2				5	9	
5								1
	8	1				6	3	
3			5		7			4
		9	3		4	1		
	2			8			7	

★★★

757

	4		7	5	6		1	
	2	3	1		4	8	7	
4	5		2		1		8	7
2								5
6	8		9		5		3	1
	6	2	4		9	1	5	
	1		5	6	7		2	

758

		7				3		
		6	3		8	9		
4	8			2			1	5
7				1				4
			9		2			
6				3				7
8	3			9			5	6
		2	5		1	4		
		1				7		

★★★

SUDOKU

759

		9						
1		5	7	6				
			8				3	
5	1				3		9	
		6		1		4		
	8		2				1	3
	2				7			
				4	1	6		5
						1		

760

					8			4
	1		2	4		7		
	2	3		5				
			4					1
	5			3			6	
8					9			
				6		2	5	
		6		9	5		3	
9			7					

SUDOKU ★★★

761

		7				8		
	3	1		5		7	2	
	9		2		7		1	
			5		2			
		2				4		
			8		1			
	5		4		3		9	
	8	9		1		2	6	
		4				3		

762

								1
		6	5					
			4	8			7	3
		1			6	7	3	
9				7				8
	6	7	2			5		
8	3			9	7			
					4	2		
7								

★★★

763

2		6		3		8		9
	7						2	
4			2		9			6
		3		1		2		
			8		5			
		2		7		1		
8			1		2			4
	5						8	
3		7		4		9		1

764

				5	7			6
3	5						9	
1	2				9		4	
			9					4
2		9				8		1
8					3			
	8		3				1	5
	9						8	7
7			5	9				

765

7		6		3		2		4
		5	1		4	6		
	6	7				3	5	
5	9						2	8
	8	3				4	1	
		4	2		5	8		
3		9		7		5		1

766

			3		7		1	4
				6		7		
			4				6	8
7	1		6		5		2	3
		8				1		
3	4		9		1		8	5
9	3				4			
		1		3				
2	8		7		9			

★★★

SUDOKU

767

4		2	8	1		6		5
			2	6				
	8							
8				9			3	
3			7		6			4
	6			4				8
							7	
				2	9			
1		9		7	5	4		3

768

		7		2		8		
4			9		3			7
	2		6		1		5	
8		2				1		5
	5						3	
3		9				7		6
	7		3		4		2	
5			2		7			9
		4		1		6		

SUDOKU

769

	1						7	
2		6		8		5		3
	4		5		1		9	
7				1				9
			8		4			
3				6				7
	3		6		2		8	
9		2		4		1		5
	7						6	

770

2	1	4		7			6	
					2		5	
			4	8			3	
		6						5
	9	8				1	2	
7						4		
	3			9	4			
	7		6					
	4			5		6	1	9

★★★

771

		6			7	1		
							7	3
				1	8		9	2
					4	7		
5				9				1
		3	6					
1	2		9	5				
9	7							
		5	8			4		

772

	5			1				4
8		6				7		
		1	9				5	3
	9	8	5					
					2	5	7	
7	1				6	9		
		3				6		7
4				2			8	

★★★

773

4			8			1		
	6		3				9	4
2		7					3	
9					5			
		5				4		
			1					8
	2					7		6
8	9				1		2	
		3			2			1

774

	9		1		5		4	
6			3		8			5
		5				2		
		7	2	5	3	9		
8								1
		9	7	8	1	3		
		6				4		
3			5		7			2
	7		9		4		8	

★★★

775

	7	1			4		3	
	6	5					4	
				6	9	8		
			4			3		
4		7				1		2
		2			5			
		9	6	4				
	4					9	2	
	2		5			6	1	

776

9								2
	1		5		8		9	
		7	3		6	1		
4	7		1		2		6	8
8	5		6		4		7	1
		8	9		3	5		
	2		4		7		3	
3								4

777

				1		9		3
						2		8
	6				4		1	
	8	7	5					
		9		3		1		
					6	3	7	
	9		8				5	
8		3						
4		2		9				

778

				8				
		4	6		1	5		
1			4		3			6
9		1	3		2	8		7
	8			5			2	
2		6	8		7	1		5
3			7		4			2
		9	2		6	7		
				9				

★★★

SUDOKU

779

		3	1		4	2		
4								1
6		9		7		8		3
			2		6			
1								6
			8		7			
5		6		2		4		7
8								5
		7	6		5	3		

780

3			7		2			4
	6		8		3		2	
				9				
8	5		9		6		4	7
		3		1		9		
7	4		5		8		6	2
				8				
	8		1		5		7	
5			2		9			1

SUDOKU ★★★

781

	2						6	
9			2		4			7
		3	1		6	5		
	7	4	8		5	1	9	
	9	6	4			3	2	8
		9	6		8	7		
4			5		2			3
	1						5	

782

5			1		9			3
6	3			8			1	9
	1						2	
			3		2			
	9						7	
			9		8			
	7						6	
2	5			3			9	4
8			6		7			5

★★★

SUDOKU

783

5	8						6	3
	6	7				2	1	
			2		7			
3			5		6			4
			1		2			
7			9		4			8
			3		8			
	5	8				9	3	
1	9						8	7

784

3		6				4		1
		2	4		6	7		
	5						2	
8				3				4
		1	2		8	6		
4				5				9
	3						4	
		9	8		4	3		
1		8				9		7

SUDOKU

★★★

785

		9	1		3	8		
	6						5	
7			6		2			1
	8		4	7	1		2	
		4				7		
	2		8	3	9		1	
6			3		4			2
	9						3	
		3	7		8	5		

786

	1						2	
3			7		1			4
7		9		5		3		1
		1		8		5		
			6		9			
		8		2		1		
8		7		4		2		5
4			1		8			9
	9						6	

SUDOKU

787

		4		1			6	
3	9							8
7			3			5	9	
2		9	1					
					2	7		4
	8	2			7			5
9							4	3
	6			5		2		

788

6	1		9	3			7	5
		9						
			6	5				
		5		1			9	
	8		4		5		1	
	9			2		8		
				6	2			
						4		
2	3			4	7		8	1

SUDOKU

789

	7		2		8		4	
				9				
		8	7		4	3		
	5	7	6		2	9	1	
9				3				6
	6	4	1		9	7	3	
		5	4		6	1		
				5				
	2		8		1		6	

790

6			9		3			5
	7						3	
		3	7		8	1		
	2	8	4		7	6	5	
	5	4	2		1	8	7	
		9	6		5	2		
	1						9	
2			3		4			8

401

★★★

791

	5		8		1		4	
6		2		3		9		8
	1						7	
		9		6		7		
			3		5			
		7		1		4		
	7						6	
2		4		5		8		1
	9		6		2		3	

792

			8	5	6			
	9						6	
6	8		9		3		5	2
8	6		2		4		7	5
5								1
1	7		6		5		4	8
7	2		5		9		1	6
	3						2	
			7	2	1			

★★★

793

	3		9		6		2	
9			3		5			8
				8				
1	7		4		9		3	5
		3		7		4		
4	9		2		3		8	1
				4				
7			5		1			6
	5		6		2		1	

794

				3				
		7	6		4	2		
	4		5		7		3	
	9	8	4		1	7	5	
7				8				1
	1	4	7		2	3	9	
	8		9		5		6	
		5	2		6	9		
				1				

★★★ SUDOKU

795

		5	3		2	9		
3								6
	1	2		8		3	5	
	7			6			3	
			1		4			
	3			7			8	
	2	7		9		8	6	
1								4
		9	7		3	1		

796

2								4
	8		4		7		9	
		4	3		5	1		
5			7	3	6			9
		7				3		
9			5	4	2			6
		2	6		4	5		
	3		8		9		6	
8								1

SUDOKU

★★★

797

9		3	8		6			
	2			7				
8		7	5		2			
5		9	2		4	6		
	8						1	
		6	9		1	8		5
			7		3	2		1
				2			6	
			4		8	5		7

798

7				2				6
	9		3		8		7	
		4				9		
6		3	7		1	2		8
			6		4			
1		9	8		2	6		4
		1				3		
	5		1		3		6	
8				4				5

SUDOKU

799

					3			4
1	3	5		2				8
			8	5				9
		2					3	
6	1						7	5
	8					4		
9				7	8			
3				4		6	8	1
2			6					

800

	4		5		6		9	
1			7		3			2
		3				8		
	7	5	1		2	9	6	
	8	9	3		5	4	2	
		6				7		
4			2		7			9
	3		6		8		1	

SUDOKU ★★★★

801

4			3			5	7	
	3			1			4	
			4					8
			8			7	2	
1								3
	2	6			5			
5					9			
	1			4			5	
	8	9			7			6

802

2	4				9			8
		7	1				4	
		1	8					
1	7		4	2				
				8	6		5	1
					4	6		
	6				8	7		
7			9				2	3

SUDOKU

803

					8		9	
6							4	2
		3		1				7
		1		3		4		
			8		9			
		5		2		8		
7				6		3		
4	2							1
	3		9					

804

					4			
			2	9	5			
	7							8
						5	4	
	9			1			3	
	8	6						
4							2	
			7	8	3			
			6					

SUDOKU

★★★★

805

2			7		8			
	8		1	5				
5	7	3						
	9		3	8				
		7				4		
				9	5		6	
						1	8	3
				2	1		4	
			6		4			5

806

		9		5				
	8	6						
5		7			2			
	2		6				4	9
3			7		1			8
9	5				8		7	
			1			4		7
						8	3	
				4		6		

409

★★★★

807

8				3		5		
			9					1
	6		4				3	7
6		8			7			
	3						8	
			5			1		2
2	8				4		5	
5					2			
		7		6				9

808

	1	3			8			
					9		2	
8				4			3	5
	6	2			3		7	
		1				6		
	8		4			2	9	
2	5			3				6
	7		2					
			6			7	4	

809

					4			
			1	3	9			
	8					2		
6	2							
	3			7			5	
							4	9
		4					1	
			8	2	5			
			6					

810

	7	4		8			5	
			5			9		6
		6	7					
		3	9			2		7
1								5
7		5			8	6		
					2	7		
8		1			3			
	3			9		8	4	

★★★★

SUDOKU

811

		6	8					
4	2				5		3	
		3	9					6
				4	8		7	3
1	7		6	9				
8					7	3		
	9		5				4	8
					9	7		

812

	8					6		
			1					9
	4	3		6			7	
			4		9			7
	6			8			4	
2			5		6			
	2			4		8	3	
5					7			
		1					2	

SUDOKU ★★★★

813

		9		2	7			
						5		
	2	4	5					
7				8			1	
	3		2		9		5	
	1			5				6
					4	9	6	
		3						
			8	3		4		

814

					9			6
	6				1		7	9
3				4		8		
9		2	6					
	7						5	
					8	7		4
		6		5				7
8	5		1				4	
2			3					

★★★★

815

				8			5	6
6	1				7			
	5	4			1	3		
2						9	8	
	6	9						5
		5	6			8	4	
			9				3	2
3	8			2				

816

		7				9	1	
						6		5
	5		4		8			
				3				2
	4		5		6		7	
3				2				
			9		3		5	
2		9						
	1	6				4		

817

5								
			9					
			1	6				7
		8				3	5	
		1		4		6		
	9	7				2		
2				8	5			
					3			
								1

818

		6			7			
5							3	
	3			2			9	1
			2		8	7		
	4			1			2	
		3	6		4			
9	2			4			7	
	1							4
			5			8		

SUDOKU

819

			6				2	5
						9	3	
				2			1	
4		7			3	5		
9			5		6			3
		8	1			2		4
	4			7				
	1	3						
7	5				8			

820

						5	2	
5			8		9			
	6						3	4
				1		7		
9			2		5			6
		1		7				
4	2						9	
			1		3			5
	3	7						

SUDOKU ★★★★

821

		3	4	7				
	6		9		3			
5	7	9						
				8	7	1		
9								2
		8	5	3				
						3	5	4
			1		2		7	
				6	4	2		

822

		9						
					4			
			8	7	6			
5							9	2
7				1				8
6	4							3
		3	9	5				
			2					
						7		

SUDOKU

823

	8		3				1	
		7	1				9	8
		2			7			6
							2	3
		1				6		
4	5							
2			6			8		
5	7				2	1		
	9				3		7	

824

					8			1
4		1			3			
	3			5			8	2
7		8			4			6
		3				9		
1			5			8		3
5	2			4			6	
			6			5		9
8			7					

SUDOKU

825

6				4		7		
	7		2					
8	5							1
		9		5		3		
			3		2			
		1		7		8		
4							8	5
					3		2	
		7		1				6

826

	6				8		3	
		2	5					1
	3	4			2			9
	4	7						
9								5
						8	2	
3			9			1	6	
2					3	5		
	1		8				9	

SUDOKU

827

	9		5			3		2
		5		1		9		
			9				8	
7		6			2			
	1						5	
			8			6		3
	2				4			
		1		9		2		
4		8			3		7	

828

					5	6		
	7			9		2	5	
6		1			7			
		6	9			7		5
7								3
5		4			1	8		
			8			3		9
	2	9		1			8	
		5	4					

SUDOKU

829

		8	7				3	
						7		2
	7		2				9	
3		5			8		6	
			9		5			
	6		3			2		5
	4				2		5	
8		7						
	9				1	3		

830

8	2			9				5
			5			7		
1							4	
			9		6	3		
9				2				8
		4	7		8			
	9							2
		6			3			
3				8			5	1

831

						9		3
	5		7				6	
		4	1				2	
5		7			4		8	
			5		2			
	8		3			5		4
	4				9	3		
	2				7		9	
7		9						

832

	7			2	4			
5	1					2		
			7					
	5			1				3
8			2		9			6
9				6			2	
					3			
		8					5	1
			4	8			6	

SUDOKU ★★★★

833

				5				4
							9	3
					8	5		2
	1	4	3				8	
		9	2		7	6		
	2				9	4	5	
1		2	7					
9	6							
3				1				

834

		7			4	3		
9		3			5		8	
5			6				2	
1		9						
	8						6	
						5		4
	5				3			6
	3		8			7		2
		2	4			8		

★★★★ **SUDOKU**

835

			1					
		4	8	6				
						5		
7	9							4
5				2				3
6							8	1
		8						
				3	5	7		
					9			

836

4		3						
1	2				6			
9				2				
	9	2			3	1		
	7		1		8		3	
		6	4			5	9	
				5				4
			8				1	5
						7		3

SUDOKU ★★★★

837

		4		7		8	9	
6					4			
	2					5		
3			1		7			
		8		9		7		
			8		6			2
		9					7	
			3					1
	4	5		8		3		

838

		4					5	
			7					9
	2	3		6		7		
5			9		3			
		6		2		3		
			6		8			1
		1		3		4	7	
8					1			
	6					2		

425

★★★★

SUDOKU

839

7		6				9		
			4		1			2
	3	4						
				1			3	
9			2		6			8
	1			3				
						6	2	
2			9		5			
		8				4		7

840

8			4			5		7
			3			6	2	
	6	7		2				
	2					7		3
3		4					8	
				7		8	4	
	4	9			1			
5		8			9			6

SUDOKU ★★★★

841

6				5			7	4
	9							1
		2			6			
		3	8		5			
9				1				5
			9		2	6		
			7			8		
4							3	
5	1			9				7

842

				7	1		5	
					9			
	4							
3						4		8
1				6				7
5		9						2
						1		
			8					
	2		4	3				

SUDOKU

843

5				3		1		9
	7				2			
		3						6
	5		7		9			
9				6				3
			3		4		8	
8						2		
			5				4	
1		6		9				8

844

			4					3
		9					6	
	2	5		8		4		
			8		7			1
		8		9		6		
4			3		6			
		2		6		8	9	
	1					5		
7					2			

SUDOKU ★★★★

845

			9	4	8			
	5							2
					1			
4		1						
6				3				9
						7		5
			5					
8							4	
			7	6	2			

846

		9			7			
8							2	
	7			4			1	5
			1		9	8		
	1			5			4	
		6	3		4			
7	2			1			6	
	5							4
			6			3		

★★★★ **SUDOKU**

847

		9				3	6	
					7		4	
4				1		5		
2				6				8
			7		2			
3				4				9
		5		9				4
	7		2					
	3	6				1		

848

	2	1		5			3	
					3	6		1
		7			8			
		4			1	9		7
9								6
7		8	5			3		
			7			4		
4		5	9					
	9			1		2	7	

SUDOKU ★★★★

849

5					4			
		3		2		8	1	
	2					9		
3			5		8			
		8		9		2		
			2		7			6
		6					4	
	9	1		8		6		
			3					7

850

8					7		
					3			1
	5	9		2			3	
3			7		1			
	2			8			7	
			4		2			6
	9			7		8	2	
4			9					
		6					5	

SUDOKU

851

			6	4			5	
			3		5	1		
						4	3	7
	9			2	4			
8								3
			7	5			2	
6	5	7						
		4	9		8			
	8			1	6			

852

8			2					
6	4						7	
	5			3		9		
		2		4		1		
			8		2			
		6		9		3		
		9		7			5	
	3						6	4
					8			9

432

853

		3						
			3			6		7
				7	8	4		
1				9			8	
3			7		4			5
	2			3				1
		6	9	5				
2		4			6			
						5		

854

						3		2
		6			3		5	
	3				2		4	
5		1	6				8	
			1		4			
	8				5	2		1
	9		2				1	
	4		7			5		
6		3						

★★★★

SUDOKU

855

					1	3	8	
				8			6	
							5	4
9		7	5					3
		4	1		3	5		
2					6	7		8
5	6							
	7			9				
	3	9	2					

856

	8			4				
	3	4	1					
7	5							
4		8	7					3
		9	6		3	7		
1					5	8		2
							7	9
					6	3	2	
				2			5	

SUDOKU ★★★★

857

8				5			2	
1		3						4
		2			9			
	7			3			6	
			9		6			
	4			2			1	
			6			9		
5						1		3
	2			4				8

858

8					5			4
	4	5						
2					4		6	
	5	7			2			1
			7		8			
1			6			2	7	
	2		3					8
						6	4	
7			5					9

★★★★

SUDOKU

859

	4		6					
	5	2		3		7		
			7				8	5
	9		5				1	4
1								8
4	6				3		7	
9	3				1			
		1		5		4	2	
					4		9	

860

9			3		4			
	3		1	8				
5	6	1						
	4		9	2				
		3				7		
				6	5		2	
						5	7	9
				9	1		6	
			6		7			8

SUDOKU

861

	1	5	3					2
7			2					
		2		4		3		
	5	6	7					
3								4
					1	6	8	
		1		2		4		
					9			1
8					5	7	9	

862

	6	3				4		
	5		8					
		7		1				5
4				5				3
			9		8			
2				6				9
5				4		7		
					9		8	
		1				6	3	

★★★★

SUDOKU

863

8				4				2
					2	5		
		2			8		6	3
					5		3	9
		4				8		
9	1		6					
5	7		3			1		
		6	7					
4				2				6

864

6						8	5	
			3	6			1	
					1			
		7		5			8	
		2	9		6	4		
	6			2		9		
			7					
	2			4	3			
	8	5						4

SUDOKU ★★★★

865

3			7		1	5	9	
		6				8		
7				6	9			
			5				1	2
		5				3		
6	9				3			
			9	4				5
		9				2		
	7	8	6		2			4

866

2		5	6			8		
7	9		3					
				9			7	5
	8					3		6
5		3					9	
8	6			5				
					4		6	1
		7			1	2		8

SUDOKU

867

		9			2	1		
3			7				6	
7					1	5	9	
	8	4						
1								6
						3	2	
	4	7	3					1
	3				6			9
		5	2			7		

868

	6							5
			3			4		
7	2			1			3	
			1		9	8		
	1			6			5	
		3	4		5			
	7			5			1	6
		9			7			
8							2	

SUDOKU ★★★★

869

	5							
					5		7	1
			8	1			2	
		6		5				3
5			2		1			4
3				9		8		
	7			4	9			
6	2		7					
							4	

870

	1	6			5			4
	8				3		1	
		5	7					9
	6	2						
4								7
						3	5	
5					1	7		
	9		3				4	
1			4			9	8	

SUDOKU

871

	2	7	6					8
		1		9		4		
4			2					
					7	3	6	
1								5
	8	3	4					
					9			7
		5		1		9		
9					5	6	4	

872

8	2		5					3
		6			4			
		3			7		6	
			4	2			3	9
9	1			7	6			
	4		9			3		
			7			9		
7					5		4	2

442

SUDOKU ★★★★

873

3				7	8			
								5
					6			
	2					6	3	
	7			4			8	
	9	5					1	
			9					
8								
			5	1				2

874

	3	7			5			4
6					4			
		4		9		5		
	7	1			6			
5								9
			3			1	8	
		3		4		9		
			2					3
8			7			6	2	

★★★★

SUDOKU

875

	5	9						
8		4	3					
		1		8				
	3				9		7	1
2			6		4			5
1	8		5				4	
				7		9		
					6	7		4
						5	2	

876

	9							3
		7			2			
2				8			5	4
			4		7	9		
4				5				8
		6	1		8			
3	2			4				6
			6			1		
5							8	

SUDOKU ★★★★

877

				2	5			1
4								
					9			
	9	5					2	
	6			8			4	
	1					3	7	
			3					
								5
7			4	6				

878

6		3						
	4		3				6	
	2		6					7
3		8	2				1	
			4		8			
	1				7	2		8
2					5		4	
	8				3		9	
						7		6

★★★★

879

4	8							
			1		8	2		
	7	6					9	
1				4				
		9	7		2	5		
				1				4
	5					6	8	
		2	3		9			
							7	2

880

		2			9			4
		5			3	9		
9	3							
		8	4				2	1
			1		5			
3	1				2	8		
							4	9
		1	3			7		
2			6			5		

881

			1	3	2			
7						4		
					5			
							2	5
3				9				6
4	8							
			8					
		5						1
			7	4	6			

882

		5					9	
	8	6		1		7		
					7			2
			4		1			3
		1		5		9		
7			9		2			
4			8					
		8		9		1	5	
	3					6		

★★★★   **SUDOKU**

883

	6		2					
9	1			3				4
			4			1	5	
	2	6			3		4	
		7				5		
	8		1			6	7	
	3	8			7			
7				1			9	6
					6		8	

884

6				1		2		
8	3							4
	9				7			
		3		2		1		
			7		9			
		7		8		5		
			9				2	
1							8	3
		2		4				6

SUDOKU

885

5			7	9				
		8	5		2			
6	7	4						
2			8	1				
	5						3	
			6	4				1
						8	4	3
			6		3	9		
				8	7			6

886

	6	1		8				
			4			8	1	
9			5				2	6
4	5					9		
		8					6	4
2	9				3			1
	3	5			7			
				6		5	9	

★★★★

SUDOKU

887

		9				3		
	5		3	6				
	6		2		9	1		7
					8		2	3
		8				5		
4	9		5					
3		5	7		4		8	
				2	3		7	
		1				2		

888

	3		9					
	2		8					3
6		4			1	2		
7		5	3	8				
				6	9	5		2
		8	1			6		9
9					5		2	
					8		5	

SUDOKU

889

	5						3	
		1		8	3			
		8	5		6		9	4
			2			6		3
	2						1	
7		5			1			
3	1		7		4	2		
			3	6		4		
	9						6	

890

			7			8	2	
		3	6					
4		2		9				7
		1	2			5	3	
	5						8	
	3	6			9	7		
5				2		4		3
					3	1		
	1	9			5			

★ ★ ★ ★   **SUDOKU**

891

	6			3			4	1
2							6	
		5			7			
		6	5		9			
	9			1			3	
			3		8	7		
			2			8		
	1							9
4	3			9			7	

892

3			1					
	7					4		
		6		7		8	9	
6			8		3			
		8		4		7		
			2		7			5
	4	9		8		5		
		5					1	
					6			2

893

3				5			6	
			8			3		
	9					1	2	
7				1				4
			7		8			
2				3				9
	1	2					5	
		8			7			
	6			9				3

894

	1		6		7			
7			4	2				
6	2	5						
				3	2			9
		6				8		
3			5	7				
						4	5	7
				1	4			8
			9		8		2	

SUDOKU

895

		9					6	
1					4			
	5			9		8	3	
5			1		3			
	3			6			9	
			9		7			2
	8	6		3			2	
			5					7
	2					4		

896

							3	8
			6			7	9	
				9			1	
2			1			4		9
		8	7		6	3		
5		4			3			7
	4			5				
	7	5			2			
3	1							

SUDOKU

897

				3	8	4		
						6	5	8
			2		4		1	
				7	1	2		
9								4
		7	5	6				
	3		9		6			
5	1	9						
		6	8	1				

898

			2	5				8
					8			
		5					7	9
5				4			1	
	4		1		5		6	
	3			9				7
7	9					6		
			3					
4				6	2			

455

SUDOKU

899

4	2							
		3	4					8
		9	2			4		
2	1		3			7		
			9		1			
		7			8		3	1
		1			2	5		
3					6	9		
							8	4

900

3		7						5
2	1							
			9		2	8		
				9			1	
		5	3		8	6		
	9			1				
		8	4		5			
							8	3
6						7		2

SUDOKU ★★★★

901

8	3						7	
4			2					
	9			5		6		
		2		3		1		
			4		2			
		8		6		5		
		6		7			9	
					4			6
	5						8	3

902

|

								8
7		1	8					
9				1	6			
	6			5		2		
		4	1		9	8		
		2		8			3	
			5	4				7
					7	3		9
4								

★★★★

SUDOKU

903

				3	1			2
			6				3	9
6								
	8			7		1		
	6		3		2		4	
		5		6			8	
								4
2	5				9			
9			7	4				

904

			3			5	6	
4			5			9		8
	6	9		7				
2		7					1	
	9					6		2
				1		7	4	
7		8			6			9
	1	4			2			

SUDOKU ★★★★

905

	3			8				5
	2	6					4	
		7	1					
6				5				8
			7		1			
1				2				9
					7	5		
	8					2	6	
5				4			3	

906

								5
1			4	2				
			8					
	5	6				7		
		2		3		4		
		9				1	8	
					6			
				7	5			9
4								

459

★★★★

SUDOKU

907

4			5		3			
1	2	8						
		3		9	2			
		5		7	4			
	3						6	
			1	8		7		
			2	4		8		
						6	1	4
			6		8			9

908

							4	3
		7	1			2		
	8		6			5		
7	1				8	9		
			7		5			
		9	3				7	8
		8			4		3	
		5			1	4		
1	4							

SUDOKU

909

		6	3		2		4	9
		8		6	1			
3								1
	7	3			8			
5								8
			5			2	1	
9								2
			1	2		4		
8	1		7		4	5		

910

			5					
								1
8			3	9				
	9					3	5	
	1			7			2	
	4	6					8	
				2	1			4
3								
					6			

★★★★

911

				2		9		4
	3	9	1				8	
4		1	6					
	7	4						9
5						2	7	
					7	8		5
	9				4	3	2	
8		2		5				

912

			1		2		3	
				9	6			2
						6	4	5
7			4	5				
		8				2		
				7	3			1
8	3	4						
5			6	3				
	9		8		5			

★★★★

913

6			4		8			
		5				2		9
						1	6	
	7			3				
4			6		1			5
				7			3	
	3	2						
9		1				4		
			2		7			6

914

		4	5				7	
6	5							
		3	6			5		
		1			7		8	4
			3		8			
8	6		4			1		
		8			6	2		
							5	7
	4				9	3		

★★★★

915

3			8	1				
			9					
								5
		1				9	8	
		5		2		7		
	4	6				3		
8								
					4			
				7	5			6

916

	7	8	1					5
	3				5			2
		1	6			7		
	6	2						
3								1
						9	4	
		5			6	8		
7			3				2	
1					2	5	9	

★★★★

917

1	3	4						
6			5		8			
	5		4	7				
				3	1		9	
		5				2		
	8		6	9				
				6	4		3	
			3		2			7
						1	2	6

918

		4						
				4	2	3		
			3			7	1	
	9			6				1
	4		7		5		6	
8				2			9	
	5	3			6			
		7	8	5				
						6		

★★★★

SUDOKU

919

			9	5	2			
7						8		
					6			
						7	3	
		4		1		5		
	2	6						
			3					
		9						6
			8	7	4			

920

3					5		7	
5					8			
	7	1	9			8		
			4	8		5	6	
	3	5		1	7			
		3			9	2	1	
			7					4
	4		8					3

SUDOKU ★★★★

921

	2			6		5		
			7				4	
8			9				3	6
	8	2			3			
6								2
			5			4	1	
2	1				9			5
	5				1			
		3		8			7	

922

			7					2
	2			1			4	
6			3			7	9	
			2			6	5	
8								4
	5	3			9			
	3	2			8			1
	1			4			8	
9					1			

467

SUDOKU

923

							4	
2	9		7					
	7			4	3			
8				3		6		
5			9		1			4
		2		5				8
			6	1			9	
					5		7	1
	5							

924

		6			2	9		8
1				9			4	
					3			7
					4		7	5
		9				1		
6	1		8					
4			5					
	8			6				3
5		1	2			4		

SUDOKU

925

	1			6				7
					2	8		
4						5		9
	3			9			2	
			2		8			
	6			1			5	
5		9						6
		1	8					
7				4			1	

926

	5			3		9		
			2					7
		6				1		8
	3			5			8	
			7		2			
	4			1			2	
1		8				3		
5					7			
		9		6			5	

SUDOKU

927

				7	2	4		
			4		1			5
						1	9	7
		8	7	3				
	6						1	
				4	9	3		
9	2	4						
7			6		8			
		6	2	5				

928

		7				5	4	
			8				1	
2				3		9		
3				2				4
			1		8			
6				5				8
		9		7				2
	2				1			
	5	4				3		

929

	3	6						
		9		7				
7		4			2			
9	7				3		4	
5			4		1			3
	2		6				8	9
			1			8		4
				8		6		
						3	5	

930

	9	3	5				8	
2					8			
1					2	3		
			4	8		7	2	
	2	1		9	3			
		4	8					1
			3					4
	1				5	9	6	

★★★★

931

5	6				3		1	
		1	2					4
		4	8					
7	9		4	2				
				5	8		9	1
					2	9		
8					9	1		
	2		3				5	8

932

			3			6		
3					4		1	5
	1		6			7		
			1	5			7	6
6	8			3	9			
		7			3		9	
2	5		4					7
		9			1			

933

		9	6			1		
		3	8				4	
5	7							
		2			4		6	1
			1		3			
4	1		5			2		
							7	6
	5				7	4		
		7			6	3		

934

	6		9	7				
5	2	9						
1			6		3			
				2	5		8	
		6				4		
	3		1	8				
			2		4			7
						5	4	1
				1	9		2	

★★★★

SUDOKU

935

	8		4	2				
			1					
							6	
		3				8		1
		2		9		4		
6		7				5		
	4							
					7			
				5	6		3	

936

4	9							
		6			7			8
		3			1	5		
5	8				9	2		
			6		5			
		2	8				5	1
		4	1			6		
9			4			8		
							1	4

SUDOKU ★★★★

937

		9		3	6			
			1					
4		7					3	
1				4		7		
9			8		5			3
		5		9				8
	5					4		7
					2			
			6	5		2		

938

9		2	4					
						4		
		5		9	8			
	8			3				1
7			9		5			4
1				4		6		
			3	7		2		
		7						
					2	5		6

★★★★

939

	5							
			3					
			6	2			4	
3		6						2
7				8				5
4						1		9
	9			7	5			
					1			
							6	

940

			1					
6								
			3	2				4
		4				8	9	
		7		5		6		
	3	1				2		
8				7	6			
								3
					9			

941

5		4	9					
						7		
		9		7	6			
	5			3				1
3			4		2			7
1				6			8	
			8	2		4		
		3						
					3	9		2

942

					7		5	8
				5				2
						9		4
	2	1	4			7		
	9		8		3		6	
		8			9	5	2	
9		6						
4				1				
1	8		3					

★★★★

SUDOKU

943

3	1		6		9	5		
	4						8	
				8	3	6		
9		2	1					
	5						1	
					5	8		3
		1	3	7				
	2						3	
		7	8		2		4	6

944

			7	3		4		
					4	1		8
		3						
2				5			8	
3			9		1			5
	6			7				2
						5		
9		4	5					
		1		9	6			

SUDOKU

★★★★

945

			1		4	7		
	5	2					6	
7	8							
9				3				
		6	7		8	1		
				9				3
							5	9
	1					2	8	
		7	5		3			

946

			7	1		2		
6								1
8	7		3		2	4		
	3	5			8			
4								8
			4			1	7	
		9	5		1		2	6
5								7
		8		9	7			

★★★★

947

	4							9
		1			7			
9				6			5	2
			6		3	7		
8				5				6
		9	1		8			
6	2			8				7
			4			3		
5							8	

948

	6				4	7		
9		7	1					8
	4				8			
			3	8		5		4
4		6		9	7			
			7				3	
6					1	9		2
		3	8				6	

SUDOKU ★★★★

949

						9	2	
			8			3		4
				4		5		
	3		2				4	5
2			7		3			6
5	1				9		8	
		9		1				
3		1			7			
	6	2						

950

4		9						
	8				4			3
	1				9		4	
	7		3			8		2
			2		1			
9		2			8		7	
	2		9				6	
8			5				1	
						3		4

SUDOKU

1

2	4	9	3	1	5	6	7	8
1	8	6	7	2	9	3	4	5
3	5	7	6	4	8	9	1	2
7	9	2	8	3	1	4	5	6
8	6	4	5	7	2	1	9	3
5	3	1	9	6	4	8	2	7
9	2	5	4	8	6	7	3	1
6	1	3	2	9	7	5	8	4
4	7	8	1	5	3	2	6	9

2

3	1	7	5	8	9	6	4	2
5	2	4	7	6	3	1	8	9
6	9	8	4	1	2	3	7	5
1	8	3	9	2	6	4	5	7
4	5	2	3	7	1	8	9	6
7	6	9	8	5	4	2	3	1
2	3	5	6	9	8	7	1	4
8	7	6	1	4	5	9	2	3
9	4	1	2	3	7	5	6	8

3

9	6	4	3	8	7	5	1	2
8	2	1	6	5	4	3	9	7
3	5	7	2	1	9	4	8	6
1	4	9	8	7	2	6	3	5
5	7	3	4	6	1	9	2	8
2	8	6	5	9	3	7	4	1
4	1	8	7	3	5	2	6	9
6	3	5	9	2	8	1	7	4
7	9	2	1	4	6	8	5	3

4

5	2	3	6	9	8	7	4	1
4	9	6	7	2	1	8	3	5
7	8	1	3	4	5	2	6	9
3	7	4	2	1	6	9	5	8
8	6	2	5	3	9	4	1	7
1	5	9	4	8	7	6	2	3
9	1	5	8	6	2	3	7	4
2	4	7	9	5	3	1	8	6
6	3	8	1	7	4	5	9	2

5

5	2	1	6	3	9	4	7	8
8	6	7	5	4	1	2	3	9
9	3	4	7	8	2	6	5	1
4	1	8	2	9	7	3	6	5
6	7	5	8	1	3	9	4	2
3	9	2	4	5	6	8	1	7
7	4	9	3	2	5	1	8	6
1	8	6	9	7	4	5	2	3
2	5	3	1	6	8	7	9	4

6

5	9	3	7	2	4	1	6	8
1	4	7	6	9	8	3	5	2
6	2	8	1	5	3	9	4	7
2	3	9	5	8	1	6	7	4
7	8	5	3	4	6	2	9	1
4	1	6	9	7	2	5	8	3
9	6	1	4	3	7	8	2	5
3	7	2	8	6	5	4	1	9
8	5	4	2	1	9	7	3	6

SUDOKU

7

7	3	8	2	5	9	4	1	6
4	2	5	6	1	7	3	9	8
6	1	9	8	4	3	2	5	7
3	8	1	9	2	5	7	6	4
5	6	2	1	7	4	9	8	3
9	4	7	3	8	6	1	2	5
8	7	3	5	9	1	6	4	2
1	5	4	7	6	2	8	3	9
2	9	6	4	3	8	5	7	1

8

4	8	1	9	5	2	6	7	3
9	2	3	1	6	7	8	4	5
6	5	7	8	3	4	1	2	9
5	4	2	3	7	8	9	6	1
7	1	6	2	9	5	4	3	8
3	9	8	6	4	1	7	5	2
1	3	9	4	2	6	5	8	7
8	6	5	7	1	3	2	9	4
2	7	4	5	8	9	3	1	6

9

8	5	7	1	9	4	3	6	2
9	1	2	3	6	5	8	7	4
3	6	4	2	8	7	1	5	9
7	4	8	5	2	6	9	3	1
5	3	6	9	4	1	2	8	7
1	2	9	7	3	8	5	4	6
4	9	5	6	1	3	7	2	8
2	8	3	4	7	9	6	1	5
6	7	1	8	5	2	4	9	3

10

4	7	2	6	3	8	5	9	1
6	9	1	7	4	5	8	2	3
8	3	5	2	9	1	7	6	4
1	5	8	3	2	9	4	7	6
3	4	7	1	5	6	9	8	2
9	2	6	8	7	4	3	1	5
7	6	9	4	1	3	2	5	8
2	1	4	5	8	7	6	3	9
5	8	3	9	6	2	1	4	7

11

9	3	5	4	8	1	6	2	7
6	4	2	9	5	7	1	3	8
8	7	1	6	3	2	5	9	4
4	8	6	7	1	9	3	5	2
3	1	7	5	2	8	4	6	9
2	5	9	3	6	4	8	7	1
7	6	8	1	9	3	2	4	5
5	2	4	8	7	6	9	1	3
1	9	3	2	4	5	7	8	6

12

2	7	6	8	1	4	3	9	5
3	8	4	2	5	9	1	7	6
5	9	1	6	7	3	2	4	8
4	1	7	3	9	6	5	8	2
6	2	8	7	4	5	9	3	1
9	5	3	1	8	2	7	6	4
1	6	9	5	3	8	4	2	7
8	3	5	4	2	7	6	1	9
7	4	2	9	6	1	8	5	3

SUDOKU

13

9	5	4	8	3	2	6	7	1
2	8	6	4	1	7	9	3	5
3	7	1	6	5	9	8	2	4
1	6	3	7	9	4	2	5	8
8	9	2	5	6	3	4	1	7
5	4	7	2	8	1	3	6	9
4	3	8	1	2	5	7	9	6
7	2	5	9	4	6	1	8	3
6	1	9	3	7	8	5	4	2

14

6	3	7	2	4	8	5	1	9
9	2	1	6	7	5	8	4	3
4	5	8	9	1	3	2	6	7
1	6	4	8	2	7	9	3	5
2	8	3	4	5	9	6	7	1
7	9	5	3	6	1	4	2	8
3	7	6	5	8	4	1	9	2
8	1	2	7	9	6	3	5	4
5	4	9	1	3	2	7	8	6

15

3	1	2	8	7	9	6	5	4
7	9	6	4	5	1	8	3	2
4	5	8	3	2	6	9	1	7
6	3	9	1	4	8	2	7	5
2	7	1	6	3	5	4	9	8
8	4	5	2	9	7	1	6	3
1	6	4	7	8	3	5	2	9
5	2	3	9	6	4	7	8	1
9	8	7	5	1	2	3	4	6

16

3	4	7	5	9	1	6	2	8
8	6	9	3	4	2	7	1	5
1	5	2	7	6	8	4	9	3
4	7	3	9	2	6	8	5	1
2	8	5	4	1	7	9	3	6
6	9	1	8	3	5	2	7	4
9	3	6	2	5	4	1	8	7
7	2	4	1	8	3	5	6	9
5	1	8	6	7	9	3	4	2

17

5	3	8	6	7	1	9	4	2
7	2	9	4	3	5	1	6	8
1	6	4	9	2	8	5	3	7
9	5	2	7	1	6	3	8	4
6	1	7	3	8	4	2	5	9
4	8	3	5	9	2	7	1	6
2	9	1	8	4	3	6	7	5
8	7	6	1	5	9	4	2	3
3	4	5	2	6	7	8	9	1

18

1	5	2	4	9	3	6	8	7
8	3	6	1	7	5	9	2	4
4	9	7	6	2	8	5	1	3
5	6	3	2	8	7	1	4	9
9	8	1	5	6	4	7	3	2
7	2	4	3	1	9	8	6	5
6	1	9	7	3	2	4	5	8
2	4	8	9	5	1	3	7	6
3	7	5	8	4	6	2	9	1

SUDOKU

19

5	9	2	7	1	4	3	6	8
7	3	6	8	2	5	4	9	1
4	8	1	9	6	3	7	5	2
2	5	8	4	9	6	1	3	7
9	7	4	2	3	1	6	8	5
6	1	3	5	8	7	9	2	4
1	2	5	3	4	9	8	7	6
8	4	9	6	7	2	5	1	3
3	6	7	1	5	8	2	4	9

20

6	5	8	3	1	9	2	7	4
3	9	4	5	2	7	6	8	1
1	7	2	6	4	8	3	5	9
9	6	1	8	5	3	7	4	2
4	8	7	1	9	2	5	6	3
2	3	5	7	6	4	1	9	8
5	4	9	2	3	6	8	1	7
7	2	6	4	8	1	9	3	5
8	1	3	9	7	5	4	2	6

21

2	3	9	7	4	1	6	5	8
6	1	5	9	8	2	4	3	7
7	4	8	5	6	3	1	2	9
1	7	6	4	2	9	5	8	3
5	9	2	8	3	6	7	1	4
3	8	4	1	5	7	2	9	6
8	2	1	6	9	4	3	7	5
4	5	3	2	7	8	9	6	1
9	6	7	3	1	5	8	4	2

22

2	3	1	9	8	7	6	4	5
8	7	5	6	4	3	1	2	9
6	9	4	1	2	5	8	7	3
9	8	7	5	6	2	4	3	1
4	6	2	8	3	1	9	5	7
5	1	3	7	9	4	2	8	6
1	2	9	3	7	8	5	6	4
3	5	8	4	1	6	7	9	2
7	4	6	2	5	9	3	1	8

23

1	9	8	7	2	3	4	6	5
4	2	6	9	5	1	8	3	7
3	5	7	8	6	4	2	9	1
6	8	9	2	4	7	1	5	3
2	7	3	1	9	5	6	4	8
5	1	4	6	3	8	7	2	9
9	3	1	4	8	2	5	7	6
8	6	2	5	7	9	3	1	4
7	4	5	3	1	6	9	8	2

24

1	7	3	8	9	6	2	4	5
8	9	5	1	2	4	3	6	7
6	2	4	5	7	3	8	1	9
5	8	7	9	4	1	6	2	3
9	6	1	3	5	2	4	7	8
4	3	2	7	6	8	5	9	1
7	4	9	2	3	5	1	8	6
3	1	6	4	8	7	9	5	2
2	5	8	6	1	9	7	3	4

SUDOKU

25

3	5	9	4	2	1	7	8	6
1	8	6	3	7	9	4	5	2
4	7	2	6	5	8	1	3	9
8	6	4	2	1	7	3	9	5
2	3	7	9	4	5	8	6	1
5	9	1	8	3	6	2	4	7
9	1	5	7	8	4	6	2	3
7	4	3	5	6	2	9	1	8
6	2	8	1	9	3	5	7	4

26

3	2	5	9	7	4	8	6	1
6	9	8	5	3	1	7	4	2
4	1	7	2	6	8	3	5	9
2	5	3	7	8	6	1	9	4
9	4	6	3	1	2	5	8	7
8	7	1	4	5	9	6	2	3
1	8	9	6	2	3	4	7	5
7	6	2	1	4	5	9	3	8
5	3	4	8	9	7	2	1	6

27

4	7	5	1	6	3	8	2	9
2	1	9	8	4	5	3	6	7
8	3	6	9	2	7	5	4	1
1	2	8	4	7	9	6	5	3
9	4	3	5	8	6	1	7	2
5	6	7	2	3	1	4	9	8
3	5	4	7	1	2	9	8	6
7	9	1	6	5	8	2	3	4
6	8	2	3	9	4	7	1	5

28

1	4	3	8	9	6	5	2	7
2	7	9	5	4	3	6	1	8
6	5	8	1	2	7	9	3	4
4	9	1	6	7	2	3	8	5
7	2	5	3	1	8	4	6	9
3	8	6	9	5	4	1	7	2
5	1	2	7	6	9	8	4	3
8	6	7	4	3	5	2	9	1
9	3	4	2	8	1	7	5	6

29

7	1	9	8	6	4	2	3	5
3	6	8	9	5	2	7	4	1
5	2	4	7	1	3	9	6	8
6	4	3	5	2	7	1	8	9
1	5	2	3	9	8	6	7	4
8	9	7	6	4	1	5	2	3
9	7	1	4	3	6	8	5	2
4	8	5	2	7	9	3	1	6
2	3	6	1	8	5	4	9	7

30

8	7	9	5	2	6	4	3	1
5	3	1	8	7	4	9	2	6
6	2	4	3	9	1	7	8	5
4	5	7	2	8	9	1	6	3
9	6	3	1	5	7	2	4	8
1	8	2	6	4	3	5	7	9
3	9	5	4	6	2	8	1	7
7	4	6	9	1	8	3	5	2
2	1	8	7	3	5	6	9	4

SUDOKU

31

3	7	4	1	6	5	2	8	9
9	2	5	3	8	4	6	1	7
1	8	6	7	2	9	4	3	5
6	5	7	4	3	8	1	9	2
2	9	1	5	7	6	3	4	8
8	4	3	2	9	1	7	5	6
4	1	8	6	5	7	9	2	3
7	3	9	8	4	2	5	6	1
5	6	2	9	1	3	8	7	4

32

9	7	6	2	3	5	8	1	4
2	8	1	6	4	7	3	9	5
3	5	4	8	9	1	6	2	7
6	3	8	1	2	4	7	5	9
5	9	2	3	7	6	1	4	8
1	4	7	5	8	9	2	3	6
4	1	9	7	6	3	5	8	2
8	6	3	9	5	2	4	7	1
7	2	5	4	1	8	9	6	3

33

8	6	4	2	3	5	9	1	7
5	1	2	4	7	9	3	6	8
3	7	9	8	1	6	2	5	4
6	2	3	1	5	4	8	7	9
1	4	7	9	8	2	5	3	6
9	8	5	7	6	3	4	2	1
7	5	6	3	9	8	1	4	2
4	3	8	6	2	1	7	9	5
2	9	1	5	4	7	6	8	3

34

6	1	7	8	3	5	9	2	4
3	2	8	9	7	4	5	1	6
5	9	4	1	6	2	3	7	8
1	7	2	5	8	3	6	4	9
9	4	5	6	2	7	8	3	1
8	3	6	4	9	1	2	5	7
4	5	9	2	1	8	7	6	3
7	8	1	3	5	6	4	9	2
2	6	3	7	4	9	1	8	5

35

7	6	1	9	8	5	2	3	4
3	9	2	4	1	6	5	8	7
4	8	5	3	2	7	6	9	1
9	4	6	2	3	1	7	5	8
5	3	7	8	6	4	1	2	9
1	2	8	7	5	9	4	6	3
6	5	4	1	9	8	3	7	2
8	1	3	6	7	2	9	4	5
2	7	9	5	4	3	8	1	6

36

9	1	7	4	8	3	5	6	2
4	8	6	9	2	5	7	3	1
3	5	2	6	1	7	8	9	4
7	6	9	2	3	4	1	5	8
5	2	1	7	9	8	3	4	6
8	3	4	1	5	6	2	7	9
1	7	3	8	4	9	6	2	5
6	9	8	5	7	2	4	1	3
2	4	5	3	6	1	9	8	7

SUDOKU

37

5	7	1	6	4	3	2	8	9
6	9	8	2	5	7	4	3	1
4	2	3	1	9	8	7	6	5
3	5	2	4	7	1	6	9	8
7	8	4	9	3	6	5	1	2
1	6	9	8	2	5	3	4	7
2	1	5	3	6	9	8	7	4
8	3	7	5	1	4	9	2	6
9	4	6	7	8	2	1	5	3

38

3	4	6	9	7	5	1	8	2
1	2	9	3	8	4	7	5	6
7	5	8	6	1	2	3	4	9
8	7	1	2	6	9	4	3	5
4	6	5	8	3	1	9	2	7
9	3	2	4	5	7	6	1	8
5	9	4	1	2	6	8	7	3
2	1	3	7	9	8	5	6	4
6	8	7	5	4	3	2	9	1

39

1	6	9	3	5	2	8	7	4
2	8	4	9	6	7	1	3	5
5	7	3	1	4	8	2	6	9
3	9	5	7	1	6	4	2	8
8	4	1	5	2	3	6	9	7
6	2	7	8	9	4	5	1	3
4	1	8	6	3	9	7	5	2
7	3	6	2	8	5	9	4	1
9	5	2	4	7	1	3	8	6

40

3	6	2	7	8	9	5	4	1
4	7	5	6	3	1	9	8	2
9	8	1	2	5	4	3	7	6
5	9	4	8	1	7	6	2	3
1	3	6	4	2	5	7	9	8
7	2	8	3	9	6	4	1	5
2	5	9	1	7	3	8	6	4
6	1	3	9	4	8	2	5	7
8	4	7	5	6	2	1	3	9

41

9	7	8	3	5	1	2	4	6
6	5	3	7	4	2	1	8	9
2	1	4	8	9	6	7	5	3
8	3	5	6	7	9	4	2	1
4	2	7	5	1	3	9	6	8
1	9	6	2	8	4	5	3	7
3	6	9	1	2	5	8	7	4
7	4	2	9	3	8	6	1	5
5	8	1	4	6	7	3	9	2

42

3	4	1	9	5	6	8	7	2
9	6	2	1	7	8	5	3	4
8	5	7	2	4	3	6	9	1
4	7	6	3	2	9	1	8	5
5	9	3	4	8	1	7	2	6
2	1	8	7	6	5	3	4	9
7	8	9	5	1	4	2	6	3
1	2	4	6	3	7	9	5	8
6	3	5	8	9	2	4	1	7

SUDOKU

43

1	2	7	9	4	8	3	6	5
6	5	8	7	2	3	9	1	4
9	3	4	6	5	1	8	7	2
8	6	2	1	3	7	5	4	9
4	7	3	5	9	2	1	8	6
5	1	9	4	8	6	7	2	3
2	8	6	3	7	5	4	9	1
7	9	5	2	1	4	6	3	8
3	4	1	8	6	9	2	5	7

44

4	1	3	9	6	8	5	2	7
8	6	7	1	5	2	3	9	4
2	5	9	4	3	7	8	6	1
9	7	5	8	2	6	4	1	3
6	4	2	5	1	3	9	7	8
1	3	8	7	9	4	2	5	6
7	8	1	2	4	5	6	3	9
3	2	4	6	7	9	1	8	5
5	9	6	3	8	1	7	4	2

45

7	9	2	5	1	8	4	6	3
6	5	4	9	7	3	1	2	8
1	3	8	2	6	4	9	7	5
9	2	6	7	8	5	3	4	1
3	7	5	4	2	1	8	9	6
4	8	1	6	3	9	2	5	7
8	6	7	1	4	2	5	3	9
2	1	9	3	5	7	6	8	4
5	4	3	8	9	6	7	1	2

46

9	4	7	5	8	2	3	6	1
1	6	8	7	9	3	4	5	2
3	5	2	6	1	4	7	9	8
7	3	9	1	2	6	5	8	4
4	8	5	9	3	7	1	2	6
6	2	1	4	5	8	9	3	7
5	9	4	2	6	1	8	7	3
8	7	6	3	4	5	2	1	9
2	1	3	8	7	9	6	4	5

47

4	7	3	6	2	8	5	1	9
9	8	1	5	7	4	6	2	3
5	6	2	1	9	3	7	8	4
6	4	8	2	3	9	1	5	7
2	5	9	4	1	7	3	6	8
1	3	7	8	6	5	4	9	2
7	2	4	9	5	6	8	3	1
8	1	5	3	4	2	9	7	6
3	9	6	7	8	1	2	4	5

48

5	2	6	9	1	3	4	8	7
3	8	1	4	7	2	5	6	9
7	9	4	6	8	5	1	3	2
2	7	5	3	4	9	8	1	6
8	4	9	7	6	1	2	5	3
6	1	3	2	5	8	7	9	4
9	5	7	8	3	4	6	2	1
4	3	8	1	2	6	9	7	5
1	6	2	5	9	7	3	4	8

SUDOKU

49

3	9	5	1	4	8	7	2	6
4	8	7	2	6	9	5	3	1
6	1	2	3	5	7	8	4	9
2	6	1	8	3	4	9	7	5
7	5	3	6	9	2	4	1	8
8	4	9	7	1	5	3	6	2
1	3	4	9	8	6	2	5	7
5	2	8	4	7	1	6	9	3
9	7	6	5	2	3	1	8	4

50

3	9	6	5	7	4	1	2	8
4	8	5	9	1	2	7	3	6
7	1	2	8	6	3	4	5	9
2	5	1	6	4	7	8	9	3
6	4	9	1	3	8	5	7	2
8	7	3	2	9	5	6	1	4
5	3	7	4	2	6	9	8	1
9	2	4	7	8	1	3	6	5
1	6	8	3	5	9	2	4	7

51

5	2	1	9	7	3	6	4	8
9	8	7	2	4	6	3	1	5
4	3	6	5	1	8	2	9	7
1	9	4	6	2	7	5	8	3
2	6	8	4	3	5	9	7	1
7	5	3	8	9	1	4	2	6
8	7	9	3	6	4	1	5	2
3	4	5	1	8	2	7	6	9
6	1	2	7	5	9	8	3	4

52

7	1	8	2	6	3	9	4	5
9	3	4	5	7	1	6	2	8
2	5	6	8	9	4	1	3	7
5	8	7	4	2	6	3	9	1
6	2	9	1	3	8	5	7	4
3	4	1	9	5	7	8	6	2
4	9	3	7	8	5	2	1	6
8	7	2	6	1	9	4	5	3
1	6	5	3	4	2	7	8	9

53

8	7	1	9	5	3	2	6	4
2	6	5	1	7	4	9	8	3
9	3	4	6	8	2	1	5	7
1	9	7	8	2	5	3	4	6
4	5	8	3	6	1	7	9	2
6	2	3	4	9	7	5	1	8
3	1	2	5	4	8	6	7	9
7	8	9	2	1	6	4	3	5
5	4	6	7	3	9	8	2	1

54

1	8	2	3	4	9	5	7	6
9	6	5	7	2	1	4	8	3
7	3	4	6	5	8	2	9	1
3	9	7	2	1	4	6	5	8
4	2	6	8	7	5	1	3	9
5	1	8	9	3	6	7	4	2
2	7	9	5	6	3	8	1	4
6	4	3	1	8	7	9	2	5
8	5	1	4	9	2	3	6	7

SUDOKU

55

2	1	3	8	6	4	5	9	7
8	4	9	7	5	1	3	2	6
7	5	6	3	9	2	4	8	1
6	9	7	1	8	5	2	3	4
5	2	8	4	3	7	6	1	9
4	3	1	9	2	6	8	7	5
3	8	5	6	1	9	7	4	2
1	6	4	2	7	3	9	5	8
9	7	2	5	4	8	1	6	3

56

7	8	2	9	1	6	4	3	5
9	3	5	7	2	4	6	1	8
4	6	1	8	5	3	9	7	2
8	5	7	2	6	9	1	4	3
2	9	4	3	8	1	5	6	7
6	1	3	5	4	7	2	8	9
5	2	6	1	3	8	7	9	4
1	7	8	4	9	2	3	5	6
3	4	9	6	7	5	8	2	1

57

5	3	8	4	9	6	1	2	7
7	4	9	3	2	1	6	5	8
1	6	2	8	7	5	9	4	3
2	8	5	6	1	9	7	3	4
4	1	3	7	8	2	5	9	6
9	7	6	5	4	3	8	1	2
6	9	4	1	3	8	2	7	5
3	5	1	2	6	7	4	8	9
8	2	7	9	5	4	3	6	1

58

2	3	5	1	6	4	8	9	7
8	9	4	7	3	2	1	6	5
1	6	7	8	9	5	4	3	2
4	1	6	3	2	9	5	7	8
5	2	8	4	7	6	3	1	9
3	7	9	5	8	1	2	4	6
7	8	1	9	5	3	6	2	4
6	5	3	2	4	7	9	8	1
9	4	2	6	1	8	7	5	3

59

1	7	2	6	5	8	9	4	3
8	3	6	9	4	1	5	2	7
5	4	9	2	7	3	6	8	1
3	1	5	4	2	7	8	6	9
4	9	8	3	1	6	7	5	2
2	6	7	8	9	5	3	1	4
7	2	1	5	8	9	4	3	6
9	8	3	1	6	4	2	7	5
6	5	4	7	3	2	1	9	8

60

9	1	5	2	4	3	7	8	6
3	7	8	6	1	9	5	2	4
4	6	2	7	8	5	1	3	9
1	2	6	8	3	4	9	5	7
5	3	7	9	2	1	6	4	8
8	9	4	5	7	6	3	1	2
6	8	9	1	5	2	4	7	3
7	4	1	3	9	8	2	6	5
2	5	3	4	6	7	8	9	1

SUDOKU

61

2	9	1	7	5	6	3	4	8
3	6	5	4	8	2	9	1	7
4	7	8	3	1	9	2	6	5
7	5	4	8	9	3	1	2	6
8	3	2	6	7	1	5	9	4
9	1	6	5	2	4	8	7	3
6	2	3	9	4	5	7	8	1
1	4	7	2	3	8	6	5	9
5	8	9	1	6	7	4	3	2

62

6	4	1	5	2	9	7	8	3
8	5	2	4	7	3	9	1	6
3	7	9	1	6	8	5	2	4
2	3	6	9	5	4	8	7	1
9	8	5	3	1	7	4	6	2
7	1	4	2	8	6	3	9	5
1	9	8	6	4	5	2	3	7
5	6	7	8	3	2	1	4	9
4	2	3	7	9	1	6	5	8

63

3	8	5	4	9	6	2	1	7
2	6	1	3	7	8	9	4	5
7	4	9	2	5	1	3	8	6
4	9	6	5	1	3	8	7	2
8	7	3	9	6	2	1	5	4
1	5	2	7	8	4	6	3	9
6	3	7	1	2	5	4	9	8
9	2	4	8	3	7	5	6	1
5	1	8	6	4	9	7	2	3

64

6	9	8	4	5	1	3	7	2
3	2	5	6	7	8	9	1	4
7	4	1	3	9	2	5	8	6
2	1	6	7	8	5	4	9	3
8	7	4	9	3	6	2	5	1
5	3	9	2	1	4	7	6	8
4	8	2	5	6	9	1	3	7
9	6	7	1	4	3	8	2	5
1	5	3	8	2	7	6	4	9

65

9	2	7	4	5	6	3	1	8
3	4	1	2	7	8	5	9	6
5	8	6	3	9	1	4	2	7
2	3	9	8	6	4	7	5	1
8	1	5	7	3	2	9	6	4
7	6	4	9	1	5	2	8	3
1	9	2	6	4	7	8	3	5
6	7	8	5	2	3	1	4	9
4	5	3	1	8	9	6	7	2

66

9	8	2	4	3	7	1	6	5
5	6	4	1	8	9	7	3	2
7	3	1	5	6	2	9	8	4
1	9	8	3	5	6	4	2	7
4	5	7	8	2	1	6	9	3
6	2	3	9	7	4	5	1	8
8	4	6	2	1	5	3	7	9
3	1	5	7	9	8	2	4	6
2	7	9	6	4	3	8	5	1

SUDOKU

67

4	5	3	8	7	2	1	9	6
1	8	9	6	5	3	2	4	7
2	7	6	4	9	1	8	5	3
6	2	5	7	3	4	9	1	8
7	3	1	9	2	8	4	6	5
9	4	8	1	6	5	7	3	2
5	6	4	2	8	9	3	7	1
3	1	2	5	4	7	6	8	9
8	9	7	3	1	6	5	2	4

68

6	3	4	5	1	8	7	9	2
5	8	9	4	2	7	1	3	6
1	2	7	9	6	3	5	8	4
7	4	2	1	8	9	6	5	3
3	5	6	7	4	2	8	1	9
9	1	8	3	5	6	2	4	7
4	7	1	6	3	5	9	2	8
2	6	5	8	9	4	3	7	1
8	9	3	2	7	1	4	6	5

69

5	1	4	2	6	7	9	8	3
3	2	6	9	8	4	7	5	1
9	7	8	1	5	3	2	6	4
8	3	2	7	4	9	5	1	6
4	5	9	6	1	8	3	2	7
1	6	7	5	3	2	8	4	9
7	4	5	3	2	1	6	9	8
6	9	1	8	7	5	4	3	2
2	8	3	4	9	6	1	7	5

70

2	4	7	5	8	3	9	6	1
1	9	8	4	6	7	2	3	5
6	3	5	2	9	1	4	8	7
4	5	3	9	7	2	8	1	6
8	6	2	1	3	4	5	7	9
9	7	1	6	5	8	3	2	4
7	8	9	3	1	5	6	4	2
3	2	6	7	4	9	1	5	8
5	1	4	8	2	6	7	9	3

71

5	3	7	1	4	6	2	9	8
1	4	6	8	9	2	3	5	7
2	8	9	7	5	3	6	1	4
8	2	4	9	7	5	1	3	6
7	9	3	6	1	8	5	4	2
6	5	1	3	2	4	7	8	9
9	7	8	2	3	1	4	6	5
4	1	2	5	6	9	8	7	3
3	6	5	4	8	7	9	2	1

72

1	9	5	7	3	4	8	2	6
2	7	6	1	9	8	5	4	3
3	8	4	6	5	2	7	9	1
5	6	3	4	1	7	9	8	2
8	4	2	9	6	3	1	5	7
9	1	7	8	2	5	3	6	4
6	3	8	5	4	1	2	7	9
7	2	9	3	8	6	4	1	5
4	5	1	2	7	9	6	3	8

SUDOKU

73

6	3	4	5	1	9	8	7	2
9	7	8	4	2	3	6	1	5
5	2	1	8	7	6	4	9	3
4	6	2	7	3	8	9	5	1
7	8	3	1	9	5	2	6	4
1	5	9	6	4	2	3	8	7
2	9	5	3	8	7	1	4	6
8	4	6	2	5	1	7	3	9
3	1	7	9	6	4	5	2	8

74

6	7	1	2	9	8	5	4	3
9	5	2	3	1	4	7	8	6
4	8	3	6	7	5	9	2	1
5	6	9	7	4	3	2	1	8
2	3	4	1	8	9	6	5	7
8	1	7	5	2	6	4	3	9
3	9	6	8	5	2	1	7	4
7	2	8	4	6	1	3	9	5
1	4	5	9	3	7	8	6	2

75

4	9	6	8	5	2	1	3	7
7	1	8	6	3	4	9	5	2
5	2	3	7	9	1	4	8	6
6	7	5	1	2	3	8	4	9
9	3	1	4	8	6	2	7	5
8	4	2	5	7	9	6	1	3
2	6	4	3	1	7	5	9	8
3	8	9	2	4	5	7	6	1
1	5	7	9	6	8	3	2	4

76

6	9	1	3	7	8	4	5	2
7	4	3	6	2	5	8	9	1
2	5	8	9	4	1	6	7	3
5	7	6	2	3	9	1	8	4
4	1	2	8	5	6	9	3	7
8	3	9	4	1	7	5	2	6
1	6	7	5	8	3	2	4	9
3	8	4	1	9	2	7	6	5
9	2	5	7	6	4	3	1	8

77

1	7	2	3	4	8	5	9	6
8	5	9	2	6	7	1	4	3
4	3	6	9	1	5	8	7	2
9	6	8	1	3	2	4	5	7
7	4	3	5	8	9	2	6	1
2	1	5	6	7	4	3	8	9
5	2	7	4	9	3	6	1	8
6	8	4	7	2	1	9	3	5
3	9	1	8	5	6	7	2	4

78

5	1	2	8	3	4	6	7	9
6	7	3	9	2	5	1	8	4
4	9	8	1	6	7	2	3	5
1	6	7	3	4	9	5	2	8
8	2	5	7	1	6	9	4	3
3	4	9	5	8	2	7	6	1
2	8	6	4	9	1	3	5	7
7	3	1	2	5	8	4	9	6
9	5	4	6	7	3	8	1	2

SUDOKU

79

2	1	3	9	7	5	8	4	6
4	6	5	8	2	1	9	3	7
9	8	7	3	4	6	2	5	1
7	9	2	4	1	3	5	6	8
6	4	8	7	5	9	1	2	3
5	3	1	6	8	2	4	7	9
3	5	4	1	6	8	7	9	2
8	2	9	5	3	7	6	1	4
1	7	6	2	9	4	3	8	5

80

5	6	1	9	8	7	3	2	4
8	4	2	5	3	6	1	7	9
9	3	7	4	1	2	5	8	6
6	2	9	8	7	1	4	3	5
7	8	4	3	5	9	6	1	2
1	5	3	6	2	4	8	9	7
2	1	5	7	6	8	9	4	3
4	7	6	1	9	3	2	5	8
3	9	8	2	4	5	7	6	1

81

2	9	1	7	5	6	3	4	8
3	6	5	4	8	2	9	1	7
4	7	8	3	1	9	2	6	5
7	5	4	8	9	3	1	2	6
8	3	2	6	7	1	5	9	4
9	1	6	5	2	4	8	7	3
6	2	3	9	4	5	7	8	1
1	4	7	2	3	8	6	5	9
5	8	9	1	6	7	4	3	2

82

1	4	8	5	3	7	2	6	9
3	7	9	2	8	6	1	5	4
2	5	6	1	9	4	3	8	7
6	9	4	3	5	1	7	2	8
7	8	3	6	2	9	4	1	5
5	2	1	7	4	8	6	9	3
9	1	2	8	7	3	5	4	6
4	6	7	9	1	5	8	3	2
8	3	5	4	6	2	9	7	1

83

4	9	6	3	5	8	1	2	7
1	7	3	2	4	9	8	5	6
2	5	8	7	6	1	3	4	9
3	6	2	8	1	7	4	9	5
9	8	4	6	3	5	7	1	2
5	1	7	4	9	2	6	8	3
7	3	1	5	2	4	9	6	8
8	2	9	1	7	6	5	3	4
6	4	5	9	8	3	2	7	1

84

2	3	1	8	7	6	4	5	9
5	8	9	4	1	2	6	7	3
4	6	7	3	9	5	2	8	1
7	1	6	5	3	4	8	9	2
8	4	2	9	6	1	7	3	5
9	5	3	2	8	7	1	6	4
3	2	8	7	4	9	5	1	6
6	7	4	1	5	3	9	2	8
1	9	5	6	2	8	3	4	7

SUDOKU

85

8	3	6	1	9	4	2	7	5
5	1	2	3	8	7	6	9	4
9	7	4	6	2	5	3	1	8
4	6	1	8	3	9	5	2	7
7	5	3	2	4	1	8	6	9
2	9	8	7	5	6	4	3	1
6	8	7	5	1	3	9	4	2
1	4	5	9	6	2	7	8	3
3	2	9	4	7	8	1	5	6

86

8	6	3	5	9	7	4	1	2
2	1	5	8	4	6	7	3	9
4	9	7	3	2	1	8	6	5
3	4	6	1	8	2	9	5	7
1	8	2	7	5	9	6	4	3
7	5	9	4	6	3	2	8	1
5	7	4	2	1	8	3	9	6
6	3	1	9	7	4	5	2	8
9	2	8	6	3	5	1	7	4

87

8	1	6	4	3	7	9	2	5
2	7	4	5	6	9	3	8	1
3	5	9	8	1	2	6	4	7
4	6	7	1	2	3	5	9	8
9	2	5	7	8	6	4	1	3
1	3	8	9	4	5	7	6	2
6	8	3	2	7	4	1	5	9
5	4	1	3	9	8	2	7	6
7	9	2	6	5	1	8	3	4

88

5	8	7	3	6	4	1	2	9
1	4	9	8	5	2	6	7	3
6	3	2	7	9	1	4	5	8
9	1	6	2	3	5	7	8	4
8	5	4	1	7	9	3	6	2
7	2	3	6	4	8	5	9	1
3	9	8	5	1	6	2	4	7
2	7	5	4	8	3	9	1	6
4	6	1	9	2	7	8	3	5

89

2	7	1	3	8	6	5	4	9
4	8	3	2	5	9	6	1	7
9	6	5	7	1	4	2	8	3
8	1	7	9	6	2	3	5	4
3	2	6	5	4	1	7	9	8
5	4	9	8	7	3	1	2	6
1	3	4	6	2	8	9	7	5
6	5	8	1	9	7	4	3	2
7	9	2	4	3	5	8	6	1

90

2	8	1	6	9	4	7	3	5
6	9	5	1	7	3	8	2	4
7	3	4	5	2	8	9	1	6
9	7	8	2	4	6	1	5	3
1	4	6	3	5	9	2	7	8
5	2	3	7	8	1	4	6	9
4	6	7	8	3	2	5	9	1
8	1	2	9	6	5	3	4	7
3	5	9	4	1	7	6	8	2

SUDOKU

91

8	5	9	4	3	6	2	1	7
3	7	6	1	9	2	4	8	5
1	2	4	7	5	8	6	9	3
9	4	7	6	2	1	5	3	8
6	8	5	9	4	3	1	7	2
2	3	1	5	8	7	9	4	6
7	6	8	2	1	9	3	5	4
4	1	2	3	7	5	8	6	9
5	9	3	8	6	4	7	2	1

92

1	7	3	6	4	5	9	2	8
2	6	8	3	9	7	5	1	4
9	5	4	8	1	2	7	6	3
3	8	6	5	7	1	4	9	2
4	1	5	2	8	9	6	3	7
7	9	2	4	6	3	1	8	5
5	2	7	9	3	6	8	4	1
8	3	9	1	5	4	2	7	6
6	4	1	7	2	8	3	5	9

93

3	8	5	6	4	7	1	9	2
1	2	4	5	9	8	7	6	3
9	6	7	3	2	1	8	4	5
5	9	6	2	8	3	4	7	1
2	1	3	7	6	4	9	5	8
7	4	8	9	1	5	2	3	6
4	5	2	1	3	9	6	8	7
6	3	9	8	7	2	5	1	4
8	7	1	4	5	6	3	2	9

94

6	8	7	5	9	1	3	4	2
9	2	1	4	3	8	7	6	5
3	5	4	2	7	6	1	9	8
5	4	3	7	1	9	8	2	6
2	6	9	3	8	5	4	1	7
1	7	8	6	4	2	9	5	3
4	3	6	1	2	7	5	8	9
7	9	5	8	6	4	2	3	1
8	1	2	9	5	3	6	7	4

95

2	9	1	4	3	8	7	5	6
3	5	6	2	7	1	4	8	9
8	7	4	5	6	9	3	2	1
5	6	2	3	8	7	9	1	4
9	3	7	1	4	5	2	6	8
4	1	8	9	2	6	5	7	3
6	2	3	8	5	4	1	9	7
7	4	9	6	1	2	8	3	5
1	8	5	7	9	3	6	4	2

96

2	7	9	6	5	1	4	8	3
8	5	4	9	2	3	6	7	1
6	3	1	7	8	4	9	2	5
7	9	2	5	3	8	1	4	6
4	6	3	2	1	7	8	5	9
5	1	8	4	9	6	2	3	7
9	8	5	3	6	2	7	1	4
3	2	7	1	4	9	5	6	8
1	4	6	8	7	5	3	9	2

SUDOKU

97

9	6	8	7	2	3	5	1	4
5	2	7	4	8	1	3	6	9
4	3	1	9	6	5	7	8	2
3	7	2	6	1	9	4	5	8
8	5	4	2	3	7	6	9	1
1	9	6	5	4	8	2	7	3
2	4	5	1	9	6	8	3	7
6	1	3	8	7	2	9	4	5
7	8	9	3	5	4	1	2	6

98

1	6	9	2	8	5	3	4	7
8	7	5	3	4	9	6	1	2
3	4	2	7	1	6	9	5	8
2	8	7	6	3	4	1	9	5
4	1	3	5	9	7	8	2	6
9	5	6	1	2	8	4	7	3
6	9	1	8	7	2	5	3	4
5	2	4	9	6	3	7	8	1
7	3	8	4	5	1	2	6	9

99

4	7	2	9	8	5	6	1	3
5	1	3	7	6	2	4	9	8
9	6	8	1	3	4	5	7	2
1	2	7	4	5	9	8	3	6
3	9	4	8	2	6	1	5	7
6	8	5	3	1	7	9	2	4
8	4	9	2	7	1	3	6	5
7	5	1	6	4	3	2	8	9
2	3	6	5	9	8	7	4	1

100

4	6	9	1	8	7	5	2	3
7	5	2	4	9	3	6	8	1
8	1	3	5	2	6	4	9	7
9	7	5	6	3	4	8	1	2
3	8	4	2	1	9	7	5	6
1	2	6	8	7	5	9	3	4
5	9	7	3	4	2	1	6	8
2	4	1	9	6	8	3	7	5
6	3	8	7	5	1	2	4	9

101

3	6	2	4	8	7	5	9	1
5	8	1	6	3	9	7	2	4
9	7	4	2	1	5	3	6	8
4	9	6	8	7	1	2	5	3
2	5	8	3	4	6	1	7	9
7	1	3	9	5	2	8	4	6
6	3	5	7	9	8	4	1	2
8	2	7	1	6	4	9	3	5
1	4	9	5	2	3	6	8	7

102

1	5	3	9	7	2	6	4	8
8	9	6	3	4	5	7	2	1
4	7	2	1	6	8	9	3	5
9	1	4	8	5	3	2	6	7
7	2	8	4	1	6	5	9	3
3	6	5	7	2	9	8	1	4
6	4	7	2	8	1	3	5	9
5	3	1	6	9	7	4	8	2
2	8	9	5	3	4	1	7	6

SUDOKU

103

2	5	7	1	8	9	6	4	3
8	3	9	5	6	4	1	7	2
6	1	4	2	3	7	8	5	9
4	9	8	6	5	2	7	3	1
7	2	3	4	1	8	5	9	6
1	6	5	7	9	3	2	8	4
5	8	1	9	4	6	3	2	7
3	4	2	8	7	1	9	6	5
9	7	6	3	2	5	4	1	8

104

6	3	1	8	9	7	4	2	5
2	5	8	1	6	4	9	3	7
4	7	9	3	5	2	1	6	8
7	4	6	9	8	5	2	1	3
8	2	3	6	7	1	5	4	9
1	9	5	4	2	3	7	8	6
5	1	4	7	3	6	8	9	2
9	6	2	5	1	8	3	7	4
3	8	7	2	4	9	6	5	1

105

6	9	8	5	1	7	3	4	2
3	4	7	2	6	8	1	5	9
5	2	1	3	4	9	7	6	8
7	1	9	8	5	6	2	3	4
2	8	6	4	9	3	5	7	1
4	3	5	7	2	1	9	8	6
9	5	4	6	7	2	8	1	3
8	6	2	1	3	5	4	9	7
1	7	3	9	8	4	6	2	5

106

4	5	7	3	8	1	6	2	9
1	6	3	2	7	9	8	4	5
9	8	2	4	5	6	1	7	3
8	2	1	7	9	5	4	3	6
5	9	4	1	6	3	2	8	7
7	3	6	8	4	2	5	9	1
3	4	8	6	1	7	9	5	2
6	7	5	9	2	8	3	1	4
2	1	9	5	3	4	7	6	8

107

3	1	6	8	4	2	7	5	9
8	7	9	6	1	5	4	2	3
2	5	4	7	9	3	6	1	8
9	4	1	5	6	8	3	7	2
6	2	8	3	7	1	9	4	5
5	3	7	9	2	4	8	6	1
1	9	2	4	8	7	5	3	6
4	8	5	2	3	6	1	9	7
7	6	3	1	5	9	2	8	4

108

7	8	1	2	9	6	4	3	5
9	5	4	3	8	1	6	7	2
6	3	2	4	5	7	1	9	8
2	1	6	9	7	8	5	4	3
4	9	8	5	6	3	7	2	1
3	7	5	1	4	2	8	6	9
8	2	9	6	1	4	3	5	7
1	6	3	7	2	5	9	8	4
5	4	7	8	3	9	2	1	6

SUDOKU

109

4	3	8	6	5	1	7	2	9
9	2	5	8	7	3	4	6	1
1	7	6	9	2	4	5	8	3
7	8	3	5	1	9	2	4	6
5	6	1	2	4	8	9	3	7
2	4	9	7	3	6	8	1	5
3	1	7	4	9	2	6	5	8
6	5	4	3	8	7	1	9	2
8	9	2	1	6	5	3	7	4

110

7	9	2	3	8	1	6	5	4
1	6	8	5	4	7	3	9	2
3	4	5	9	2	6	7	8	1
9	7	6	1	3	4	5	2	8
5	2	4	8	7	9	1	3	6
8	1	3	6	5	2	9	4	7
2	3	9	7	1	8	4	6	5
6	8	7	4	9	5	2	1	3
4	5	1	2	6	3	8	7	9

111

5	6	2	9	7	1	4	8	3
8	1	3	4	6	5	7	2	9
7	4	9	2	3	8	1	5	6
2	5	1	6	8	4	3	9	7
4	3	8	7	1	9	2	6	5
9	7	6	5	2	3	8	4	1
6	8	5	1	4	7	9	3	2
3	9	7	8	5	2	6	1	4
1	2	4	3	9	6	5	7	8

112

1	3	2	8	6	7	5	9	4
6	5	9	2	3	4	1	7	8
4	7	8	9	5	1	3	6	2
3	1	4	6	9	8	7	2	5
7	8	6	5	1	2	4	3	9
9	2	5	7	4	3	8	1	6
8	9	3	4	7	6	2	5	1
2	6	7	1	8	5	9	4	3
5	4	1	3	2	9	6	8	7

113

8	2	6	9	1	4	7	3	5
5	7	3	2	8	6	1	4	9
4	1	9	5	3	7	8	6	2
7	5	1	3	2	9	6	8	4
9	4	8	6	7	5	3	2	1
3	6	2	1	4	8	9	5	7
1	9	5	4	6	3	2	7	8
2	3	7	8	5	1	4	9	6
6	8	4	7	9	2	5	1	3

114

9	3	2	6	4	1	7	8	5
5	4	6	2	8	7	9	3	1
7	8	1	5	3	9	6	4	2
6	5	3	9	7	2	4	1	8
4	9	8	3	1	5	2	6	7
2	1	7	8	6	4	5	9	3
1	2	4	7	9	3	8	5	6
3	6	5	4	2	8	1	7	9
8	7	9	1	5	6	3	2	4

SUDOKU

115

2	3	9	8	5	7	4	1	6
4	6	5	1	9	3	8	2	7
1	8	7	2	4	6	3	9	5
7	9	4	3	1	8	6	5	2
3	5	8	9	6	2	1	7	4
6	1	2	4	7	5	9	8	3
9	2	1	7	3	4	5	6	8
8	4	6	5	2	9	7	3	1
5	7	3	6	8	1	2	4	9

116

2	5	4	7	6	1	8	3	9
8	9	3	2	4	5	6	1	7
7	6	1	8	3	9	5	2	4
9	4	5	6	2	8	3	7	1
3	2	6	5	1	7	4	9	8
1	7	8	3	9	4	2	5	6
6	3	7	1	8	2	9	4	5
5	8	9	4	7	3	1	6	2
4	1	2	9	5	6	7	8	3

117

8	2	7	9	4	6	1	3	5
5	6	3	2	1	7	9	4	8
1	9	4	3	8	5	6	7	2
7	8	6	5	2	3	4	1	9
2	4	1	7	9	8	5	6	3
3	5	9	4	6	1	2	8	7
6	7	8	1	5	9	3	2	4
9	1	2	8	3	4	7	5	6
4	3	5	6	7	2	8	9	1

118

5	3	7	2	4	1	6	9	8
2	4	1	6	9	8	3	5	7
9	8	6	3	7	5	2	1	4
3	5	9	4	1	7	8	6	2
7	1	2	5	8	6	4	3	9
4	6	8	9	3	2	1	7	5
8	9	3	7	6	4	5	2	1
6	2	4	1	5	9	7	8	3
1	7	5	8	2	3	9	4	6

119

5	4	1	6	7	3	2	9	8
2	7	8	5	9	4	3	1	6
6	3	9	1	8	2	7	5	4
7	1	4	3	2	9	6	8	5
8	2	6	4	1	5	9	3	7
9	5	3	8	6	7	4	2	1
4	9	2	7	5	1	8	6	3
3	6	5	2	4	8	1	7	9
1	8	7	9	3	6	5	4	2

120

3	5	4	2	6	1	9	8	7
9	2	7	3	4	8	6	1	5
8	6	1	9	7	5	3	4	2
1	4	6	5	3	7	8	2	9
7	8	9	1	2	6	5	3	4
5	3	2	4	8	9	1	7	6
2	7	5	8	9	3	4	6	1
4	1	8	6	5	2	7	9	3
6	9	3	7	1	4	2	5	8

SUDOKU

121

7	9	3	1	5	8	2	6	4
8	6	2	9	4	7	1	5	3
1	4	5	3	2	6	7	9	8
9	1	8	4	7	5	3	2	6
2	7	4	8	6	3	5	1	9
3	5	6	2	1	9	4	8	7
4	8	1	7	9	2	6	3	5
5	3	7	6	8	1	9	4	2
6	2	9	5	3	4	8	7	1

122

9	2	8	4	7	6	3	5	1
4	1	5	8	3	2	9	6	7
6	7	3	1	9	5	8	4	2
5	3	1	9	4	7	2	8	6
8	4	2	3	6	1	5	7	9
7	9	6	2	5	8	1	3	4
1	8	4	7	2	3	6	9	5
2	5	7	6	8	9	4	1	3
3	6	9	5	1	4	7	2	8

123

9	1	2	5	4	3	8	7	6
5	8	7	6	1	9	4	2	3
4	6	3	2	8	7	1	9	5
3	2	8	7	5	4	6	1	9
6	9	4	1	3	8	7	5	2
1	7	5	9	6	2	3	4	8
7	5	1	8	9	6	2	3	4
8	3	9	4	2	1	5	6	7
2	4	6	3	7	5	9	8	1

124

6	4	7	1	8	3	2	5	9
1	8	5	7	2	9	3	6	4
3	2	9	6	4	5	8	7	1
8	9	3	5	6	2	1	4	7
5	7	2	4	3	1	9	8	6
4	1	6	9	7	8	5	2	3
7	5	1	8	9	6	4	3	2
9	3	4	2	5	7	6	1	8
2	6	8	3	1	4	7	9	5

125

8	1	6	7	5	2	4	3	9
2	3	7	6	4	9	1	5	8
9	4	5	8	1	3	2	6	7
4	6	3	2	9	8	5	7	1
1	5	9	3	7	4	8	2	6
7	8	2	1	6	5	3	9	4
3	7	8	4	2	6	9	1	5
5	2	1	9	8	7	6	4	3
6	9	4	5	3	1	7	8	2

126

9	7	1	6	2	4	5	3	8
8	2	3	5	1	7	4	6	9
4	5	6	8	9	3	7	1	2
6	4	9	2	5	1	8	7	3
3	8	5	9	7	6	1	2	4
7	1	2	3	4	8	9	5	6
1	3	4	7	8	2	6	9	5
2	9	7	4	6	5	3	8	1
5	6	8	1	3	9	2	4	7

SUDOKU

127

7	6	5	2	3	4	1	9	8
9	2	8	1	6	7	5	4	3
1	4	3	8	5	9	7	6	2
8	5	9	4	2	6	3	1	7
2	3	4	7	1	5	9	8	6
6	1	7	9	8	3	4	2	5
4	7	6	5	9	8	2	3	1
3	9	2	6	7	1	8	5	4
5	8	1	3	4	2	6	7	9

128

1	2	4	7	9	5	3	6	8
5	8	9	6	1	3	2	4	7
6	3	7	4	2	8	1	9	5
2	9	6	8	4	7	5	1	3
4	1	8	5	3	9	7	2	6
7	5	3	2	6	1	9	8	4
9	4	5	1	7	6	8	3	2
3	7	2	9	8	4	6	5	1
8	6	1	3	5	2	4	7	9

129

9	7	2	8	6	4	1	5	3
8	3	6	2	1	5	7	4	9
4	1	5	3	9	7	2	6	8
7	6	3	4	5	2	9	8	1
1	9	4	6	7	8	5	3	2
5	2	8	9	3	1	4	7	6
6	8	1	5	4	9	3	2	7
3	5	9	7	2	6	8	1	4
2	4	7	1	8	3	6	9	5

130

5	8	6	1	9	2	4	7	3
3	2	7	4	6	8	9	5	1
1	9	4	5	3	7	8	6	2
9	7	2	3	5	6	1	4	8
4	5	8	9	7	1	2	3	6
6	1	3	2	8	4	5	9	7
7	4	5	8	2	3	6	1	9
2	6	1	7	4	9	3	8	5
8	3	9	6	1	5	7	2	4

131

3	8	7	9	5	6	1	4	2
6	1	5	7	4	2	3	9	8
9	4	2	1	8	3	6	5	7
7	3	4	8	2	9	5	6	1
8	2	6	5	3	1	9	7	4
5	9	1	6	7	4	8	2	3
1	5	8	2	6	7	4	3	9
2	6	3	4	9	8	7	1	5
4	7	9	3	1	5	2	8	6

132

9	2	3	6	4	1	7	8	5
4	8	6	7	2	5	3	1	9
1	5	7	3	9	8	2	4	6
8	1	2	9	6	4	5	3	7
3	9	5	1	8	7	4	6	2
7	6	4	5	3	2	1	9	8
5	3	1	8	7	9	6	2	4
2	7	9	4	1	6	8	5	3
6	4	8	2	5	3	9	7	1

SUDOKU

133

3	6	8	9	5	1	4	2	7
2	1	4	3	7	8	9	5	6
7	5	9	6	4	2	3	8	1
6	9	5	1	8	7	2	3	4
8	2	1	5	3	4	6	7	9
4	3	7	2	9	6	8	1	5
9	7	2	8	6	5	1	4	3
1	4	3	7	2	9	5	6	8
5	8	6	4	1	3	7	9	2

134

4	7	5	1	9	6	2	3	8
1	8	3	5	2	7	4	6	9
6	9	2	8	4	3	5	1	7
9	4	6	7	3	5	8	2	1
5	1	7	2	6	8	3	9	4
3	2	8	4	1	9	7	5	6
8	5	1	9	7	2	6	4	3
7	3	9	6	5	4	1	8	2
2	6	4	3	8	1	9	7	5

135

5	8	4	7	2	1	3	9	6
1	2	9	3	8	6	7	4	5
3	7	6	5	9	4	8	1	2
8	4	3	2	5	9	1	6	7
2	5	1	6	7	3	4	8	9
9	6	7	4	1	8	2	5	3
7	9	2	8	4	5	6	3	1
4	3	5	1	6	2	9	7	8
6	1	8	9	3	7	5	2	4

136

6	9	2	8	4	5	1	7	3
5	1	3	6	9	7	8	2	4
8	7	4	1	3	2	5	6	9
7	3	8	5	2	1	9	4	6
9	2	1	4	6	3	7	5	8
4	6	5	9	7	8	3	1	2
1	4	6	3	5	9	2	8	7
2	5	9	7	8	6	4	3	1
3	8	7	2	1	4	6	9	5

137

7	9	4	8	1	6	2	5	3
8	1	3	9	5	2	4	7	6
6	5	2	4	3	7	1	8	9
4	6	8	3	7	1	5	9	2
5	3	7	6	2	9	8	1	4
9	2	1	5	8	4	6	3	7
1	7	9	2	6	8	3	4	5
3	8	6	7	4	5	9	2	1
2	4	5	1	9	3	7	6	8

138

1	3	7	9	8	5	2	4	6
4	9	5	2	6	3	8	7	1
6	2	8	1	7	4	3	5	9
3	6	2	7	5	9	1	8	4
7	4	1	8	3	2	9	6	5
8	5	9	6	4	1	7	2	3
5	8	3	4	1	7	6	9	2
9	7	4	3	2	6	5	1	8
2	1	6	5	9	8	4	3	7

SUDOKU

139

9	2	6	8	5	3	1	7	4
8	1	5	4	7	6	9	3	2
3	4	7	2	9	1	5	8	6
6	9	1	5	3	2	8	4	7
2	7	8	6	4	9	3	5	1
5	3	4	1	8	7	2	6	9
1	5	3	9	6	4	7	2	8
7	6	9	3	2	8	4	1	5
4	8	2	7	1	5	6	9	3

140

8	3	2	9	4	1	6	5	7
5	4	9	7	6	2	8	1	3
1	7	6	5	3	8	2	4	9
4	9	5	8	7	3	1	6	2
6	2	7	4	1	9	3	8	5
3	8	1	2	5	6	7	9	4
2	1	4	6	9	7	5	3	8
7	5	3	1	8	4	9	2	6
9	6	8	3	2	5	4	7	1

141

4	8	2	3	1	5	7	6	9
7	5	3	6	4	9	8	1	2
6	9	1	2	7	8	5	4	3
5	4	9	1	8	3	6	2	7
2	3	8	9	6	7	1	5	4
1	6	7	4	5	2	9	3	8
9	1	4	8	2	6	3	7	5
8	2	5	7	3	1	4	9	6
3	7	6	5	9	4	2	8	1

142

9	4	1	6	5	3	8	2	7
2	5	8	4	7	9	6	1	3
7	3	6	1	2	8	5	4	9
6	9	5	7	3	1	4	8	2
1	7	2	8	4	6	3	9	5
4	8	3	2	9	5	1	7	6
5	1	4	9	6	7	2	3	8
3	2	9	5	8	4	7	6	1
8	6	7	3	1	2	9	5	4

143

8	3	5	7	2	6	4	9	1
4	1	6	5	9	3	7	8	2
2	9	7	4	8	1	6	5	3
9	5	1	3	6	4	8	2	7
7	8	4	2	5	9	1	3	6
6	2	3	8	1	7	5	4	9
5	6	8	1	3	2	9	7	4
3	4	9	6	7	5	2	1	8
1	7	2	9	4	8	3	6	5

144

8	2	6	3	1	7	5	9	4
1	9	7	6	4	5	3	8	2
5	3	4	8	9	2	1	7	6
4	6	5	9	3	1	8	2	7
9	1	2	7	6	8	4	3	5
3	7	8	2	5	4	9	6	1
2	5	3	4	8	6	7	1	9
7	8	1	5	2	9	6	4	3
6	4	9	1	7	3	2	5	8

SUDOKU

145

3	4	7	2	9	8	5	1	6
6	5	8	1	3	4	2	7	9
9	1	2	7	6	5	4	8	3
8	7	5	6	2	9	1	3	4
4	9	6	3	8	1	7	5	2
1	2	3	4	5	7	9	6	8
2	3	1	9	7	6	8	4	5
7	8	9	5	4	3	6	2	1
5	6	4	8	1	2	3	9	7

146

6	1	2	8	3	4	7	9	5
5	9	4	1	7	2	6	3	8
3	7	8	6	5	9	4	1	2
9	3	6	5	8	1	2	4	7
7	2	5	4	9	6	1	8	3
4	8	1	7	2	3	9	5	6
8	4	7	2	1	5	3	6	9
2	6	3	9	4	8	5	7	1
1	5	9	3	6	7	8	2	4

147

9	7	1	8	5	4	2	3	6
5	4	2	3	7	6	1	9	8
3	8	6	1	2	9	7	5	4
2	6	3	7	8	5	9	4	1
8	1	9	2	4	3	6	7	5
7	5	4	9	6	1	3	8	2
6	9	5	4	1	7	8	2	3
1	3	8	5	9	2	4	6	7
4	2	7	6	3	8	5	1	9

148

8	5	4	1	3	6	9	2	7
6	7	2	8	9	4	5	3	1
1	3	9	7	5	2	8	4	6
4	6	3	5	2	1	7	9	8
7	1	5	3	8	9	4	6	2
2	9	8	4	6	7	3	1	5
5	8	6	2	4	3	1	7	9
9	4	7	6	1	8	2	5	3
3	2	1	9	7	5	6	8	4

149

1	9	7	4	6	8	2	5	3
6	2	5	9	3	1	8	7	4
4	8	3	7	2	5	9	1	6
9	6	1	3	7	2	5	4	8
8	7	4	6	5	9	3	2	1
5	3	2	8	1	4	7	6	9
3	5	6	1	9	7	4	8	2
7	4	9	2	8	6	1	3	5
2	1	8	5	4	3	6	9	7

150

7	9	8	3	4	6	5	2	1
4	3	5	2	1	9	7	6	8
6	1	2	7	5	8	9	4	3
2	8	7	1	9	5	6	3	4
3	4	9	8	6	2	1	7	5
1	5	6	4	3	7	2	8	9
5	2	1	6	8	4	3	9	7
8	7	3	9	2	1	4	5	6
9	6	4	5	7	3	8	1	2

SUDOKU

151

1	8	7	9	2	4	3	5	6
4	3	2	5	6	8	9	1	7
9	5	6	3	1	7	8	2	4
3	4	9	1	8	5	7	6	2
2	7	1	4	3	6	5	9	8
5	6	8	2	7	9	4	3	1
6	9	3	7	4	1	2	8	5
7	1	5	8	9	2	6	4	3
8	2	4	6	5	3	1	7	9

152

4	7	1	2	9	3	8	6	5
8	3	5	7	1	6	4	2	9
2	6	9	8	5	4	7	1	3
9	2	3	1	6	8	5	7	4
6	4	8	5	7	9	1	3	2
1	5	7	4	3	2	6	9	8
7	1	4	3	2	5	9	8	6
5	9	2	6	8	7	3	4	1
3	8	6	9	4	1	2	5	7

153

4	5	8	2	3	6	9	7	1
6	2	1	8	9	7	4	5	3
3	7	9	4	5	1	2	6	8
1	9	7	3	2	8	6	4	5
2	8	4	5	6	9	3	1	7
5	3	6	1	7	4	8	2	9
7	4	3	9	1	2	5	8	6
9	1	2	6	8	5	7	3	4
8	6	5	7	4	3	1	9	2

154

9	7	4	3	8	2	6	5	1
3	6	1	7	4	5	9	8	2
2	8	5	1	6	9	4	3	7
4	1	6	2	5	3	8	7	9
7	5	3	8	9	6	2	1	4
8	2	9	4	1	7	3	6	5
6	9	7	5	3	4	1	2	8
1	3	2	9	7	8	5	4	6
5	4	8	6	2	1	7	9	3

155

8	7	4	5	9	2	3	1	6
1	3	9	8	6	7	5	4	2
5	6	2	1	4	3	7	8	9
9	5	8	7	1	6	4	2	3
7	1	3	4	2	5	9	6	8
2	4	6	3	8	9	1	5	7
6	9	5	2	3	1	8	7	4
4	2	7	9	5	8	6	3	1
3	8	1	6	7	4	2	9	5

156

7	8	9	6	2	3	1	5	4
5	3	2	1	4	7	8	6	9
6	4	1	9	8	5	7	3	2
1	5	8	7	9	4	3	2	6
3	7	6	2	5	1	4	9	8
9	2	4	3	6	8	5	1	7
4	6	3	8	1	9	2	7	5
8	9	7	5	3	2	6	4	1
2	1	5	4	7	6	9	8	3

SUDOKU

157

4	5	3	9	8	7	1	6	2
6	1	8	5	2	3	9	7	4
7	9	2	4	1	6	5	8	3
8	3	7	1	4	9	6	2	5
2	6	1	3	5	8	7	4	9
5	4	9	6	7	2	3	1	8
1	2	4	7	3	5	8	9	6
3	7	6	8	9	4	2	5	1
9	8	5	2	6	1	4	3	7

158

7	5	4	9	2	1	8	3	6
3	2	9	7	6	8	1	5	4
6	1	8	4	5	3	7	9	2
4	6	1	8	3	7	5	2	9
9	8	5	6	1	2	4	7	3
2	7	3	5	9	4	6	1	8
5	3	2	1	4	6	9	8	7
1	4	7	2	8	9	3	6	5
8	9	6	3	7	5	2	4	1

159

9	4	2	7	6	8	5	3	1
6	1	7	5	3	9	4	8	2
3	5	8	4	2	1	9	7	6
5	3	1	9	7	2	8	6	4
8	9	6	1	4	3	2	5	7
7	2	4	6	8	5	3	1	9
4	6	9	8	5	7	1	2	3
2	7	5	3	1	4	6	9	8
1	8	3	2	9	6	7	4	5

160

9	4	1	5	8	3	7	2	6
2	3	7	4	9	6	5	8	1
8	6	5	7	1	2	4	9	3
6	1	9	8	5	7	2	3	4
3	8	4	9	2	1	6	7	5
7	5	2	3	6	4	8	1	9
5	7	6	1	3	8	9	4	2
1	2	8	6	4	9	3	5	7
4	9	3	2	7	5	1	6	8

161

3	6	4	5	1	2	9	7	8
1	5	8	4	7	9	6	3	2
7	2	9	3	6	8	1	5	4
2	8	5	9	4	6	7	1	3
6	1	3	7	8	5	2	4	9
4	9	7	2	3	1	8	6	5
8	7	2	6	5	3	4	9	1
9	3	6	1	2	4	5	8	7
5	4	1	8	9	7	3	2	6

162

6	8	1	9	3	7	2	5	4
7	2	3	8	4	5	6	9	1
5	4	9	1	6	2	8	7	3
9	5	2	4	7	8	3	1	6
8	3	7	6	2	1	9	4	5
1	6	4	5	9	3	7	8	2
2	9	8	3	1	4	5	6	7
3	1	6	7	5	9	4	2	8
4	7	5	2	8	6	1	3	9

SUDOKU

163

7	2	8	5	4	3	9	6	1
9	1	6	2	7	8	3	5	4
5	3	4	6	1	9	8	7	2
3	5	7	4	6	1	2	8	9
4	6	9	8	2	5	1	3	7
1	8	2	9	3	7	6	4	5
6	4	5	3	9	2	7	1	8
8	9	1	7	5	6	4	2	3
2	7	3	1	8	4	5	9	6

164

5	7	8	3	1	2	4	6	9
4	9	3	7	6	5	8	2	1
2	1	6	8	9	4	5	7	3
1	4	2	9	8	7	6	3	5
6	5	7	4	3	1	2	9	8
8	3	9	5	2	6	1	4	7
7	6	4	1	5	3	9	8	2
3	8	1	2	4	9	7	5	6
9	2	5	6	7	8	3	1	4

165

4	5	1	3	6	9	2	8	7
7	6	2	8	4	5	9	3	1
9	8	3	7	1	2	5	4	6
1	2	9	6	5	3	4	7	8
5	4	8	2	7	1	6	9	3
6	3	7	4	9	8	1	5	2
2	9	5	1	3	7	8	6	4
3	1	4	5	8	6	7	2	9
8	7	6	9	2	4	3	1	5

166

6	1	8	5	9	3	4	7	2
2	3	4	1	7	6	8	5	9
5	9	7	4	2	8	1	6	3
7	8	3	6	1	4	9	2	5
4	5	9	2	8	7	6	3	1
1	2	6	3	5	9	7	8	4
9	7	2	8	4	5	3	1	6
8	6	1	9	3	2	5	4	7
3	4	5	7	6	1	2	9	8

167

5	4	8	1	9	7	2	3	6
3	6	1	2	5	8	9	4	7
9	2	7	4	3	6	5	8	1
2	8	5	7	4	3	1	6	9
7	1	4	5	6	9	8	2	3
6	9	3	8	2	1	7	5	4
8	5	9	6	7	4	3	1	2
4	7	2	3	1	5	6	9	8
1	3	6	9	8	2	4	7	5

168

5	3	4	8	9	1	6	2	7
1	8	2	6	7	4	9	5	3
9	6	7	5	2	3	8	4	1
3	7	1	9	4	5	2	6	8
4	2	6	1	8	7	3	9	5
8	9	5	2	3	6	1	7	4
2	5	9	7	1	8	4	3	6
6	4	8	3	5	9	7	1	2
7	1	3	4	6	2	5	8	9

SUDOKU

169

4	8	6	7	5	9	1	3	2
1	7	9	3	6	2	8	4	5
5	3	2	4	1	8	7	6	9
6	2	3	8	9	7	4	5	1
8	9	5	1	4	3	6	2	7
7	4	1	6	2	5	9	8	3
9	6	4	5	3	1	2	7	8
2	5	8	9	7	4	3	1	6
3	1	7	2	8	6	5	9	4

170

1	8	4	5	7	9	3	6	2
9	7	6	4	2	3	1	5	8
2	3	5	8	1	6	7	4	9
7	5	1	3	8	4	9	2	6
8	9	2	1	6	5	4	3	7
6	4	3	2	9	7	5	8	1
4	1	9	6	3	8	2	7	5
5	6	7	9	4	2	8	1	3
3	2	8	7	5	1	6	9	4

171

2	1	4	8	7	5	9	3	6
9	8	5	3	6	4	2	7	1
6	3	7	1	2	9	4	8	5
8	2	1	5	3	7	6	9	4
3	5	6	9	4	8	1	2	7
4	7	9	6	1	2	3	5	8
1	4	2	7	5	3	8	6	9
5	9	3	4	8	6	7	1	2
7	6	8	2	9	1	5	4	3

172

4	9	7	6	3	8	5	1	2
3	2	8	5	1	9	6	7	4
6	1	5	2	4	7	9	3	8
9	3	2	7	8	4	1	5	6
5	8	4	3	6	1	7	2	9
1	7	6	9	2	5	4	8	3
2	4	3	1	7	6	8	9	5
7	6	9	8	5	3	2	4	1
8	5	1	4	9	2	3	6	7

173

6	3	1	5	2	9	8	4	7
7	8	9	1	6	4	2	3	5
5	4	2	3	7	8	9	6	1
1	9	4	6	8	7	5	2	3
3	5	8	4	1	2	7	9	6
2	6	7	9	5	3	1	8	4
4	1	5	2	9	6	3	7	8
8	2	6	7	3	1	4	5	9
9	7	3	8	4	5	6	1	2

174

8	9	2	6	3	4	5	1	7
3	1	7	8	9	5	6	2	4
5	6	4	1	7	2	8	9	3
1	2	3	7	4	6	9	5	8
6	4	9	3	5	8	2	7	1
7	5	8	9	2	1	4	3	6
9	8	6	2	1	7	3	4	5
4	3	1	5	8	9	7	6	2
2	7	5	4	6	3	1	8	9

SUDOKU

175

1	5	7	6	8	9	4	2	3
8	3	6	4	2	1	5	9	7
2	4	9	5	7	3	1	6	8
4	2	3	1	6	7	9	8	5
9	1	8	3	5	2	7	4	6
6	7	5	8	9	4	2	3	1
5	8	1	9	4	6	3	7	2
7	6	4	2	3	5	8	1	9
3	9	2	7	1	8	6	5	4

176

8	2	3	1	7	6	5	9	4
4	1	6	5	2	9	3	7	8
5	7	9	8	3	4	2	6	1
2	3	8	6	4	5	7	1	9
9	6	4	3	1	7	8	2	5
1	5	7	2	9	8	4	3	6
6	4	1	7	5	2	9	8	3
7	8	5	9	6	3	1	4	2
3	9	2	4	8	1	6	5	7

177

2	5	3	1	4	6	8	7	9
1	9	6	8	3	7	4	2	5
7	8	4	5	2	9	6	1	3
9	4	7	6	8	1	5	3	2
3	2	8	7	5	4	1	9	6
5	6	1	2	0	3	7	4	0
6	1	2	9	7	8	3	5	4
8	3	5	4	1	2	9	6	7
4	7	9	3	6	5	2	8	1

178

2	6	3	9	7	4	5	1	8
1	4	5	8	3	2	7	6	9
9	8	7	6	5	1	3	2	4
6	5	1	3	9	7	4	8	2
8	2	9	5	4	6	1	7	3
7	3	4	1	2	8	6	9	5
3	9	6	2	1	5	8	4	7
4	1	2	7	8	3	9	5	6
5	7	8	4	6	9	2	3	1

179

5	2	4	1	9	8	3	6	7
6	9	8	5	3	7	2	1	4
1	7	3	2	4	6	8	5	9
4	1	9	7	2	5	6	3	8
3	8	2	4	6	1	9	7	5
7	5	6	3	8	9	4	2	1
8	4	5	6	7	2	1	9	3
9	6	1	8	5	3	7	4	2
2	3	7	9	1	4	5	8	6

180

1	5	8	6	9	7	3	4	2
4	9	3	5	2	8	1	7	6
7	2	6	3	1	4	5	9	8
2	6	5	1	4	9	8	3	7
9	8	7	2	5	3	4	6	1
3	1	4	8	7	6	9	2	5
8	4	9	7	6	5	2	1	3
5	7	1	9	3	2	6	8	4
6	3	2	4	8	1	7	5	9

SUDOKU

181

5	1	2	8	6	4	3	7	9
3	4	9	1	2	7	6	8	5
7	6	8	3	5	9	4	2	1
4	8	6	2	7	5	1	9	3
2	3	5	9	4	1	8	6	7
1	9	7	6	8	3	2	5	4
8	7	3	4	9	6	5	1	2
6	5	4	7	1	2	9	3	8
9	2	1	5	3	8	7	4	6

182

2	5	8	3	4	7	1	6	9
1	9	7	6	5	2	3	8	4
6	4	3	8	1	9	5	7	2
8	6	2	1	7	3	4	9	5
5	1	9	2	8	4	6	3	7
3	7	4	5	9	6	8	2	1
4	8	6	9	2	1	7	5	3
7	2	5	4	3	8	9	1	6
9	3	1	7	6	5	2	4	8

183

7	2	3	9	5	6	4	1	8
1	5	9	4	8	2	7	3	6
4	8	6	7	3	1	2	5	9
3	9	7	5	6	4	8	2	1
2	6	5	1	7	8	3	9	4
8	4	1	2	9	3	6	7	5
5	7	2	6	4	9	1	8	3
9	3	4	8	1	7	5	6	2
6	1	8	3	2	5	9	4	7

184

2	9	3	4	5	1	6	7	8
7	1	5	3	8	6	9	2	4
6	8	4	9	7	2	3	1	5
8	4	1	2	9	5	7	3	6
9	6	2	8	3	7	4	5	1
5	3	7	1	6	4	2	8	9
3	5	6	7	1	9	8	4	2
4	7	9	5	2	8	1	6	3
1	2	8	6	4	3	5	9	7

185

1	9	3	4	7	5	2	6	8
7	8	5	2	6	1	9	4	3
4	2	6	9	3	8	7	1	5
3	5	7	1	9	6	8	2	4
8	6	2	5	4	7	1	3	9
9	1	4	3	8	2	5	7	6
5	3	8	7	1	4	6	9	2
6	4	1	8	2	9	3	5	7
2	7	9	6	5	3	4	8	1

186

9	5	6	4	1	3	2	7	8
4	3	2	7	5	8	6	1	9
7	1	8	2	9	6	3	4	5
6	9	5	8	2	4	7	3	1
2	4	7	1	3	9	8	5	6
1	8	3	6	7	5	4	9	2
3	2	4	5	8	1	9	6	7
8	6	1	9	4	7	5	2	3
5	7	9	3	6	2	1	8	4

SUDOKU

187

9	2	7	1	8	3	5	4	6
8	6	1	4	5	2	9	7	3
4	3	5	6	7	9	1	8	2
2	4	6	8	1	5	7	3	9
1	5	9	3	6	7	8	2	4
3	7	8	2	9	4	6	1	5
7	1	2	9	4	6	3	5	8
6	8	3	5	2	1	4	9	7
5	9	4	7	3	8	2	6	1

188

1	5	3	9	4	7	2	6	8
7	6	8	1	3	2	5	9	4
2	9	4	6	5	8	7	1	3
9	8	6	7	2	1	3	4	5
4	1	7	3	8	5	9	2	6
5	3	2	4	9	6	1	8	7
6	2	9	5	7	4	8	3	1
8	4	5	2	1	3	6	7	9
3	7	1	8	6	9	4	5	2

189

4	2	9	1	5	6	3	7	8
6	3	1	8	7	4	5	9	2
8	7	5	9	3	2	4	1	6
3	9	2	5	6	8	7	4	1
5	1	6	7	4	9	8	2	3
7	4	8	3	2	1	9	6	5
1	5	4	2	9	3	6	8	7
2	6	3	4	8	7	1	5	9
9	8	7	6	1	5	2	3	4

190

3	7	9	2	8	5	1	6	4
2	5	6	3	1	4	8	7	9
1	8	4	7	9	6	2	3	5
7	6	2	8	5	1	9	4	3
8	4	3	9	2	7	6	5	1
9	1	5	6	4	3	7	2	8
5	3	8	1	7	2	4	9	6
4	9	7	5	6	8	3	1	2
6	2	1	4	3	9	5	8	7

191

7	8	5	6	1	3	4	2	9
1	9	4	8	2	7	3	6	5
6	2	3	4	9	5	1	8	7
4	7	6	1	8	9	5	3	2
2	5	9	3	7	4	6	1	8
8	3	1	5	6	2	7	9	4
5	1	7	2	3	8	9	4	6
9	6	8	7	4	1	2	5	3
3	4	2	9	5	6	8	7	1

192

5	9	1	6	2	4	7	8	3
3	6	2	1	8	7	4	9	5
7	8	4	9	5	3	1	2	6
6	4	7	3	9	1	2	5	8
8	2	3	4	6	5	9	1	7
9	1	5	2	7	8	3	6	4
2	5	6	7	4	9	8	3	1
1	7	8	5	3	2	6	4	9
4	3	9	8	1	6	5	7	2

SUDOKU

193

9	3	7	8	2	1	6	4	5
5	1	6	4	7	3	8	2	9
8	4	2	6	5	9	7	1	3
1	9	8	2	3	7	4	5	6
3	6	4	1	8	5	2	9	7
7	2	5	9	6	4	1	3	8
4	7	9	3	1	6	5	8	2
6	8	1	5	9	2	3	7	4
2	5	3	7	4	8	9	6	1

194

1	4	6	2	5	7	9	8	3
9	5	7	3	8	4	6	1	2
2	3	8	1	6	9	4	5	7
4	6	9	5	7	3	1	2	8
7	8	5	4	2	1	3	9	6
3	1	2	6	9	8	7	4	5
6	7	4	8	1	5	2	3	9
8	2	3	9	4	6	5	7	1
5	9	1	7	3	2	8	6	4

195

1	7	9	2	5	6	4	8	3
4	8	5	7	1	3	6	2	9
6	2	3	8	4	9	1	5	7
5	4	1	9	3	7	2	6	8
2	3	8	1	6	5	9	7	4
9	6	7	4	8	2	3	1	5
3	5	4	6	2	8	7	9	1
8	9	2	3	7	1	5	4	6
7	1	6	5	9	4	8	3	2

196

3	2	7	8	9	6	5	1	4
8	9	1	4	7	5	2	6	3
5	6	4	1	2	3	9	7	8
2	1	6	5	3	8	7	4	9
9	7	3	6	4	2	8	5	1
4	8	5	9	1	7	6	3	2
7	5	9	3	8	4	1	2	6
1	3	2	7	6	9	4	8	5
6	4	8	2	5	1	3	9	7

197

9	3	5	7	6	8	1	4	2
7	2	4	5	1	3	9	6	8
8	6	1	4	2	9	3	7	5
3	5	2	6	4	7	8	1	9
4	9	8	2	3	1	7	5	6
1	7	6	9	8	5	2	3	4
5	4	9	1	7	2	6	8	3
6	8	7	3	9	4	5	2	1
2	1	3	8	5	6	4	9	7

198

4	9	2	3	7	1	6	5	8
1	3	8	6	4	5	2	9	7
5	7	6	8	9	2	3	1	4
3	1	7	2	6	4	5	8	9
6	5	4	1	8	9	7	3	2
2	8	9	5	3	7	4	6	1
7	6	3	9	2	8	1	4	5
9	2	1	4	5	6	8	7	3
8	4	5	7	1	3	9	2	6

SUDOKU

199

6	5	8	4	9	1	7	3	2
2	1	9	3	7	8	5	4	6
3	7	4	2	6	5	9	8	1
4	2	6	7	5	3	1	9	8
7	8	3	1	4	9	2	6	5
5	9	1	6	8	2	3	7	4
1	6	2	9	3	4	8	5	7
8	3	7	5	1	6	4	2	9
9	4	5	8	2	7	6	1	3

200

4	5	1	7	9	3	6	2	8
7	2	3	6	1	8	4	9	5
6	8	9	2	4	5	7	3	1
2	7	6	5	8	9	3	1	4
5	9	4	3	7	1	8	6	2
3	1	8	4	2	6	5	7	9
9	4	2	8	3	7	1	5	6
1	6	7	9	5	4	2	8	3
8	3	5	1	6	2	9	4	7

201

4	8	5	3	6	1	2	7	9
7	9	1	5	4	2	6	8	3
6	2	3	9	7	8	4	5	1
9	6	7	1	2	5	3	4	8
3	1	8	6	9	4	5	2	7
2	5	4	7	8	3	1	9	6
5	4	6	8	3	9	7	1	2
8	3	2	4	1	7	9	6	5
1	7	9	2	5	6	8	3	4

202

7	6	8	9	4	1	3	2	5
9	5	2	8	7	3	6	4	1
3	4	1	6	5	2	8	9	7
5	3	9	1	2	4	7	6	8
2	8	4	5	6	7	1	3	9
1	7	6	3	9	8	4	5	2
8	2	7	4	3	9	5	1	6
6	1	3	2	8	5	9	7	4
4	9	5	7	1	6	2	8	3

203

8	7	1	4	5	3	2	9	6
6	9	5	2	8	1	4	7	3
2	3	4	6	7	9	1	8	5
7	4	2	8	9	5	3	6	1
9	5	3	1	6	4	8	2	7
1	8	6	7	3	2	5	4	9
4	2	7	5	1	6	9	3	8
3	1	8	9	4	7	6	5	2
5	6	9	3	2	8	7	1	4

204

4	5	6	9	1	8	3	2	7
1	9	2	6	7	3	5	8	4
7	3	8	2	4	5	6	9	1
8	1	4	3	5	2	9	7	6
9	2	5	7	8	6	1	4	3
3	6	7	4	9	1	2	5	8
5	8	3	1	2	4	7	6	9
6	4	9	5	3	7	8	1	2
2	7	1	8	6	9	4	3	5

SUDOKU

205

9	1	7	4	6	3	5	8	2
2	5	4	7	8	9	1	3	6
8	6	3	1	5	2	4	9	7
4	3	8	9	7	5	2	6	1
5	2	1	6	4	8	9	7	3
6	7	9	2	3	1	8	5	4
7	8	5	3	1	4	6	2	9
1	9	6	8	2	7	3	4	5
3	4	2	5	9	6	7	1	8

206

7	8	9	2	3	1	4	6	5
4	5	2	6	9	8	7	3	1
1	6	3	5	7	4	8	2	9
6	7	8	4	5	3	9	1	2
3	2	1	9	6	7	5	4	8
9	4	5	1	8	2	3	7	6
2	9	4	7	1	5	6	8	3
8	1	6	3	4	9	2	5	7
5	3	7	8	2	6	1	9	4

207

7	2	4	8	3	6	9	1	5
1	3	8	5	9	2	6	7	4
9	6	5	7	1	4	2	8	3
6	8	2	1	7	3	4	5	9
4	5	1	6	8	9	7	3	2
3	7	9	4	2	5	1	6	8
5	1	7	2	4	8	3	9	6
8	4	3	9	6	1	5	2	7
2	9	6	3	5	7	8	4	1

208

1	9	7	2	3	8	5	6	4
4	6	2	7	1	5	3	9	8
3	8	5	9	6	4	2	7	1
6	1	3	5	4	9	7	8	2
5	7	4	6	8	2	9	1	3
8	2	9	1	7	3	6	4	5
9	5	1	4	2	7	8	3	6
2	4	8	3	9	6	1	5	7
7	3	6	8	5	1	4	2	9

209

9	8	4	7	5	1	6	3	2
3	1	2	8	4	6	9	7	5
6	7	5	9	2	3	8	4	1
1	5	3	6	8	2	4	9	7
2	6	9	4	1	7	5	8	3
8	4	7	3	9	5	2	1	6
4	3	1	2	6	9	7	5	8
7	9	6	5	3	8	1	2	4
5	2	8	1	7	4	3	6	9

210

7	4	8	9	2	3	1	5	6
9	3	5	6	4	1	7	2	8
6	1	2	5	8	7	4	9	3
4	5	3	1	7	2	6	8	9
8	7	6	3	5	9	2	1	4
2	9	1	8	6	4	3	7	5
3	2	7	4	9	5	8	6	1
5	8	4	2	1	6	9	3	7
1	6	9	7	3	8	5	4	2

SUDOKU

211

3	7	4	1	6	5	8	9	2
5	2	8	3	4	9	7	6	1
6	1	9	7	2	8	4	3	5
4	8	6	5	1	7	3	2	9
1	9	5	8	3	2	6	4	7
7	3	2	6	9	4	1	5	8
2	4	1	9	8	6	5	7	3
9	5	3	4	7	1	2	8	6
8	6	7	2	5	3	9	1	4

212

2	8	9	3	4	6	1	7	5
6	5	4	1	2	7	9	8	3
1	7	3	5	9	8	2	4	6
9	1	8	2	7	5	6	3	4
7	2	5	6	3	4	8	1	9
4	3	6	8	1	9	5	2	7
5	4	7	9	8	1	3	6	2
3	9	1	4	6	2	7	5	8
8	6	2	7	5	3	4	9	1

213

7	9	6	2	5	8	3	1	4
5	1	3	6	9	4	7	2	8
4	2	8	7	3	1	9	5	6
8	4	5	3	6	2	1	9	7
2	6	9	4	1	7	5	8	3
1	3	7	5	8	9	4	6	2
9	7	1	8	2	3	6	4	5
6	8	4	9	7	5	2	3	1
3	5	2	1	4	6	8	7	9

214

5	6	3	2	9	4	8	7	1
2	7	1	5	3	8	4	9	6
8	4	9	6	1	7	2	5	3
6	1	5	3	4	2	9	8	7
3	2	8	7	6	9	1	4	5
4	9	7	1	8	5	3	6	2
1	3	4	9	7	6	5	2	8
9	5	6	8	2	3	7	1	4
7	8	2	4	5	1	6	3	9

215

3	5	9	4	2	1	8	6	7
6	4	2	7	9	8	3	1	5
1	8	7	5	3	6	4	2	9
7	2	3	8	1	4	5	9	6
4	9	8	6	5	2	1	7	3
5	1	6	9	7	3	2	8	4
2	6	1	3	4	7	9	5	8
9	7	4	1	8	5	6	3	2
8	3	5	2	6	9	7	4	1

216

1	9	6	8	4	2	7	3	5
4	5	7	9	3	1	8	2	6
8	2	3	6	5	7	1	4	9
2	8	9	5	1	6	3	7	4
6	3	4	7	2	9	5	1	8
7	1	5	3	8	4	9	6	2
5	4	1	2	7	8	6	9	3
3	6	2	1	9	5	4	8	7
9	7	8	4	6	3	2	5	1

SUDOKU

217

9	3	1	2	8	7	5	6	4
6	8	5	3	9	4	1	7	2
7	4	2	6	1	5	8	9	3
1	2	7	9	4	8	6	3	5
4	5	6	7	3	1	2	8	9
8	9	3	5	2	6	7	4	1
2	6	9	8	5	3	4	1	7
3	1	8	4	7	2	9	5	6
5	7	4	1	6	9	3	2	8

218

1	6	5	9	2	3	8	4	7
4	9	7	5	8	6	1	3	2
3	8	2	7	1	4	6	9	5
2	1	6	3	4	8	7	5	9
9	7	4	6	5	1	2	8	3
8	5	3	2	9	7	4	1	6
6	4	9	8	3	2	5	7	1
5	2	8	1	7	9	3	6	4
7	3	1	4	6	5	9	2	8

219

9	6	7	2	4	1	5	3	8
1	3	8	6	9	5	4	7	2
4	2	5	3	7	8	1	6	9
3	4	2	8	6	7	9	1	5
6	8	9	1	5	3	2	4	7
5	7	1	9	2	4	6	8	3
7	9	3	4	1	2	8	5	6
8	1	6	5	3	9	7	2	4
2	5	4	7	8	6	3	9	1

220

1	9	8	5	6	3	7	4	2
5	4	3	2	9	7	6	1	8
6	7	2	1	4	8	3	5	9
3	6	5	8	1	2	4	9	7
4	2	1	3	7	9	5	8	6
9	8	7	4	5	6	2	3	1
8	3	9	6	2	5	1	7	4
7	1	6	9	3	4	8	2	5
2	5	4	7	8	1	9	6	3

221

7	8	5	1	9	4	6	2	3
4	9	2	6	7	3	1	8	5
1	6	3	5	2	8	9	7	4
6	5	8	9	3	1	2	4	7
2	7	1	4	8	6	5	3	9
9	3	4	7	5	2	8	1	6
5	4	6	2	1	7	3	9	8
8	1	7	3	6	9	4	5	2
3	2	9	8	4	5	7	6	1

222

1	6	2	8	3	9	4	7	5
8	7	9	2	4	5	1	6	3
4	3	5	6	7	1	8	9	2
2	8	7	1	9	6	3	5	4
3	9	4	7	5	8	2	1	6
5	1	6	3	2	4	7	8	9
7	2	8	5	6	3	9	4	1
6	4	1	9	8	2	5	3	7
9	5	3	4	1	7	6	2	8

SUDOKU

223

6	3	9	7	1	8	4	2	5
1	8	5	6	2	4	7	3	9
2	7	4	9	5	3	6	8	1
8	9	1	5	3	7	2	6	4
7	5	3	4	6	2	1	9	8
4	6	2	8	9	1	3	5	7
9	1	6	2	4	5	8	7	3
5	4	8	3	7	6	9	1	2
3	2	7	1	8	9	5	4	6

224

8	6	2	7	4	1	9	5	3
4	3	1	2	9	5	6	8	7
7	9	5	3	6	8	4	2	1
1	2	9	5	7	4	3	6	8
3	8	4	6	1	9	5	7	2
6	5	7	8	3	2	1	4	9
9	1	8	4	2	6	7	3	5
5	7	6	9	8	3	2	1	4
2	4	3	1	5	7	8	9	6

225

7	3	1	4	2	6	9	5	8
5	2	6	3	9	8	4	7	1
9	4	8	1	5	7	3	6	2
2	7	9	8	3	1	5	4	6
1	8	5	9	6	4	7	2	3
4	6	3	2	7	5	1	8	9
8	5	7	6	1	3	2	9	4
6	1	2	5	4	9	8	3	7
3	9	4	7	8	2	6	1	5

226

7	1	3	8	6	9	2	4	5
9	2	4	7	5	1	6	3	8
5	6	8	2	4	3	9	7	1
3	4	2	6	9	5	1	8	7
6	5	7	1	3	8	4	2	9
8	9	1	4	2	7	5	6	3
1	8	6	5	7	2	3	9	4
2	7	9	3	1	4	8	5	6
4	3	5	9	8	6	7	1	2

227

6	9	1	7	4	5	2	8	3
4	3	7	8	2	9	6	5	1
5	2	8	3	1	6	4	7	9
2	1	6	4	5	8	3	9	7
7	4	9	6	3	1	8	2	5
3	8	5	9	7	2	1	6	4
9	5	3	2	6	4	7	1	8
1	6	4	5	8	7	9	3	2
8	7	2	1	9	3	5	4	6

228

4	2	5	7	3	9	6	8	1
3	1	8	2	6	5	7	4	9
7	6	9	1	8	4	5	3	2
1	3	2	6	4	7	9	5	8
6	9	7	5	2	8	4	1	3
8	5	4	3	9	1	2	7	6
5	8	3	9	7	6	1	2	4
2	7	6	4	1	3	8	9	5
9	4	1	8	5	2	3	6	7

SUDOKU

229

3	1	6	5	2	4	7	9	8
9	8	2	6	3	7	1	5	4
4	7	5	9	1	8	3	2	6
8	3	4	1	6	5	9	7	2
2	5	1	8	7	9	4	6	3
7	6	9	2	4	3	5	8	1
1	2	7	3	9	6	8	4	5
5	4	3	7	8	2	6	1	9
6	9	8	4	5	1	2	3	7

230

5	6	8	1	7	3	9	4	2
3	9	7	4	6	2	1	5	8
2	4	1	8	9	5	3	7	6
7	1	4	9	3	8	2	6	5
9	8	5	2	4	6	7	3	1
6	2	3	7	5	1	8	9	4
8	3	6	5	2	7	4	1	9
1	7	9	6	8	4	5	2	3
4	5	2	3	1	9	6	8	7

231

1	7	3	2	4	9	8	5	6
4	5	6	7	3	8	9	2	1
8	9	2	1	6	5	4	7	3
9	6	4	5	7	2	1	3	8
2	8	5	3	9	1	7	6	4
7	3	1	4	8	6	2	9	5
6	4	7	8	2	3	5	1	9
3	1	8	9	5	7	6	4	2
5	2	9	6	1	4	3	8	7

232

8	3	2	5	1	4	7	6	9
4	5	6	3	9	7	1	2	8
1	7	9	6	2	8	4	3	5
3	1	7	4	5	2	9	8	6
2	6	8	9	3	1	5	4	7
9	4	5	8	7	6	2	1	3
5	2	1	7	6	3	8	9	4
7	8	3	2	4	9	6	5	1
6	9	4	1	8	5	3	7	2

233

8	4	1	6	5	2	7	3	9
3	5	7	8	9	4	6	1	2
9	6	2	3	1	7	4	8	5
5	2	9	4	8	6	3	7	1
4	1	3	7	2	5	8	9	6
7	8	6	9	3	1	2	5	4
1	7	5	2	4	8	9	6	3
2	9	8	1	6	3	5	4	7
6	3	4	5	7	9	1	2	8

234

6	8	1	3	2	4	9	5	7
7	4	3	1	9	5	6	8	2
9	5	2	8	6	7	4	3	1
8	3	4	6	1	2	7	9	5
2	6	5	7	3	9	8	1	4
1	9	7	4	5	8	2	6	3
3	7	8	9	4	1	5	2	6
4	2	6	5	8	3	1	7	9
5	1	9	2	7	6	3	4	8

SUDOKU

235

5	7	3	8	4	2	6	1	9
1	6	9	5	3	7	4	8	2
4	2	8	9	1	6	5	7	3
9	8	1	2	6	3	7	5	4
3	4	6	7	5	9	8	2	1
2	5	7	1	8	4	9	3	6
8	9	2	4	7	1	3	6	5
6	1	5	3	9	8	2	4	7
7	3	4	6	2	5	1	9	8

236

2	4	9	6	7	5	8	3	1
1	6	8	4	3	9	7	2	5
7	5	3	8	1	2	9	6	4
8	2	7	9	5	1	6	4	3
3	1	4	2	8	6	5	9	7
6	9	5	7	4	3	1	8	2
5	3	6	1	9	4	2	7	8
4	7	2	5	6	8	3	1	9
9	8	1	3	2	7	4	5	6

237

4	3	9	1	6	5	2	7	8
8	6	5	9	7	2	1	4	3
2	1	7	4	8	3	6	5	9
1	7	8	3	5	6	4	9	2
9	5	6	2	1	4	3	8	7
3	2	4	8	9	7	5	6	1
7	8	2	6	4	1	9	3	5
5	4	3	7	2	9	8	1	6
6	9	1	5	3	8	7	2	4

238

9	3	4	7	6	5	8	1	2
2	7	1	8	3	4	5	9	6
6	5	8	2	1	9	3	4	7
5	1	7	9	4	8	6	2	3
3	6	9	1	5	2	4	7	8
4	8	2	6	7	3	9	5	1
8	9	5	3	2	7	1	6	4
7	4	6	5	8	1	2	3	9
1	2	3	4	9	6	7	8	5

239

8	9	5	2	4	7	3	1	6
7	1	6	9	5	3	4	2	8
2	3	4	8	1	6	7	5	9
9	2	8	4	7	5	6	3	1
6	5	1	3	8	2	9	7	4
3	4	7	1	6	9	2	8	5
1	7	2	6	9	8	5	4	3
5	8	9	7	3	4	1	6	2
4	6	3	5	2	1	8	9	7

240

2	6	1	8	5	3	9	4	7
7	9	5	2	1	4	8	3	6
4	3	8	9	6	7	5	1	2
6	8	7	4	9	5	1	2	3
1	5	4	7	3	2	6	8	9
9	2	3	6	8	1	7	5	4
5	7	2	1	4	9	3	6	8
3	4	6	5	7	8	2	9	1
8	1	9	3	2	6	4	7	5

SUDOKU

241

9	2	1	7	6	8	4	5	3
8	6	4	5	3	9	7	1	2
3	5	7	2	1	4	8	6	9
5	7	3	1	8	6	9	2	4
6	1	9	4	2	3	5	7	8
2	4	8	9	5	7	1	3	6
4	9	5	6	7	2	3	8	1
1	3	2	8	4	5	6	9	7
7	8	6	3	9	1	2	4	5

242

7	6	2	9	4	8	3	1	5
1	3	9	6	2	5	7	8	4
8	4	5	3	1	7	6	2	9
2	8	4	1	7	6	5	9	3
3	5	1	8	9	4	2	6	7
9	7	6	5	3	2	8	4	1
6	2	3	4	5	9	1	7	8
4	1	8	7	6	3	9	5	2
5	9	7	2	8	1	4	3	6

243

9	8	7	4	2	6	3	5	1
1	4	2	9	5	3	8	6	7
6	5	3	8	1	7	2	9	4
2	7	4	1	8	9	5	3	6
3	1	6	2	7	5	9	4	8
5	9	8	6	3	4	1	7	2
8	6	5	3	4	1	7	2	9
4	3	1	7	9	2	6	8	5
7	2	9	5	6	8	4	1	3

244

8	3	1	5	4	7	2	9	6
7	5	6	9	2	3	8	4	1
2	4	9	8	1	6	3	7	5
1	6	8	2	3	4	7	5	9
4	2	5	7	6	9	1	3	8
3	9	7	1	8	5	4	6	2
9	7	2	4	5	8	6	1	3
6	1	4	3	9	2	5	8	7
5	8	3	6	7	1	9	2	4

245

7	8	6	4	2	5	3	9	1
4	1	9	3	7	6	8	2	5
2	5	3	1	8	9	6	4	7
6	3	8	2	5	4	1	7	9
9	4	1	8	3	7	2	5	6
5	7	2	6	9	1	4	3	8
8	6	5	7	4	2	9	1	3
1	9	4	5	6	3	7	8	2
3	2	7	9	1	8	5	6	4

246

3	1	8	6	7	5	4	9	2
6	2	5	1	4	9	3	7	8
9	4	7	2	8	3	6	5	1
8	5	4	3	2	6	9	1	7
7	3	6	8	9	1	2	4	5
2	9	1	4	5	7	8	3	6
4	6	9	7	1	8	5	2	3
1	8	2	5	3	4	7	6	9
5	7	3	9	6	2	1	8	4

SUDOKU

247

6	3	8	9	4	5	7	2	1
4	7	9	1	3	2	5	6	8
5	1	2	7	8	6	9	3	4
3	9	7	5	6	4	1	8	2
2	5	4	3	1	8	6	9	7
1	8	6	2	9	7	3	4	5
9	4	1	8	5	3	2	7	6
8	2	3	6	7	1	4	5	9
7	6	5	4	2	9	8	1	3

248

7	3	9	6	2	4	8	5	1
1	2	4	8	3	5	9	7	6
5	8	6	9	1	7	4	2	3
4	6	2	7	8	3	1	9	5
9	7	1	5	6	2	3	8	4
8	5	3	4	9	1	7	6	2
2	4	5	1	7	9	6	3	8
6	1	7	3	5	8	2	4	9
3	9	8	2	4	6	5	1	7

249

4	1	3	7	9	5	2	8	6
8	5	2	6	3	4	7	9	1
9	6	7	8	2	1	4	3	5
5	3	9	1	4	8	6	7	2
7	2	4	5	6	3	9	1	8
1	8	6	9	7	2	3	5	4
6	9	5	2	1	7	8	4	3
3	7	1	4	8	6	5	2	9
2	4	8	3	5	9	1	6	7

250

6	9	3	5	8	2	1	7	4
5	1	4	9	7	6	8	2	3
2	8	7	1	3	4	9	6	5
1	5	9	2	6	3	4	8	7
3	2	8	4	1	7	6	5	9
7	4	6	8	5	9	2	3	1
4	6	2	7	9	5	3	1	8
9	7	1	3	2	8	5	4	6
8	3	5	6	4	1	7	9	2

251

5	4	3	2	7	9	6	1	8
9	7	6	8	5	1	2	3	4
8	2	1	3	4	6	5	7	9
3	6	8	5	1	4	9	2	7
1	5	7	6	9	2	8	4	3
4	9	2	7	3	8	1	5	6
7	8	9	4	2	5	3	6	1
2	1	4	9	6	3	7	8	5
6	3	5	1	8	7	4	9	2

252

5	9	4	8	1	6	7	2	3
2	1	6	9	3	7	8	4	5
3	7	8	5	4	2	1	6	9
6	8	5	3	9	1	2	7	4
1	3	2	4	7	5	6	9	8
7	4	9	2	6	8	3	5	1
8	2	7	1	5	9	4	3	6
4	5	1	6	2	3	9	8	7
9	6	3	7	8	4	5	1	2

SUDOKU

253

5	1	2	8	9	4	6	3	7
3	7	4	2	1	6	8	9	5
6	8	9	3	5	7	1	4	2
2	6	7	9	8	3	5	1	4
1	5	3	7	4	2	9	8	6
4	9	8	1	6	5	7	2	3
8	3	6	4	7	9	2	5	1
9	4	5	6	2	1	3	7	8
7	2	1	5	3	8	4	6	9

254

4	8	6	7	9	2	1	3	5
2	3	9	5	1	4	6	7	8
7	5	1	8	6	3	9	4	2
5	4	7	9	2	1	8	6	3
1	9	8	3	7	6	2	5	4
6	2	3	4	5	8	7	1	9
9	7	4	6	8	5	3	2	1
3	6	2	1	4	9	5	8	7
8	1	5	2	3	7	4	9	6

255

2	3	5	8	9	4	1	7	6
6	9	4	5	1	7	2	3	8
8	7	1	2	3	6	5	4	9
9	1	3	6	7	5	4	8	2
7	6	2	1	4	8	3	9	5
5	4	8	3	2	9	7	6	1
4	8	7	9	5	1	6	2	3
3	5	6	7	8	2	9	1	4
1	2	9	4	6	3	8	5	7

256

7	9	4	3	2	6	5	8	1
6	1	5	4	9	8	3	2	7
3	2	8	7	5	1	9	6	4
8	6	2	5	1	4	7	3	9
1	5	9	8	7	3	6	4	2
4	7	3	2	6	9	8	1	5
5	3	6	1	4	7	2	9	8
9	4	7	6	8	2	1	5	3
2	8	1	9	3	5	4	7	6

257

7	5	1	3	9	2	4	6	8
3	4	8	6	5	1	7	2	9
2	9	6	7	4	8	5	1	3
8	7	4	1	3	9	6	5	2
6	1	3	4	2	5	8	9	7
5	2	9	8	7	6	1	3	4
1	3	7	9	6	4	2	8	5
9	6	2	5	8	7	3	4	1
4	8	5	2	1	3	9	7	6

258

9	5	6	8	4	2	1	3	7
8	3	4	6	7	1	2	9	5
2	7	1	5	9	3	4	8	6
7	2	8	3	5	6	9	4	1
4	6	9	1	8	7	3	5	2
3	1	5	9	2	4	7	6	8
5	4	2	7	3	8	6	1	9
6	8	3	2	1	9	5	7	4
1	9	7	4	6	5	8	2	3

SUDOKU

259

6	8	2	4	1	7	3	9	5
3	9	1	2	5	8	4	6	7
7	5	4	9	3	6	1	8	2
1	6	8	5	4	3	7	2	9
4	2	5	8	7	9	6	3	1
9	7	3	6	2	1	8	5	4
2	3	9	1	8	4	5	7	6
5	4	7	3	6	2	9	1	8
8	1	6	7	9	5	2	4	3

260

5	6	8	1	9	7	2	4	3
4	1	3	2	8	6	5	7	9
2	7	9	4	3	5	6	8	1
6	8	7	9	5	4	3	1	2
3	2	5	7	1	8	9	6	4
1	9	4	3	6	2	8	5	7
8	4	1	5	2	3	7	9	6
7	5	2	6	4	9	1	3	8
9	3	6	8	7	1	4	2	5

261

9	2	7	4	5	8	6	1	3
6	8	4	2	3	1	5	9	7
1	5	3	7	6	9	8	2	4
3	6	8	1	9	5	7	4	2
2	7	9	8	4	6	3	5	1
5	4	1	3	2	7	9	6	8
8	9	2	5	1	3	4	7	6
7	1	6	9	8	4	2	3	5
4	3	5	6	7	2	1	8	9

262

9	5	7	1	3	8	2	4	6
8	6	4	5	2	7	9	1	3
1	3	2	4	9	6	7	8	5
3	9	1	7	4	5	6	2	8
7	8	5	6	1	2	4	3	9
4	2	6	3	8	9	5	7	1
6	7	8	2	5	3	1	9	4
5	4	3	9	7	1	8	6	2
2	1	9	8	6	4	3	5	7

263

5	9	3	7	8	2	1	4	6
8	1	6	3	4	5	2	9	7
4	2	7	9	6	1	8	5	3
2	8	5	6	9	7	4	3	1
6	4	1	5	3	8	9	7	2
7	3	9	1	2	4	6	8	5
9	6	4	2	5	3	7	1	8
1	5	2	8	7	9	3	6	4
3	7	8	4	1	6	5	2	9

264

2	1	5	9	8	7	3	4	6
8	9	4	3	2	6	5	7	1
7	6	3	4	5	1	8	9	2
3	2	6	1	9	8	7	5	4
9	8	1	5	7	4	6	2	3
4	5	7	2	6	3	1	8	9
5	4	8	6	1	9	2	3	7
6	7	9	8	3	2	4	1	5
1	3	2	7	4	5	9	6	8

SUDOKU

265

2	4	6	3	5	7	9	8	1
5	3	8	9	1	6	7	4	2
1	9	7	8	2	4	3	6	5
8	2	1	6	9	3	4	5	7
4	6	9	7	8	5	2	1	3
3	7	5	2	4	1	6	9	8
6	5	2	4	7	8	1	3	9
9	8	3	1	6	2	5	7	4
7	1	4	5	3	9	8	2	6

266

6	1	4	3	7	8	5	2	9
3	7	9	2	4	5	8	1	6
5	2	8	9	6	1	3	4	7
9	6	1	4	5	7	2	3	8
7	3	2	8	1	9	6	5	4
4	8	5	6	3	2	9	7	1
1	9	7	5	2	6	4	8	3
2	4	6	1	8	3	7	9	5
8	5	3	7	9	4	1	6	2

267

1	5	4	2	7	3	6	9	8
6	2	9	8	1	4	5	7	3
8	7	3	6	9	5	2	4	1
4	3	7	1	5	8	9	6	2
9	6	5	3	2	7	1	8	4
2	1	8	9	4	6	7	3	5
5	9	6	4	3	1	8	2	7
3	8	1	7	6	2	4	5	9
7	4	2	5	8	9	3	1	6

268

9	2	5	8	4	7	1	6	3
8	7	1	6	9	3	4	5	2
4	3	6	5	2	1	8	9	7
3	1	7	4	6	5	9	2	8
2	5	4	9	7	8	3	1	6
6	8	9	3	1	2	7	4	5
1	4	2	7	8	6	5	3	9
7	9	3	2	5	4	6	8	1
5	6	8	1	3	9	2	7	4

269

4	6	2	1	7	3	8	5	9
5	1	8	2	9	6	4	3	7
3	9	7	8	4	5	6	2	1
9	3	5	6	1	4	2	7	8
2	4	6	7	5	8	1	9	3
8	7	1	3	2	9	5	4	6
6	5	4	9	3	1	7	8	2
1	2	3	5	8	7	9	6	4
7	8	9	4	6	2	3	1	5

270

6	7	2	5	4	9	8	1	3
8	4	9	1	7	3	5	2	6
3	5	1	2	6	8	9	7	4
5	8	6	3	1	7	4	9	2
2	9	4	8	5	6	7	3	1
1	3	7	4	9	2	6	8	5
4	6	8	9	2	1	3	5	7
9	1	5	7	3	4	2	6	8
7	2	3	6	8	5	1	4	9

SUDOKU

271

7	8	2	1	6	3	5	4	9
9	1	4	5	7	8	6	3	2
5	6	3	9	4	2	8	1	7
6	7	9	2	3	1	4	5	8
1	3	5	4	8	9	7	2	6
4	2	8	7	5	6	1	9	3
3	4	7	6	9	5	2	8	1
8	5	1	3	2	7	9	6	4
2	9	6	8	1	4	3	7	5

272

6	3	2	9	1	8	7	5	4
5	8	9	7	3	4	6	2	1
1	4	7	6	5	2	3	9	8
3	7	4	2	8	9	1	6	5
2	1	8	5	6	7	4	3	9
9	5	6	3	4	1	2	8	7
8	6	3	1	7	5	9	4	2
4	2	1	8	9	6	5	7	3
7	9	5	4	2	3	8	1	6

273

9	4	6	5	3	8	1	7	2
5	7	3	2	6	1	8	4	9
2	1	8	7	9	4	6	5	3
4	2	1	9	5	6	3	8	7
8	5	9	1	7	3	2	6	4
3	6	7	4	8	2	9	1	5
6	8	4	3	2	7	5	9	1
1	3	5	8	4	9	7	2	6
7	9	2	6	1	5	4	3	8

274

7	2	8	9	4	6	3	1	5
6	1	3	2	7	5	4	8	9
4	9	5	8	3	1	2	6	7
8	5	4	7	9	2	1	3	6
1	7	9	3	6	4	5	2	8
3	6	2	1	5	8	9	7	4
2	8	6	4	1	9	7	5	3
5	4	7	6	2	3	8	9	1
9	3	1	5	8	7	6	4	2

275

1	2	7	9	8	4	3	5	6
6	9	3	7	5	1	8	4	2
4	5	8	3	6	2	1	7	9
2	6	1	4	3	9	5	8	7
5	3	9	6	7	8	2	1	4
7	8	4	2	1	5	6	9	3
3	4	5	8	2	7	9	6	1
9	1	6	5	4	3	7	2	8
8	7	2	1	9	6	4	3	5

276

8	2	3	7	6	9	1	4	5
9	4	7	5	2	1	6	8	3
6	1	5	4	3	8	2	9	7
3	6	1	8	9	2	7	5	4
4	7	9	1	5	6	3	2	8
2	5	8	3	4	7	9	6	1
7	8	6	9	1	5	4	3	2
5	3	2	6	7	4	8	1	9
1	9	4	2	8	3	5	7	6

SUDOKU

277

2	7	6	8	1	5	3	9	4
3	9	1	6	4	7	5	2	8
5	8	4	9	2	3	1	6	7
4	6	8	2	3	1	9	7	5
1	5	7	4	6	9	8	3	2
9	3	2	7	5	8	4	1	6
7	1	3	5	8	6	2	4	9
6	2	5	1	9	4	7	8	3
8	4	9	3	7	2	6	5	1

278

2	1	9	7	5	8	4	6	3
4	5	8	3	9	6	7	2	1
7	3	6	4	2	1	5	9	8
3	2	1	5	6	9	8	7	4
6	4	5	2	8	7	1	3	9
9	8	7	1	4	3	6	5	2
1	6	4	9	7	2	3	8	5
5	7	2	8	3	4	9	1	6
8	9	3	6	1	5	2	4	7

279

6	3	7	2	1	5	9	4	8
1	8	9	6	4	7	3	5	2
2	5	4	9	8	3	7	6	1
7	1	3	4	2	8	6	9	5
4	2	6	7	5	9	8	1	3
8	9	5	3	6	1	4	2	7
9	6	8	1	7	2	5	3	4
5	4	2	8	3	6	1	7	9
3	7	1	5	9	4	2	8	6

280

9	1	6	7	2	5	8	3	4
5	3	8	9	1	4	7	2	6
7	2	4	6	3	8	9	1	5
4	6	9	3	8	1	5	7	2
3	7	1	5	6	2	4	8	9
8	5	2	4	9	7	3	6	1
1	9	7	8	5	6	2	4	3
2	8	5	1	4	3	6	9	7
6	4	3	2	7	9	1	5	8

281

7	5	6	8	4	3	2	1	9
8	3	1	9	7	2	5	4	6
4	2	9	6	1	5	7	8	3
1	8	7	4	5	9	3	6	2
9	6	2	3	8	7	1	5	4
5	4	3	1	2	6	8	9	7
6	7	8	5	3	4	9	2	1
3	1	4	2	9	8	6	7	5
2	9	5	7	6	1	4	3	8

282

3	1	9	2	4	5	6	7	8
6	8	5	3	1	7	4	2	9
2	7	4	9	6	8	3	1	5
7	5	1	8	3	6	2	9	4
9	6	8	4	5	2	7	3	1
4	3	2	7	9	1	8	5	6
8	9	6	1	2	3	5	4	7
1	2	7	5	8	4	9	6	3
5	4	3	6	7	9	1	8	2

SUDOKU

283

5	7	8	6	3	4	1	2	9
4	1	3	2	7	9	5	8	6
6	9	2	8	1	5	4	3	7
2	8	6	4	5	7	3	9	1
7	3	4	9	2	1	6	5	8
1	5	9	3	6	8	7	4	2
8	2	1	7	4	3	9	6	5
9	4	5	1	8	6	2	7	3
3	6	7	5	9	2	8	1	4

284

3	7	8	9	5	6	1	4	2
5	9	1	8	2	4	7	6	3
4	6	2	7	1	3	8	9	5
9	3	7	1	4	5	2	8	6
8	4	5	2	6	7	3	1	9
2	1	6	3	8	9	5	7	4
7	2	4	5	9	8	6	3	1
6	5	3	4	7	1	9	2	8
1	8	9	6	3	2	4	5	7

285

7	5	9	6	1	8	4	2	3
8	2	4	7	3	9	1	5	6
1	3	6	2	4	5	8	7	9
4	9	7	8	6	1	2	3	5
6	1	2	4	5	3	7	9	8
5	8	3	9	7	2	6	1	4
3	4	1	5	2	6	9	8	7
9	7	5	1	8	4	3	6	2
2	6	8	3	9	7	5	4	1

286

7	2	8	9	1	3	4	6	5
3	1	6	4	7	5	9	8	2
5	4	9	6	8	2	7	1	3
6	9	1	7	3	4	2	5	8
8	7	2	5	9	6	1	3	4
4	5	3	8	2	1	6	9	7
1	6	5	3	4	7	8	2	9
9	3	4	2	6	8	5	7	1
2	8	7	1	5	9	3	4	6

287

2	5	8	3	7	6	4	9	1
6	1	4	9	2	8	5	3	7
3	7	9	1	4	5	8	2	6
8	6	3	7	5	4	2	1	9
9	4	7	8	1	2	6	5	3
5	2	1	6	3	9	7	8	4
7	8	2	4	9	3	1	6	5
1	9	6	5	8	7	3	4	2
4	3	5	2	6	1	9	7	8

288

2	4	9	3	5	8	7	6	1
1	6	5	9	4	7	3	8	2
3	7	8	1	6	2	4	9	5
5	1	2	7	9	4	6	3	8
8	3	7	6	2	5	9	1	4
4	9	6	8	3	1	2	5	7
7	8	3	2	1	9	5	4	6
6	2	4	5	8	3	1	7	9
9	5	1	4	7	6	8	2	3

SUDOKU

289

2	1	5	8	7	9	4	6	3
8	4	3	1	5	6	2	9	7
7	6	9	2	3	4	5	8	1
9	3	6	4	1	5	7	2	8
4	7	8	9	6	2	3	1	5
1	5	2	3	8	7	9	4	6
5	9	1	7	2	8	6	3	4
3	2	7	6	4	1	8	5	9
6	8	4	5	9	3	1	7	2

290

8	9	3	6	1	2	7	4	5
4	2	6	9	5	7	1	3	8
5	7	1	4	3	8	9	6	2
9	5	7	2	6	3	8	1	4
3	4	8	7	9	1	2	5	6
1	6	2	8	4	5	3	7	9
6	1	9	3	8	4	5	2	7
2	3	4	5	7	9	6	8	1
7	8	5	1	2	6	4	9	3

291

7	1	3	9	4	5	2	6	8
5	8	4	6	2	7	9	1	3
6	9	2	8	1	3	5	4	7
2	6	9	4	8	1	3	7	5
1	5	8	3	7	9	4	2	6
4	3	7	5	6	2	1	8	9
8	7	5	2	3	4	6	9	1
9	4	1	7	5	6	8	3	2
3	2	6	1	9	8	7	5	4

292

2	1	5	4	6	7	9	8	3
3	4	6	9	1	8	2	5	7
9	8	7	2	5	3	4	6	1
6	2	8	1	4	9	3	7	5
4	5	3	6	7	2	1	9	8
1	7	9	8	3	5	6	2	4
5	3	4	7	9	6	8	1	2
8	9	1	5	2	4	7	3	6
7	6	2	3	8	1	5	4	9

293

6	5	8	2	4	3	7	1	9
3	4	7	5	1	9	2	8	6
1	2	9	8	6	7	3	4	5
7	3	1	9	8	6	5	2	4
2	9	4	3	7	5	8	6	1
5	8	6	1	2	4	9	7	3
4	1	5	7	9	8	6	3	2
8	6	3	4	5	2	1	9	7
9	7	2	6	3	1	4	5	8

294

2	7	5	6	1	3	8	9	4
6	4	1	7	9	8	2	5	3
9	3	8	4	2	5	7	1	6
1	5	9	2	3	6	4	7	8
7	6	3	8	4	1	9	2	5
4	8	2	9	5	7	6	3	1
3	9	6	5	8	2	1	4	7
5	2	7	1	6	4	3	8	9
8	1	4	3	7	9	5	6	2

SUDOKU

295

1	3	2	8	4	9	7	6	5
6	7	9	1	5	3	8	4	2
4	5	8	7	2	6	3	9	1
3	1	6	9	7	4	2	5	8
2	9	5	6	1	8	4	3	7
7	8	4	5	3	2	6	1	9
9	2	1	4	6	7	5	8	3
8	6	3	2	9	5	1	7	4
5	4	7	3	8	1	9	2	6

296

5	4	2	7	1	9	6	8	3
1	8	6	5	3	4	2	7	9
3	9	7	6	8	2	5	1	4
8	6	1	4	2	7	9	3	5
4	2	9	8	5	3	7	6	1
7	3	5	1	9	6	4	2	8
2	5	4	3	7	1	8	9	6
9	1	8	2	6	5	3	4	7
6	7	3	9	4	8	1	5	2

297

2	1	6	7	5	8	9	3	4
5	3	8	4	9	6	1	2	7
9	4	7	1	3	2	8	6	5
1	9	2	5	4	7	6	8	3
6	8	4	9	2	3	5	7	1
7	5	3	6	8	1	4	9	2
8	7	5	2	6	4	3	1	9
4	6	1	3	7	9	2	5	8
3	2	9	8	1	5	7	4	6

298

5	4	1	6	7	9	8	3	2
7	8	6	2	3	5	1	9	4
3	9	2	1	8	4	6	5	7
1	2	3	4	6	8	5	7	9
6	7	4	5	9	1	3	2	8
9	5	8	7	2	3	4	6	1
8	1	7	3	5	2	9	4	6
2	3	9	8	4	6	7	1	5
4	6	5	9	1	7	2	8	3

299

1	2	8	4	7	3	9	6	5
5	9	4	1	2	6	7	3	8
7	6	3	9	5	8	1	2	4
9	4	5	3	1	7	6	8	2
6	1	2	5	8	9	4	7	3
3	8	7	6	4	2	5	1	9
2	3	9	7	6	4	8	5	1
4	7	1	8	3	5	2	9	6
8	5	6	2	9	1	3	4	7

300

4	7	3	1	6	5	2	9	8
6	2	9	7	8	4	5	3	1
1	5	8	3	2	9	7	4	6
9	8	2	5	4	1	3	6	7
5	3	1	6	9	7	8	2	4
7	6	4	8	3	2	9	1	5
8	9	6	4	7	3	1	5	2
3	1	7	2	5	6	4	8	9
2	4	5	9	1	8	6	7	3

SUDOKU

301

8	2	5	9	4	3	7	6	1
7	9	3	1	8	6	2	4	5
6	1	4	7	2	5	8	9	3
2	7	9	5	1	8	6	3	4
4	6	1	2	3	9	5	7	8
5	3	8	6	7	4	9	1	2
9	8	2	4	6	1	3	5	7
1	5	7	3	9	2	4	8	6
3	4	6	8	5	7	1	2	9

302

1	7	3	2	5	6	9	8	4
6	2	8	4	1	9	5	7	3
5	9	4	3	8	7	2	6	1
9	6	5	1	3	8	4	2	7
2	4	1	7	6	5	8	3	9
8	3	7	9	4	2	6	1	5
3	1	2	6	9	4	7	5	8
7	5	9	8	2	3	1	4	6
4	8	6	5	7	1	3	9	2

303

6	5	8	2	4	9	7	3	1
9	3	7	6	5	1	2	8	4
4	2	1	8	3	7	6	9	5
1	7	3	4	6	2	9	5	8
8	9	2	3	1	5	4	6	7
5	6	4	7	9	8	1	2	3
3	4	9	5	7	6	8	1	2
2	1	5	9	8	4	3	7	6
7	8	6	1	2	3	5	4	9

304

1	6	3	4	5	8	7	9	2
7	5	2	6	9	3	1	8	4
9	4	8	7	1	2	5	3	6
8	2	1	5	3	4	6	7	9
6	3	4	2	7	9	8	5	1
5	9	7	1	8	6	4	2	3
3	8	6	9	4	5	2	1	7
2	1	5	3	6	7	9	4	8
4	7	9	8	2	1	3	6	5

305

4	7	3	9	1	6	5	8	2
6	2	8	5	4	3	7	1	9
5	1	9	8	2	7	3	6	4
2	5	6	1	8	9	4	7	3
8	3	1	4	7	2	9	5	6
9	4	7	3	6	5	1	2	8
3	8	4	6	5	1	2	9	7
7	9	5	2	3	8	6	4	1
1	6	2	7	9	4	8	3	5

306

4	7	8	3	6	2	1	9	5
5	9	3	1	8	4	2	6	7
2	1	6	5	9	7	8	4	3
1	6	7	4	2	8	3	5	9
8	2	5	6	3	9	7	1	4
3	4	9	7	1	5	6	2	8
7	3	4	2	5	6	9	8	1
6	8	1	9	4	3	5	7	2
9	5	2	8	7	1	4	3	6

SUDOKU

307

8	1	2	9	6	3	4	5	7
5	3	4	7	2	8	1	6	9
9	6	7	1	4	5	8	2	3
1	2	3	5	8	4	7	9	6
4	8	9	2	7	6	3	1	5
7	5	6	3	1	9	2	8	4
2	4	1	6	5	7	9	3	8
6	9	8	4	3	1	5	7	2
3	7	5	8	9	2	6	4	1

308

3	4	5	8	9	2	1	6	7
7	2	1	5	6	4	3	8	9
8	6	9	3	7	1	2	5	4
4	9	8	2	1	5	6	7	3
5	3	7	9	4	6	8	1	2
6	1	2	7	8	3	4	9	5
2	8	3	1	5	7	9	4	6
9	5	6	4	2	8	7	3	1
1	7	4	6	3	9	5	2	8

309

3	4	7	2	1	5	8	9	6
8	6	2	4	3	9	5	1	7
9	1	5	8	6	7	4	2	3
7	5	1	3	8	4	9	6	2
2	9	4	1	7	6	3	8	5
6	8	3	5	9	2	7	4	1
4	7	6	9	2	3	1	5	8
5	2	8	7	4	1	6	3	9
1	3	9	6	5	8	2	7	4

310

6	7	3	9	4	8	2	5	1
5	2	9	6	7	1	4	3	8
1	8	4	3	2	5	6	7	9
7	3	6	2	9	4	1	8	5
4	9	5	8	1	3	7	2	6
2	1	8	5	6	7	9	4	3
8	6	7	4	3	9	5	1	2
3	4	2	1	5	6	8	9	7
9	5	1	7	8	2	3	6	4

311

7	8	5	1	4	6	3	9	2
1	2	3	9	5	7	4	6	8
6	4	9	8	3	2	1	7	5
5	1	7	4	2	9	6	8	3
9	3	8	5	6	1	2	4	7
4	6	2	7	8	3	9	5	1
8	5	1	3	9	4	7	2	6
2	7	4	6	1	5	8	3	9
3	9	6	2	7	8	5	1	4

312

4	3	5	8	6	2	9	1	7
6	8	1	9	7	3	5	2	4
7	9	2	1	4	5	8	3	6
3	5	7	2	8	9	4	6	1
9	4	6	3	1	7	2	8	5
1	2	8	4	5	6	3	7	9
8	6	9	5	3	1	7	4	2
2	1	4	7	9	8	6	5	3
5	7	3	6	2	4	1	9	8

SUDOKU

313

7	2	9	6	4	8	1	3	5
3	6	5	9	1	2	4	8	7
1	8	4	5	7	3	2	6	9
2	3	7	8	9	1	6	5	4
5	9	6	7	3	4	8	2	1
4	1	8	2	6	5	7	9	3
9	4	1	3	8	6	5	7	2
8	7	2	4	5	9	3	1	6
6	5	3	1	2	7	9	4	8

314

9	1	7	2	3	4	8	6	5
3	8	5	9	6	1	7	2	4
6	4	2	7	5	8	3	1	9
1	6	8	5	4	7	2	9	3
2	3	4	1	9	6	5	7	8
7	5	9	3	8	2	1	4	6
4	9	1	8	7	3	6	5	2
5	7	3	6	2	9	4	8	1
8	2	6	4	1	5	9	3	7

315

7	3	2	1	6	4	9	5	8
1	5	9	7	8	2	6	4	3
4	6	8	9	5	3	2	7	1
3	9	6	2	4	5	1	8	7
5	8	7	3	9	1	4	6	2
2	1	4	6	7	8	5	3	9
8	4	1	5	2	7	3	9	6
6	7	3	4	1	9	8	2	5
9	2	5	8	3	6	7	1	4

316

1	9	5	6	3	2	4	7	8
3	2	7	8	9	4	5	6	1
4	8	6	1	5	7	2	9	3
5	6	1	7	4	9	8	3	2
7	4	2	5	8	3	9	1	6
9	3	8	2	1	6	7	5	4
6	5	4	3	7	8	1	2	9
8	7	3	9	2	1	6	4	5
2	1	9	4	6	5	3	8	7

317

4	6	7	2	3	5	8	9	1
9	8	2	1	7	6	4	5	3
3	1	5	4	9	8	6	2	7
8	9	1	7	5	4	2	3	6
2	4	3	9	6	1	7	8	5
5	7	6	8	2	3	9	1	4
7	5	8	6	1	9	3	4	2
6	3	4	5	8	2	1	7	9
1	2	9	3	4	7	5	6	8

318

6	8	4	9	1	7	2	5	3
7	3	9	5	8	2	1	6	4
1	2	5	3	4	6	9	7	8
8	6	7	2	3	1	5	4	9
5	1	2	4	7	9	3	8	6
9	4	3	6	5	8	7	1	2
4	9	8	1	2	5	6	3	7
3	5	6	7	9	4	8	2	1
2	7	1	8	6	3	4	9	5

SUDOKU

319

3	9	6	5	2	4	1	8	7
8	1	4	9	6	7	3	5	2
5	7	2	8	1	3	6	4	9
1	8	9	6	7	5	4	2	3
4	6	7	3	8	2	9	1	5
2	3	5	4	9	1	8	7	6
6	4	8	7	5	9	2	3	1
7	2	3	1	4	6	5	9	8
9	5	1	2	3	8	7	6	4

320

2	6	7	9	3	5	4	8	1
8	5	3	1	6	4	7	2	9
9	4	1	8	2	7	6	3	5
7	3	8	4	1	2	9	5	6
4	1	5	3	9	6	2	7	8
6	2	9	7	5	8	3	1	4
3	7	4	5	8	9	1	6	2
5	9	2	6	7	1	8	4	3
1	8	6	2	4	3	5	9	7

321

9	2	7	8	6	5	1	3	4
6	1	5	3	4	9	7	8	2
3	4	8	2	7	1	5	6	9
1	6	2	9	3	8	4	5	7
8	7	4	5	2	6	9	1	3
5	9	3	4	1	7	6	2	8
4	5	6	7	8	3	2	9	1
7	3	1	6	9	2	8	4	5
2	8	9	1	5	4	3	7	6

322

5	3	7	9	4	1	6	8	2
1	8	9	3	2	6	4	5	7
4	2	6	8	7	5	1	9	3
7	6	3	1	9	2	8	4	5
9	1	5	7	8	4	2	3	6
2	4	8	6	5	3	7	1	9
3	9	4	2	1	7	5	6	8
6	7	1	5	3	8	9	2	4
8	5	2	4	6	9	3	7	1

323

3	8	1	6	4	9	5	2	7
7	2	4	5	8	1	3	6	9
5	9	6	2	7	3	4	8	1
2	7	5	3	9	4	8	1	6
1	3	9	7	6	8	2	5	4
6	4	8	1	2	5	7	9	3
9	5	7	8	3	6	1	4	2
4	1	2	9	5	7	6	3	8
8	6	3	4	1	2	9	7	5

324

6	4	1	3	7	8	2	9	5
5	7	8	1	2	9	3	6	4
3	2	9	5	4	6	7	1	8
2	6	4	8	3	1	9	5	7
1	9	5	7	6	2	8	4	3
8	3	7	9	5	4	1	2	6
7	8	2	6	9	5	4	3	1
4	1	6	2	8	3	5	7	9
9	5	3	4	1	7	6	8	2

SUDOKU

325

6	9	7	4	3	8	5	2	1
4	5	1	6	7	2	8	9	3
3	2	8	9	5	1	7	6	4
8	3	2	7	6	5	1	4	9
7	4	5	3	1	9	2	8	6
1	6	9	2	8	4	3	5	7
9	8	4	1	2	7	6	3	5
2	7	6	5	4	3	9	1	8
5	1	3	8	9	6	4	7	2

326

2	4	6	5	7	1	9	3	8
3	5	7	8	6	9	2	1	4
1	9	8	4	2	3	5	7	6
4	1	3	6	8	2	7	9	5
5	6	9	3	4	7	1	8	2
8	7	2	9	1	5	4	6	3
7	3	1	2	5	8	6	4	9
6	8	5	1	9	4	3	2	7
9	2	4	7	3	6	8	5	1

327

7	4	8	3	2	5	1	6	9
3	1	6	8	4	9	5	7	2
5	2	9	6	1	7	8	3	4
6	8	1	5	3	4	9	2	7
2	3	7	1	9	8	6	4	5
9	5	4	7	6	2	3	1	8
8	7	3	4	5	6	2	9	1
4	6	2	9	8	1	7	5	3
1	9	5	2	7	3	4	8	6

328

7	2	5	1	4	3	6	8	9
9	1	4	2	8	6	3	7	5
3	8	6	5	9	7	2	4	1
4	7	1	3	6	5	9	2	8
2	5	8	4	7	9	1	3	6
6	9	3	8	1	2	7	5	4
5	4	9	7	3	1	8	6	2
1	3	2	6	5	8	4	9	7
8	6	7	9	2	4	5	1	3

329

1	8	4	5	6	3	2	9	7
7	6	5	9	4	2	8	1	3
2	3	9	1	8	7	5	4	6
9	2	8	3	1	5	7	6	4
3	5	6	4	7	8	1	2	9
4	1	7	6	2	9	3	8	5
5	7	1	8	9	6	4	3	2
8	9	3	2	5	4	6	7	1
6	4	2	7	3	1	9	5	8

330

9	1	3	8	2	4	7	5	6
2	8	7	5	9	6	3	1	4
4	5	6	7	1	3	8	2	9
6	3	5	1	8	9	4	7	2
1	4	8	6	7	2	9	3	5
7	2	9	3	4	5	6	8	1
3	9	4	2	5	7	1	6	8
8	6	2	4	3	1	5	9	7
5	7	1	9	6	8	2	4	3

SUDOKU

331

6	9	4	2	5	8	1	3	7
2	3	5	7	1	4	9	8	6
1	7	8	3	6	9	5	2	4
4	6	9	5	8	1	3	7	2
8	5	7	4	3	2	6	9	1
3	1	2	6	9	7	8	4	5
5	4	1	9	7	3	2	6	8
9	2	6	8	4	5	7	1	3
7	8	3	1	2	6	4	5	9

332

4	9	2	6	8	7	3	5	1
6	7	1	9	3	5	8	2	4
8	5	3	1	2	4	6	7	9
3	6	5	8	7	9	4	1	2
7	8	9	4	1	2	5	6	3
2	1	4	5	6	3	9	8	7
5	4	8	7	9	1	2	3	6
9	2	7	3	5	6	1	4	8
1	3	6	2	4	8	7	9	5

333

6	5	8	7	9	2	4	3	1
4	2	7	3	1	8	6	9	5
9	1	3	6	4	5	8	7	2
7	6	9	2	8	1	5	4	3
1	3	4	9	5	6	2	8	7
2	8	5	4	7	3	9	1	6
3	7	6	8	2	9	1	5	4
8	4	1	5	6	7	3	2	9
5	9	2	1	3	4	7	6	8

334

8	2	7	3	9	4	1	6	5
4	5	9	1	7	6	2	8	3
1	3	6	5	2	8	4	7	9
9	6	2	4	3	1	8	5	7
7	4	1	9	8	5	3	2	6
3	8	5	2	6	7	9	4	1
5	9	3	6	4	2	7	1	8
6	7	4	8	1	3	5	9	2
2	1	8	7	5	9	6	3	4

335

6	1	3	9	8	5	2	7	4
2	4	7	3	6	1	9	5	8
5	9	8	2	4	7	3	6	1
9	5	6	4	7	8	1	3	2
8	7	2	5	1	3	4	9	6
4	3	1	6	9	2	7	8	5
7	8	5	1	2	9	6	4	3
3	2	4	7	5	6	8	1	9
1	6	9	8	3	4	5	2	7

336

1	4	8	5	2	7	3	6	9
2	3	9	8	6	1	7	4	5
6	7	5	4	9	3	2	1	8
7	2	1	9	4	5	6	8	3
9	6	3	1	8	2	4	5	7
5	8	4	3	7	6	9	2	1
4	9	6	7	1	8	5	3	2
3	1	7	2	5	4	8	9	6
8	5	2	6	3	9	1	7	4

SUDOKU

337

2	4	6	5	9	1	8	7	3
9	3	5	8	6	7	2	1	4
7	1	8	2	4	3	5	6	9
1	9	3	7	5	6	4	2	8
6	2	4	3	1	8	7	9	5
8	5	7	9	2	4	6	3	1
3	8	9	6	7	5	1	4	2
5	7	1	4	3	2	9	8	6
4	6	2	1	8	9	3	5	7

338

8	9	4	6	3	2	1	5	7
6	1	2	7	5	9	3	8	4
3	7	5	4	1	8	2	9	6
2	8	1	9	4	5	6	7	3
9	5	7	3	2	6	8	4	1
4	6	3	8	7	1	9	2	5
1	2	9	5	6	4	7	3	8
5	3	8	1	9	7	4	6	2
7	4	6	2	8	3	5	1	9

339

9	8	2	3	1	5	7	6	4
3	4	1	9	7	6	5	8	2
6	5	7	2	8	4	3	1	9
1	2	9	7	6	3	8	4	5
8	3	4	5	9	2	1	7	6
7	6	5	8	4	1	2	9	3
4	9	3	1	2	7	6	5	8
5	1	8	6	3	9	4	2	7
2	7	6	4	5	8	9	3	1

340

5	7	9	1	2	3	8	4	6
6	4	2	7	5	8	9	1	3
8	1	3	4	6	9	5	2	7
1	5	7	3	4	2	6	8	9
4	3	6	8	9	1	7	5	2
9	2	8	6	7	5	4	3	1
3	8	4	9	1	6	2	7	5
7	9	5	2	3	4	1	6	8
2	6	1	5	8	7	3	9	4

341

7	9	3	2	1	4	6	5	8
2	8	6	9	3	5	1	7	4
4	5	1	8	6	7	3	2	9
3	4	5	7	8	9	2	6	1
6	1	9	5	2	3	4	8	7
8	7	2	1	4	6	9	3	5
5	3	4	6	7	1	8	9	2
1	2	7	3	9	8	5	4	6
9	6	8	4	5	2	7	1	3

342

2	1	7	8	5	3	6	4	9
8	4	5	2	6	9	7	3	1
3	9	6	7	4	1	2	5	8
5	8	9	4	1	7	3	2	6
4	7	1	6	3	2	9	8	5
6	2	3	9	8	5	1	7	4
9	6	2	5	7	4	8	1	3
7	3	4	1	9	8	5	6	2
1	5	8	3	2	6	4	9	7

SUDOKU

343

9	3	8	6	7	2	4	5	1
1	2	6	8	4	5	7	3	9
5	4	7	9	3	1	8	2	6
6	5	3	2	8	9	1	4	7
7	9	2	4	1	6	3	8	5
8	1	4	7	5	3	6	9	2
3	6	5	1	2	4	9	7	8
4	8	9	5	6	7	2	1	3
2	7	1	3	9	8	5	6	4

344

9	2	6	7	5	4	3	1	8
5	1	3	6	8	2	9	7	4
8	4	7	9	1	3	6	5	2
1	9	2	3	6	8	5	4	7
3	7	5	4	9	1	8	2	6
4	6	8	2	7	5	1	9	3
2	8	4	1	3	9	7	6	5
7	5	9	8	2	6	4	3	1
6	3	1	5	4	7	2	8	9

345

9	2	1	7	6	3	4	8	5
6	5	7	4	8	1	2	3	9
3	4	8	5	2	9	1	7	6
8	9	6	1	4	5	3	2	7
1	3	4	9	7	2	5	6	8
2	7	5	8	3	6	9	1	4
4	6	2	3	9	8	7	5	1
5	8	9	2	1	7	6	4	3
7	1	3	6	5	4	8	9	2

346

5	6	8	2	9	4	1	7	3
1	7	4	5	3	6	8	2	9
9	2	3	1	8	7	5	4	6
7	8	5	3	6	1	2	9	4
6	3	2	9	4	5	7	8	1
4	1	9	8	7	2	6	3	5
3	4	6	7	1	8	9	5	2
2	9	7	6	5	3	4	1	8
8	5	1	4	2	9	3	6	7

347

5	8	2	4	7	1	3	9	6
3	4	7	9	5	6	8	1	2
9	1	6	8	3	2	7	4	5
7	3	4	6	1	8	5	2	9
6	2	1	7	9	5	4	8	3
8	9	5	3	2	4	1	6	7
4	5	8	2	6	7	9	3	1
2	7	3	1	4	9	6	5	8
1	6	9	5	8	3	2	7	4

348

9	1	8	7	6	2	5	4	3
3	2	5	4	8	1	7	6	9
7	4	6	5	3	9	8	2	1
2	9	7	6	1	8	4	3	5
1	5	4	2	7	3	6	9	8
8	6	3	9	5	4	2	1	7
4	8	9	1	2	5	3	7	6
5	7	2	3	9	6	1	8	4
6	3	1	8	4	7	9	5	2

SUDOKU

349

2	9	1	6	3	7	4	8	5
7	6	5	4	2	8	1	9	3
8	3	4	5	9	1	6	7	2
1	5	9	8	6	3	2	4	7
4	8	2	7	5	9	3	6	1
6	7	3	1	4	2	8	5	9
3	4	6	9	1	5	7	2	8
9	1	7	2	8	4	5	3	6
5	2	8	3	7	6	9	1	4

350

4	2	7	6	3	9	8	1	5
6	9	3	1	5	8	2	7	4
1	8	5	4	2	7	6	3	9
7	4	6	3	9	5	1	8	2
3	1	2	8	7	4	5	9	6
9	5	8	2	1	6	3	4	7
5	7	1	9	8	2	4	6	3
8	6	9	5	4	3	7	2	1
2	3	4	7	6	1	9	5	8

351

6	3	9	5	4	1	2	7	8
7	5	8	3	6	2	9	4	1
1	4	2	9	8	7	3	5	6
9	7	3	2	1	5	8	6	4
8	6	5	4	7	9	1	3	2
2	1	4	6	3	8	5	9	7
5	9	1	7	2	6	4	8	3
3	2	6	8	5	4	7	1	9
4	8	7	1	9	3	6	2	5

352

5	6	7	1	4	9	3	2	8
3	9	8	2	7	5	6	4	1
1	2	4	8	6	3	9	7	5
7	3	6	5	1	8	2	9	4
9	8	5	4	3	2	1	6	7
4	1	2	6	9	7	8	5	3
8	5	3	7	2	6	4	1	9
6	7	1	9	8	4	5	3	2
2	4	9	3	5	1	7	8	6

353

8	4	5	2	6	7	3	1	9
9	7	2	1	3	4	5	6	8
3	1	6	8	9	5	4	7	2
7	6	8	4	2	9	1	5	3
4	3	9	7	5	1	8	2	6
5	2	1	6	8	3	9	4	7
2	8	3	5	1	6	7	9	4
6	5	4	9	7	8	2	3	1
1	9	7	3	4	2	6	8	5

354

2	9	1	6	4	8	5	3	7
3	4	6	2	7	5	9	1	8
8	7	5	1	3	9	6	2	4
5	8	7	4	2	3	1	9	6
9	6	2	8	1	7	4	5	3
1	3	4	9	5	6	7	8	2
6	1	9	3	8	4	2	7	5
7	2	8	5	6	1	3	4	9
4	5	3	7	9	2	8	6	1

SUDOKU

355

6	3	5	8	1	4	7	9	2
9	2	8	6	7	5	3	4	1
7	1	4	3	2	9	8	5	6
3	5	7	1	8	6	9	2	4
1	8	9	4	3	2	6	7	5
4	6	2	5	9	7	1	8	3
2	4	3	7	6	8	5	1	9
5	7	6	9	4	1	2	3	8
8	9	1	2	5	3	4	6	7

356

4	9	8	6	5	2	3	1	7
2	3	6	7	8	1	4	9	5
5	7	1	9	3	4	2	6	8
8	5	7	1	2	6	9	4	3
6	4	3	8	7	9	5	2	1
9	1	2	3	4	5	8	7	6
3	8	9	2	6	7	1	5	4
1	6	4	5	9	8	7	3	2
7	2	5	4	1	3	6	8	9

357

8	9	6	4	2	3	7	1	5
5	3	1	7	8	9	6	4	2
2	7	4	1	6	5	8	9	3
7	2	3	8	9	4	5	6	1
1	6	5	3	7	2	9	8	4
4	8	9	5	1	6	3	2	7
3	4	2	6	5	8	1	7	9
9	1	8	2	3	7	4	5	6
6	5	7	9	4	1	2	3	8

358

9	5	4	8	6	2	7	1	3
3	8	7	5	1	4	9	2	6
1	6	2	3	9	7	5	8	4
7	2	9	6	4	8	3	5	1
5	4	1	7	3	9	8	6	2
8	3	6	1	2	5	4	7	9
6	1	8	9	5	3	2	4	7
2	9	5	4	7	6	1	3	8
4	7	3	2	8	1	6	9	5

359

7	5	8	2	6	4	3	9	1
4	6	1	5	3	9	2	8	7
9	3	2	8	1	7	5	6	4
1	2	5	3	9	6	4	7	8
8	4	6	7	2	5	9	1	3
3	7	9	1	4	8	6	2	5
6	1	7	9	5	3	8	4	2
2	9	3	4	8	1	7	5	6
5	8	4	6	7	2	1	3	9

360

8	5	4	9	6	7	2	1	3
2	3	7	1	8	4	5	9	6
9	6	1	2	5	3	4	8	7
7	8	9	6	2	5	1	3	4
6	1	2	4	3	8	9	7	5
5	4	3	7	9	1	6	2	8
4	2	5	8	7	9	3	6	1
1	9	8	3	4	6	7	5	2
3	7	6	5	1	2	8	4	9

SUDOKU

361

4	3	9	5	2	8	7	1	6
1	2	7	6	3	4	5	9	8
8	5	6	9	1	7	2	3	4
9	7	1	2	8	6	3	4	5
5	4	3	7	9	1	8	6	2
2	6	8	4	5	3	1	7	9
3	1	5	8	6	9	4	2	7
7	9	2	3	4	5	6	8	1
6	8	4	1	7	2	9	5	3

362

8	9	3	6	1	5	4	2	7
2	5	7	4	8	9	6	3	1
4	1	6	2	3	7	5	8	9
6	2	5	3	7	8	9	1	4
3	4	9	1	2	6	7	5	8
1	7	8	5	9	4	2	6	3
5	8	2	9	4	1	3	7	6
9	6	1	7	5	3	8	4	2
7	3	4	8	6	2	1	9	5

363

3	9	8	7	4	5	2	1	6
6	4	2	9	8	1	3	5	7
1	7	5	3	2	6	9	4	8
5	8	7	2	9	3	4	6	1
9	6	1	8	5	4	7	3	2
4	2	3	1	6	7	5	8	9
8	5	4	6	7	2	1	9	3
7	1	9	4	3	8	6	2	5
2	3	6	5	1	9	8	7	4

364

5	4	3	1	2	9	7	6	8
2	9	8	6	7	5	4	3	1
7	6	1	3	8	4	2	9	5
6	3	4	7	1	8	5	2	9
8	7	9	5	3	2	6	1	4
1	2	5	4	9	6	8	7	3
9	1	2	8	5	7	3	4	6
3	5	6	2	4	1	9	8	7
4	8	7	9	6	3	1	5	2

365

1	9	5	6	7	3	4	2	8
4	2	3	8	1	9	6	7	5
7	6	8	5	2	4	1	9	3
9	3	2	4	6	5	8	1	7
5	1	4	7	3	8	9	6	2
8	7	6	2	9	1	5	3	4
6	4	7	9	5	2	3	8	1
3	5	9	1	8	7	2	4	6
2	8	1	3	4	6	7	5	9

366

8	7	3	5	6	4	1	9	2
4	2	5	3	9	1	7	8	6
6	9	1	7	2	8	5	4	3
1	3	9	4	7	2	6	5	8
5	4	6	8	3	9	2	7	1
7	8	2	1	5	6	4	3	9
3	6	4	2	8	7	9	1	5
2	5	7	9	1	3	8	6	4
9	1	8	6	4	5	3	2	7

SUDOKU

367

9	8	7	3	4	2	5	6	1
1	5	3	8	9	6	7	2	4
6	2	4	5	7	1	8	3	9
5	7	1	4	2	8	6	9	3
8	4	2	6	3	9	1	7	5
3	9	6	1	5	7	2	4	8
2	3	5	7	1	4	9	8	6
4	6	9	2	8	5	3	1	7
7	1	8	9	6	3	4	5	2

368

3	1	9	7	4	5	2	8	6
5	6	2	8	1	9	3	4	7
8	7	4	2	3	6	9	1	5
9	8	1	3	6	4	7	5	2
2	4	7	5	9	8	6	3	1
6	3	5	1	7	2	4	9	8
1	2	3	9	5	7	8	6	4
4	9	8	6	2	1	5	7	3
7	5	6	4	8	3	1	2	9

369

7	1	6	4	8	2	3	9	5
3	2	5	9	1	7	8	6	4
4	8	9	5	6	3	1	2	7
1	9	2	3	7	4	6	5	8
8	6	7	2	5	1	4	3	9
5	4	3	8	9	6	2	7	1
9	7	1	6	2	8	5	4	3
6	3	8	7	4	5	9	1	2
2	5	4	1	3	9	7	8	6

370

9	6	1	4	2	7	3	8	5
3	8	4	1	5	6	9	7	2
7	2	5	8	9	3	6	1	4
8	1	2	3	7	5	4	9	6
5	9	3	6	4	1	7	2	8
6	4	7	2	8	9	1	5	3
1	7	6	5	3	8	2	4	9
4	5	9	7	6	2	8	3	1
2	3	8	9	1	4	5	6	7

371

1	7	6	2	4	8	5	3	9
4	9	5	1	3	7	8	2	6
8	3	2	5	6	9	1	4	7
7	5	8	6	9	3	2	1	4
6	1	9	4	2	5	7	8	3
2	4	3	8	7	1	9	6	5
5	6	4	7	1	2	3	9	8
3	2	7	9	8	6	4	5	1
9	8	1	3	5	4	6	7	2

372

8	9	3	4	7	2	5	1	6
7	2	1	3	5	6	8	4	9
6	5	4	8	9	1	2	3	7
9	3	8	7	6	5	4	2	1
5	4	2	9	1	3	6	7	8
1	6	7	2	8	4	3	9	5
3	7	5	1	2	8	9	6	4
4	1	6	5	3	9	7	8	2
2	8	9	6	4	7	1	5	3

SUDOKU

373

7	8	6	5	3	2	4	1	9
4	9	2	6	8	1	3	7	5
1	5	3	7	9	4	2	8	6
8	6	7	4	5	9	1	3	2
3	2	5	8	1	6	9	4	7
9	4	1	2	7	3	5	6	8
2	1	8	3	6	5	7	9	4
6	3	4	9	2	7	8	5	1
5	7	9	1	4	8	6	2	3

374

4	5	6	3	2	9	1	7	8
1	8	7	6	4	5	9	3	2
3	2	9	8	7	1	5	4	6
8	1	2	7	6	4	3	5	9
6	7	5	9	3	8	4	2	1
9	4	3	5	1	2	6	8	7
2	3	1	4	9	7	8	6	5
7	6	8	1	5	3	2	9	4
5	9	4	2	8	6	7	1	3

375

2	9	3	1	4	7	5	6	8
1	5	8	6	2	9	7	4	3
4	6	7	5	3	8	2	1	9
9	3	6	8	5	4	1	7	2
7	1	4	2	6	3	9	8	5
5	8	2	7	9	1	6	3	4
8	2	1	3	7	5	4	9	6
6	7	9	4	8	2	3	5	1
3	4	5	9	1	6	8	2	7

376

3	2	5	9	6	7	4	1	8
4	9	1	5	3	8	6	7	2
6	7	8	4	1	2	5	3	9
8	5	2	7	9	1	3	6	4
1	4	3	6	2	5	9	8	7
9	6	7	8	4	3	1	2	5
2	8	6	1	5	4	7	9	3
5	3	9	2	7	6	8	4	1
7	1	4	3	8	9	2	5	6

377

4	7	2	8	9	6	3	5	1
6	5	8	1	4	3	9	2	7
1	9	3	7	2	5	4	6	8
8	1	4	6	7	9	5	3	2
5	2	7	4	3	1	6	8	9
3	6	9	5	8	2	1	7	4
2	4	6	9	5	7	8	1	3
7	8	1	3	6	4	2	9	5
9	3	5	2	1	8	7	4	6

378

3	5	4	9	1	2	6	7	8
2	8	7	5	4	6	3	1	9
6	1	9	3	8	7	2	5	4
9	3	2	4	5	1	7	8	6
1	7	5	6	3	8	9	4	2
8	4	6	2	7	9	1	3	5
5	2	8	7	9	3	4	6	1
7	9	1	8	6	4	5	2	3
4	6	3	1	2	5	8	9	7

SUDOKU

379

6	3	1	9	7	5	4	2	8
5	9	2	8	4	3	6	1	7
4	8	7	1	2	6	5	3	9
1	7	9	5	3	4	8	6	2
8	2	4	7	6	1	9	5	3
3	6	5	2	9	8	1	7	4
9	1	8	3	5	7	2	4	6
2	4	3	6	1	9	7	8	5
7	5	6	4	8	2	3	9	1

380

3	9	7	5	8	6	4	1	2
5	4	1	7	2	9	8	3	6
8	6	2	4	3	1	7	5	9
7	8	4	1	5	2	9	6	3
6	3	5	8	9	7	1	2	4
1	2	9	6	4	3	5	8	7
2	1	3	9	7	8	6	4	5
4	7	8	3	6	5	2	9	1
9	5	6	2	1	4	3	7	8

381

8	6	7	2	4	1	3	5	9
4	9	5	8	6	3	7	2	1
2	3	1	5	9	7	6	4	8
9	1	2	3	5	8	4	6	7
6	8	3	4	7	9	2	1	5
7	5	4	6	1	2	8	9	3
5	7	8	9	2	6	1	3	4
1	4	6	7	3	5	9	8	2
3	2	9	1	8	4	5	7	6

382

7	4	8	2	5	9	1	6	3
6	9	2	1	7	3	4	8	5
1	5	3	6	8	4	2	7	9
8	2	1	9	4	7	5	3	6
9	7	5	3	6	1	8	2	4
4	3	6	8	2	5	7	9	1
2	8	9	5	1	6	3	4	7
5	6	7	4	3	8	9	1	2
3	1	4	7	9	2	6	5	8

383

2	4	9	1	7	6	3	8	5
3	7	5	2	8	4	6	1	9
6	1	8	9	3	5	2	7	4
8	5	3	6	4	1	9	2	7
9	6	1	7	5	2	8	4	3
7	2	4	8	9	3	5	6	1
5	8	7	4	2	9	1	3	6
1	9	2	3	6	7	4	5	8
4	3	6	5	1	8	7	9	2

384

5	3	2	1	6	4	9	8	7
6	7	9	8	3	2	1	5	4
8	1	4	7	9	5	2	3	6
9	4	7	6	1	8	3	2	5
2	6	5	9	4	3	8	7	1
3	8	1	5	2	7	6	4	9
4	9	8	3	5	1	7	6	2
7	2	6	4	8	9	5	1	3
1	5	3	2	7	6	4	9	8

SUDOKU

385

9	1	7	4	2	8	3	5	6
3	6	4	5	1	7	8	9	2
5	2	8	3	6	9	1	7	4
7	8	1	2	9	3	4	6	5
6	9	5	8	4	1	7	2	3
4	3	2	6	7	5	9	1	8
1	4	3	9	5	6	2	8	7
8	5	9	7	3	2	6	4	1
2	7	6	1	8	4	5	3	9

386

6	7	1	9	5	2	8	4	3
8	5	2	1	3	4	9	6	7
9	3	4	7	6	8	5	2	1
3	6	7	5	4	9	2	1	8
1	2	5	6	8	7	3	9	4
4	8	9	2	1	3	6	7	5
2	4	6	3	7	5	1	8	9
7	1	3	8	9	6	4	5	2
5	9	8	4	2	1	7	3	6

387

3	9	6	1	2	8	4	5	7
1	4	5	7	6	9	3	2	8
2	8	7	5	4	3	1	6	9
4	5	2	8	7	6	9	3	1
6	1	9	4	3	5	7	8	2
8	7	3	2	9	1	6	4	5
7	3	1	6	5	2	8	9	4
9	2	8	3	1	4	5	7	6
5	6	4	9	8	7	2	1	3

388

2	1	5	8	9	6	4	3	7
3	7	8	4	2	5	6	9	1
9	6	4	1	3	7	2	8	5
8	9	6	7	4	2	5	1	3
7	4	1	9	5	3	8	6	2
5	2	3	6	8	1	9	7	4
1	5	2	3	6	8	7	4	9
6	3	9	5	7	4	1	2	8
4	8	7	2	1	9	3	5	6

389

8	1	4	5	3	6	7	2	9
3	6	7	9	2	1	8	4	5
2	5	9	4	7	8	1	6	3
4	8	2	3	9	5	6	1	7
1	9	6	2	8	7	5	3	4
5	7	3	1	6	4	2	9	8
6	3	5	8	1	9	4	7	2
9	4	1	7	5	2	3	8	6
7	2	8	6	4	3	9	5	1

390

6	1	2	5	3	9	7	8	4
3	4	8	2	7	6	1	5	9
7	9	5	8	1	4	6	3	2
1	3	6	9	8	7	4	2	5
9	5	4	3	6	2	8	1	7
8	2	7	4	5	1	9	6	3
4	6	3	7	2	8	5	9	1
5	8	9	1	4	3	2	7	6
2	7	1	6	9	5	3	4	8

SUDOKU

391

8	5	9	3	4	1	2	6	7
4	2	3	9	7	6	1	8	5
6	1	7	2	5	8	4	9	3
3	4	5	8	9	7	6	2	1
2	7	6	4	1	3	9	5	8
9	8	1	5	6	2	7	3	4
7	3	4	6	8	9	5	1	2
5	6	8	1	2	4	3	7	9
1	9	2	7	3	5	8	4	6

392

3	5	1	8	9	4	6	2	7
4	8	2	1	7	6	9	3	5
9	6	7	2	3	5	4	1	8
7	3	4	5	2	8	1	9	6
8	9	5	3	6	1	7	4	2
1	2	6	7	4	9	5	8	3
6	7	8	9	1	3	2	5	4
2	1	3	4	5	7	8	6	9
5	4	9	6	8	2	3	7	1

393

2	6	9	1	7	5	4	8	3
5	7	8	3	9	4	6	2	1
3	4	1	2	8	6	9	7	5
9	3	6	4	2	8	5	1	7
8	2	5	6	1	7	3	4	9
4	1	7	5	3	9	2	6	8
7	5	3	8	6	2	1	9	4
1	8	2	9	4	3	7	5	6
6	9	4	7	5	1	8	3	2

394

2	4	1	6	5	9	3	7	8
5	7	8	3	1	4	2	9	6
3	9	6	2	8	7	4	5	1
4	6	2	9	7	8	5	1	3
7	3	9	5	6	1	8	4	2
1	8	5	4	3	2	7	6	9
8	5	3	7	9	6	1	2	4
9	2	7	1	4	3	6	8	5
6	1	4	8	2	5	9	3	7

395

4	2	3	7	9	8	1	5	6
8	5	9	1	6	4	2	3	7
6	1	7	3	2	5	4	9	8
9	7	1	2	4	6	5	8	3
5	3	4	8	1	9	6	7	2
2	6	8	5	3	7	9	4	1
7	8	2	9	5	1	3	6	4
1	4	5	6	7	3	8	2	9
3	9	6	4	8	2	7	1	5

396

3	6	4	8	1	9	2	5	7
2	8	5	7	3	6	1	9	4
1	9	7	5	2	4	8	3	6
5	1	8	2	6	7	9	4	3
4	7	2	9	8	3	5	6	1
9	3	6	1	4	5	7	8	2
8	5	3	4	7	2	6	1	9
7	4	9	6	5	1	3	2	8
6	2	1	3	9	8	4	7	5

SUDOKU

397

3	6	7	8	2	5	1	4	9
2	5	1	7	9	4	3	6	8
9	8	4	3	6	1	5	2	7
1	4	5	2	7	9	6	8	3
6	2	3	4	1	8	9	7	5
7	9	8	5	3	6	2	1	4
4	7	6	1	5	3	8	9	2
8	3	9	6	4	2	7	5	1
5	1	2	9	8	7	4	3	6

398

3	1	7	9	2	4	8	6	5
5	2	6	1	8	3	9	4	7
9	8	4	5	6	7	3	1	2
2	5	8	7	9	6	1	3	4
6	9	3	4	1	5	7	2	8
4	7	1	8	3	2	5	9	6
7	4	2	3	5	1	6	8	9
1	6	9	2	7	8	4	5	3
8	3	5	6	4	9	2	7	1

399

1	2	5	9	4	7	3	8	6
7	8	4	5	3	6	2	9	1
3	6	9	2	1	8	4	7	5
8	3	7	6	2	1	9	5	4
9	4	6	7	8	5	1	2	3
5	1	2	3	9	4	8	6	7
4	5	3	8	6	2	7	1	9
2	7	1	4	5	9	6	3	8
6	9	8	1	7	3	5	4	2

400

1	4	9	3	8	7	5	2	6
7	5	3	2	6	4	1	8	9
2	6	8	9	5	1	4	3	7
5	3	1	8	7	6	2	9	4
6	7	2	1	4	9	3	5	8
8	9	4	5	2	3	6	7	1
3	1	7	6	9	2	8	4	5
9	2	5	4	1	8	7	6	3
4	8	6	7	3	5	9	1	2

401

9	8	4	2	3	1	7	6	5
5	2	6	9	7	8	3	1	4
1	7	3	4	5	6	2	9	8
7	9	5	1	4	2	6	8	3
3	4	2	6	8	7	1	5	9
6	1	8	3	9	5	4	2	7
8	6	9	7	1	4	5	3	2
4	5	1	8	2	3	9	7	6
2	3	7	5	6	9	8	4	1

402

9	6	3	2	5	1	4	8	7
1	4	5	6	8	7	9	3	2
2	8	7	3	9	4	6	5	1
8	2	4	1	3	5	7	6	9
7	3	1	9	2	6	8	4	5
5	9	6	7	4	8	1	2	3
3	7	8	5	6	9	2	1	4
6	5	9	4	1	2	3	7	8
4	1	2	8	7	3	5	9	6

SUDOKU

403

3	1	2	4	7	5	8	6	9
5	4	6	1	8	9	7	2	3
9	8	7	6	3	2	4	5	1
6	2	8	9	1	3	5	4	7
4	3	5	2	6	7	9	1	8
1	7	9	5	4	8	2	3	6
7	9	4	3	2	6	1	8	5
2	5	3	8	9	1	6	7	4
8	6	1	7	5	4	3	9	2

404

7	1	4	3	2	5	8	6	9
8	2	5	6	9	4	3	1	7
3	9	6	8	7	1	2	5	4
1	4	9	5	8	7	6	3	2
6	8	2	1	3	9	7	4	5
5	3	7	4	6	2	9	8	1
9	6	1	2	4	3	5	7	8
4	7	8	9	5	6	1	2	3
2	5	3	7	1	8	4	9	6

405

4	1	5	6	3	9	8	7	2
3	9	6	8	7	2	4	1	5
2	7	8	4	1	5	9	6	3
9	6	3	5	2	1	7	8	4
1	4	7	3	8	6	5	2	9
5	8	2	9	4	7	1	3	6
6	3	4	7	9	8	2	5	1
7	2	9	1	5	3	6	4	8
8	5	1	2	6	4	3	9	7

406

5	3	4	6	7	2	8	9	1
8	2	9	5	3	1	6	7	4
6	1	7	9	8	4	2	5	3
4	6	5	8	2	9	1	3	7
1	8	2	7	4	3	9	6	5
9	7	3	1	5	6	4	2	8
2	4	1	3	6	7	5	8	9
7	9	8	2	1	5	3	4	6
3	5	6	4	9	8	7	1	2

407

4	3	1	9	5	8	7	6	2
9	8	2	1	7	6	4	5	3
5	6	7	4	2	3	1	9	8
2	4	3	6	8	1	9	7	5
7	5	8	2	4	9	3	1	6
1	9	6	5	3	7	2	8	4
3	7	5	8	9	4	6	2	1
8	1	9	3	6	2	5	4	7
6	2	4	7	1	5	8	3	9

408

7	6	9	2	3	4	1	5	8
3	1	5	8	6	7	4	2	9
4	2	8	1	9	5	7	3	6
9	4	7	5	8	3	6	1	2
1	5	3	6	4	2	9	8	7
2	8	6	7	1	9	3	4	5
8	7	1	4	2	6	5	9	3
6	9	2	3	5	1	8	7	4
5	3	4	9	7	8	2	6	1

SUDOKU

409

3	5	7	1	2	9	8	6	4
9	2	4	6	8	7	1	3	5
1	6	8	3	5	4	2	9	7
2	1	6	8	7	3	5	4	9
5	7	9	2	4	6	3	1	8
8	4	3	5	9	1	6	7	2
4	3	5	7	6	8	9	2	1
6	9	2	4	1	5	7	8	3
7	8	1	9	3	2	4	5	6

410

1	7	2	9	4	6	5	3	8
4	6	3	8	1	5	7	9	2
5	8	9	3	2	7	1	4	6
3	9	7	2	5	1	6	8	4
8	1	6	4	7	3	2	5	9
2	4	5	6	9	8	3	1	7
9	3	4	5	6	2	8	7	1
6	5	1	7	8	9	4	2	3
7	2	8	1	3	4	9	6	5

411

8	1	3	4	2	6	9	5	7
7	4	2	3	5	9	1	6	8
9	5	6	7	1	8	4	3	2
4	7	8	9	6	5	3	2	1
1	6	5	2	7	3	8	4	9
2	3	9	8	4	1	6	7	5
3	2	1	5	9	4	7	8	6
5	9	4	6	8	7	2	1	3
6	8	7	1	3	2	5	9	4

412

6	1	4	5	9	7	2	3	8
7	3	5	6	2	8	4	1	9
2	9	8	3	4	1	6	7	5
3	6	9	1	7	5	8	2	4
8	2	1	9	3	4	7	5	6
4	5	7	2	8	6	1	9	3
9	4	2	8	1	3	5	6	7
1	8	6	7	5	9	3	4	2
5	7	3	4	6	2	9	8	1

413

1	6	7	5	3	9	2	8	4
2	8	4	1	6	7	5	3	9
5	3	9	2	8	4	1	6	7
8	4	1	6	7	5	3	9	2
6	7	5	3	9	2	8	4	1
3	9	2	8	4	1	6	7	5
4	1	6	7	5	3	9	2	8
9	2	8	4	1	6	7	5	3
7	5	3	9	2	8	4	1	6

414

6	3	8	1	7	2	4	9	5
1	9	5	6	8	4	3	2	7
7	4	2	3	9	5	1	8	6
8	6	4	2	1	3	5	7	9
3	2	1	9	5	7	8	6	4
5	7	9	4	6	8	2	3	1
4	8	6	5	3	9	7	1	2
2	1	3	7	4	6	9	5	8
9	5	7	8	2	1	6	4	3

SUDOKU

415

9	5	6	1	3	2	4	7	8
7	3	4	5	6	8	1	2	9
2	8	1	7	4	9	6	3	5
6	9	8	2	7	3	5	4	1
3	1	2	8	5	4	9	6	7
5	4	7	6	9	1	2	8	3
4	6	9	3	1	7	8	5	2
1	2	3	4	8	5	7	9	6
8	7	5	9	2	6	3	1	4

416

5	7	8	4	2	9	1	6	3
4	6	1	5	7	3	8	9	2
2	3	9	1	6	8	7	4	5
3	1	7	6	9	2	5	8	4
6	5	4	8	1	7	2	3	9
9	8	2	3	4	5	6	7	1
7	2	6	9	5	4	3	1	8
1	9	3	2	8	6	4	5	7
8	4	5	7	3	1	9	2	6

417

7	6	1	3	2	5	8	4	9
5	8	2	4	9	6	3	1	7
3	9	4	8	1	7	5	6	2
6	2	8	9	7	4	1	5	3
1	4	7	5	6	3	9	2	8
9	3	5	2	8	1	6	7	4
4	7	9	1	5	8	2	3	6
8	5	6	7	3	2	4	9	1
2	1	3	6	4	9	7	8	5

418

2	4	5	6	3	7	1	8	9
6	3	8	2	1	9	4	5	7
9	7	1	4	8	5	6	3	2
4	8	7	1	5	6	2	9	3
3	2	9	8	7	4	5	1	6
5	1	6	3	9	2	7	4	8
1	6	4	9	2	8	3	7	5
8	5	2	7	4	3	9	6	1
7	9	3	5	6	1	8	2	4

419

9	1	2	5	8	4	7	6	3
8	3	7	1	9	6	5	2	4
5	6	4	2	7	3	8	1	9
2	4	8	3	5	9	1	7	6
1	7	6	4	2	8	9	3	5
3	5	9	6	1	7	4	8	2
7	2	1	9	3	5	6	4	8
6	8	5	7	4	2	3	9	1
4	9	3	8	6	1	2	5	7

420

3	5	7	1	2	9	8	4	6
6	8	4	3	7	5	2	1	9
1	9	2	4	8	6	5	7	3
4	6	8	7	5	3	9	2	1
7	3	5	2	9	1	6	8	4
2	1	9	8	6	4	3	5	7
8	4	6	5	3	7	1	9	2
9	2	1	6	4	8	7	3	5
5	7	3	9	1	2	4	6	8

SUDOKU

421

5	1	8	4	6	7	3	2	9
2	6	3	5	9	8	4	1	7
4	9	7	2	1	3	6	5	8
1	7	2	8	4	9	5	3	6
6	3	9	7	5	1	2	8	4
8	4	5	3	2	6	9	7	1
7	2	4	6	8	5	1	9	3
9	8	6	1	3	2	7	4	5
3	5	1	9	7	4	8	6	2

422

4	5	6	8	1	7	3	9	2
9	1	2	3	6	5	4	8	7
7	3	8	4	2	9	6	5	1
2	7	4	5	3	6	9	1	8
3	6	5	9	8	1	2	7	4
8	9	1	7	4	2	5	3	6
6	2	7	1	9	3	8	4	5
5	4	9	6	7	8	1	2	3
1	8	3	2	5	4	7	6	9

423

8	9	3	1	7	6	4	2	5
1	5	7	8	4	2	3	6	9
6	4	2	3	5	9	8	7	1
2	8	1	9	6	3	7	5	4
5	7	6	4	8	1	2	9	3
9	3	4	5	2	7	6	1	8
7	1	9	2	3	4	5	8	6
4	2	5	6	1	8	9	3	7
3	6	8	7	9	5	1	4	2

424

7	3	6	5	4	8	1	9	2
4	2	1	3	7	9	5	8	6
8	9	5	6	1	2	7	3	4
6	1	9	2	3	5	4	7	8
2	5	4	9	8	7	3	6	1
3	8	7	4	6	1	9	2	5
1	4	8	7	2	3	6	5	9
9	6	3	8	5	4	2	1	7
5	7	2	1	9	6	8	4	3

425

1	4	2	9	8	6	5	3	7
8	5	3	7	2	1	9	6	4
9	6	7	3	5	4	8	2	1
4	7	1	2	3	8	6	5	9
6	3	9	1	4	5	2	7	8
5	2	8	6	7	9	4	1	3
2	9	6	4	1	7	3	8	5
3	1	5	8	9	2	7	4	6
7	8	4	5	6	3	1	9	2

426

8	9	5	7	6	2	1	3	4
1	4	6	5	3	9	7	8	2
7	3	2	1	8	4	5	6	9
6	5	4	8	2	1	9	7	3
2	1	9	3	4	7	8	5	6
3	7	8	6	9	5	4	2	1
4	2	7	9	5	3	6	1	8
5	8	3	4	1	6	2	9	7
9	6	1	2	7	8	3	4	5

SUDOKU

427

2	6	3	7	5	8	1	9	4
9	7	8	4	1	2	5	6	3
4	5	1	9	6	3	7	8	2
6	4	2	3	7	1	9	5	8
3	1	7	8	9	5	4	2	6
5	8	9	2	4	6	3	1	7
8	2	5	1	3	7	6	4	9
1	3	4	6	8	9	2	7	5
7	9	6	5	2	4	8	3	1

428

2	1	3	8	6	9	5	4	7
8	7	9	4	5	1	3	6	2
5	4	6	2	3	7	1	9	8
1	5	4	7	8	6	2	3	9
9	3	2	5	1	4	7	8	6
6	8	7	3	9	2	4	5	1
4	6	1	9	2	3	8	7	5
3	9	5	1	7	8	6	2	4
7	2	8	6	4	5	9	1	3

429

4	8	1	3	2	7	6	9	5
7	2	3	9	6	5	1	8	4
9	5	6	4	1	8	7	2	3
1	9	4	5	8	6	3	7	2
5	7	8	2	4	3	9	6	1
6	3	2	7	0	1	4	5	8
3	4	9	6	5	2	8	1	7
8	6	5	1	7	4	2	3	9
2	1	7	8	3	9	5	4	6

430

3	2	4	1	8	5	6	7	9
9	6	8	7	4	3	5	2	1
7	5	1	9	2	6	4	8	3
8	1	5	3	9	2	7	4	6
2	9	6	5	7	4	1	3	8
4	3	7	6	1	8	9	5	2
5	4	3	2	6	9	8	1	7
1	8	9	4	3	7	2	6	5
6	7	2	8	5	1	3	9	4

431

8	3	6	4	5	9	7	2	1
1	4	9	7	3	2	6	5	8
5	7	2	1	8	6	3	9	4
6	1	7	3	9	8	2	4	5
2	8	3	5	4	7	1	6	9
9	5	4	6	2	1	8	3	7
7	2	1	9	6	5	4	8	3
4	6	5	8	1	3	9	7	2
3	9	8	2	7	4	5	1	6

432

3	7	4	1	6	5	9	8	2
2	8	5	3	9	7	1	6	4
9	1	6	8	4	2	3	5	7
5	9	3	2	8	6	7	4	1
7	4	1	5	3	9	6	2	8
8	6	2	7	1	4	5	3	9
6	3	8	9	2	1	4	7	5
1	2	7	4	5	3	8	9	6
4	5	9	6	7	8	2	1	3

SUDOKU

433

4	9	1	8	5	6	2	7	3
2	7	6	4	1	3	5	8	9
5	8	3	9	7	2	6	4	1
1	5	8	3	2	9	7	6	4
6	3	2	7	4	8	9	1	5
9	4	7	5	6	1	3	2	8
8	6	4	2	9	5	1	3	7
7	1	5	6	3	4	8	9	2
3	2	9	1	8	7	4	5	6

434

2	6	8	7	9	5	1	4	3
9	7	4	3	8	1	2	6	5
5	1	3	4	2	6	7	9	8
3	9	1	6	4	8	5	7	2
6	8	2	5	7	9	3	1	4
7	4	5	2	1	3	9	8	6
8	2	9	1	5	4	6	3	7
1	3	7	8	6	2	4	5	9
4	5	6	9	3	7	8	2	1

435

2	6	9	3	1	4	8	5	7
5	4	1	8	7	6	3	9	2
8	3	7	2	9	5	6	1	4
9	5	4	6	8	1	7	2	3
6	1	3	7	5	2	9	4	8
7	8	2	4	3	9	1	6	5
1	9	8	5	2	7	4	3	6
3	2	6	9	4	8	5	7	1
4	7	5	1	6	3	2	8	9

436

7	4	1	3	2	8	5	6	9
9	5	6	1	7	4	8	3	2
2	8	3	6	9	5	4	1	7
1	7	5	4	3	2	9	8	6
6	9	8	5	1	7	2	4	3
3	2	4	8	6	9	7	5	1
5	1	9	7	4	3	6	2	8
8	6	2	9	5	1	3	7	4
4	3	7	2	8	6	1	9	5

437

1	6	5	9	3	8	7	4	2
8	2	4	1	6	7	3	9	5
3	7	9	2	5	4	6	1	8
4	5	3	6	1	2	8	7	9
7	8	6	4	9	5	1	2	3
9	1	2	8	7	3	4	5	6
2	4	1	3	8	9	5	6	7
5	9	8	7	4	6	2	3	1
6	3	7	5	2	1	9	8	4

438

8	7	4	1	9	2	5	6	3
9	3	1	6	5	7	4	8	2
5	6	2	8	3	4	1	7	9
2	5	6	3	1	9	7	4	8
3	1	9	7	4	8	6	2	5
4	8	7	2	6	5	3	9	1
7	9	5	4	8	3	2	1	6
1	4	8	5	2	6	9	3	7
6	2	3	9	7	1	8	5	4

SUDOKU

439

6	2	3	4	5	1	7	8	9
1	5	9	8	7	3	4	6	2
4	8	7	6	2	9	5	1	3
7	9	6	2	1	4	8	3	5
2	3	1	5	9	8	6	4	7
5	4	8	7	3	6	2	9	1
9	6	2	3	8	7	1	5	4
8	1	5	9	4	2	3	7	6
3	7	4	1	6	5	9	2	8

440

3	5	7	9	4	6	8	2	1
9	2	6	8	3	1	7	4	5
8	1	4	7	2	5	9	3	6
2	9	3	4	5	7	1	6	8
6	8	5	2	1	9	3	7	4
4	7	1	3	6	8	5	9	2
7	3	2	1	8	4	6	5	9
1	6	9	5	7	2	4	8	3
5	4	8	6	9	3	2	1	7

441

4	6	2	5	9	7	3	8	1
1	9	5	2	8	3	4	6	7
3	8	7	6	1	4	5	2	9
2	7	8	3	5	9	1	4	6
6	4	1	8	7	2	9	3	5
5	3	9	1	4	6	8	7	2
8	2	3	9	6	1	7	5	4
7	1	6	4	3	5	2	9	8
9	5	4	7	2	8	6	1	3

442

4	7	5	2	6	9	1	8	3
6	3	9	8	4	1	2	7	5
2	8	1	5	7	3	4	9	6
3	5	8	1	9	2	7	6	4
7	1	4	6	8	5	9	3	2
9	6	2	7	3	4	5	1	8
8	4	6	9	2	7	3	5	1
1	2	7	3	5	6	8	4	9
5	9	3	4	1	8	6	2	7

443

3	8	6	4	2	1	5	9	7
9	1	7	6	5	8	3	4	2
2	4	5	7	3	9	1	8	6
7	3	9	5	8	4	2	6	1
6	5	8	2	1	7	4	3	9
1	2	4	3	9	6	7	5	8
5	6	1	9	7	3	8	2	4
4	7	2	8	6	5	9	1	3
8	9	3	1	4	2	6	7	5

444

9	2	4	3	7	6	5	8	1
1	5	7	2	4	8	9	3	6
3	6	8	5	9	1	2	7	4
5	9	3	7	6	2	1	4	8
8	7	2	1	5	4	6	9	3
6	4	1	9	8	3	7	2	5
4	1	6	8	2	7	3	5	9
2	8	5	6	3	9	4	1	7
7	3	9	4	1	5	8	6	2

SUDOKU

445

1	8	2	5	6	9	7	4	3
5	6	9	3	7	4	1	8	2
4	3	7	1	8	2	9	6	5
6	5	1	2	9	8	4	3	7
2	9	4	7	5	3	8	1	6
8	7	3	4	1	6	2	5	9
9	2	8	6	4	5	3	7	1
7	4	6	9	3	1	5	2	8
3	1	5	8	2	7	6	9	4

446

6	9	2	5	3	8	1	7	4
7	8	1	9	4	2	6	5	3
5	4	3	7	6	1	9	2	8
4	5	7	6	8	9	2	3	1
2	6	9	1	7	3	8	4	5
1	3	8	4	2	5	7	6	9
9	7	6	8	5	4	3	1	2
8	2	5	3	1	7	4	9	6
3	1	4	2	9	6	5	8	7

447

8	1	7	4	2	3	5	6	9
6	2	5	9	7	8	1	4	3
3	9	4	1	5	6	2	8	7
1	3	6	2	4	9	7	5	8
7	4	9	8	3	5	6	1	2
5	8	2	6	1	7	9	3	4
4	5	1	7	8	2	3	9	6
9	7	8	3	6	1	4	2	5
2	6	3	5	9	4	8	7	1

448

6	7	5	4	8	9	1	3	2
9	4	8	3	1	2	6	7	5
3	2	1	5	7	6	8	4	9
4	3	9	8	2	5	7	6	1
8	1	2	6	9	7	4	5	3
7	5	6	1	4	3	9	2	8
1	9	3	2	6	4	5	8	7
2	6	7	9	5	8	3	1	4
5	8	4	7	3	1	2	9	6

449

9	2	4	3	8	7	1	5	6
8	5	1	6	2	9	3	4	7
6	7	3	4	5	1	2	8	9
7	3	6	2	9	4	8	1	5
1	8	5	7	3	6	9	2	4
2	4	9	5	1	8	6	7	3
4	9	8	1	6	5	7	3	2
3	1	7	9	4	2	5	6	8
5	6	2	8	7	3	4	9	1

450

5	8	3	9	7	2	1	4	6
6	7	2	4	1	8	3	9	5
1	4	9	5	3	6	8	7	2
3	5	1	8	9	4	6	2	7
7	2	8	6	5	1	4	3	9
4	9	6	3	2	7	5	8	1
8	6	5	2	4	9	7	1	3
9	1	4	7	6	3	2	5	8
2	3	7	1	8	5	9	6	4

SUDOKU

451

5	9	4	6	2	7	3	1	8
3	2	7	8	1	5	4	6	9
6	1	8	9	4	3	7	5	2
8	4	1	5	3	9	2	7	6
2	7	6	4	8	1	5	9	3
9	5	3	2	7	6	8	4	1
7	6	5	3	9	2	1	8	4
4	3	9	1	5	8	6	2	7
1	8	2	7	6	4	9	3	5

452

9	8	6	7	4	2	1	3	5
1	3	2	6	5	9	8	4	7
5	4	7	3	1	8	9	6	2
6	5	9	4	8	3	7	2	1
3	1	8	5	2	7	4	9	6
7	2	4	1	9	6	5	8	3
2	9	5	8	3	1	6	7	4
4	7	3	9	6	5	2	1	8
8	6	1	2	7	4	3	5	9

453

4	8	3	9	5	6	2	7	1
1	9	7	2	3	4	8	6	5
2	6	5	1	8	7	3	9	4
6	5	2	3	4	8	7	1	9
3	4	8	7	1	9	5	2	6
9	7	1	5	6	2	4	3	8
5	3	9	8	7	1	6	4	2
8	2	6	4	9	3	1	5	7
7	1	4	6	2	5	9	8	3

454

8	2	7	4	6	9	1	5	3
1	4	9	5	2	3	7	6	8
6	3	5	8	7	1	4	2	9
7	1	4	2	8	6	9	3	5
5	6	3	9	1	7	2	8	4
9	8	2	3	5	4	6	1	7
4	5	8	1	9	2	3	7	6
3	7	1	6	4	8	5	9	2
2	9	6	7	3	5	8	4	1

455

9	1	8	4	5	7	3	6	2
3	6	7	9	2	8	1	4	5
4	2	5	3	1	6	8	9	7
7	3	1	2	4	5	6	8	9
2	9	4	6	8	1	5	7	3
8	5	6	7	9	3	2	1	4
5	8	3	1	7	9	4	2	6
6	4	9	8	3	2	7	5	1
1	7	2	5	6	4	9	3	8

456

2	5	1	4	3	6	9	7	8
7	9	3	2	5	8	6	4	1
6	8	4	9	1	7	3	5	2
4	7	6	3	2	1	8	9	5
9	3	2	7	8	5	1	6	4
5	1	8	6	4	9	2	3	7
8	2	9	5	6	4	7	1	3
1	6	5	8	7	3	4	2	9
3	4	7	1	9	2	5	8	6

SUDOKU

457

7	8	9	4	6	2	5	1	3
5	2	1	7	8	3	6	4	9
6	4	3	5	9	1	2	8	7
8	3	5	6	2	7	1	9	4
1	9	7	8	4	5	3	6	2
4	6	2	3	1	9	8	7	5
2	7	8	1	3	4	9	5	6
9	1	4	2	5	6	7	3	8
3	5	6	9	7	8	4	2	1

458

2	8	7	9	4	1	5	6	3
6	3	1	7	5	8	9	2	4
9	5	4	3	6	2	1	7	8
4	9	8	6	3	7	2	5	1
3	1	6	2	9	5	4	8	7
5	7	2	1	8	4	3	9	6
8	6	5	4	1	9	7	3	2
1	2	9	8	7	3	6	4	5
7	4	3	5	2	6	8	1	9

459

8	4	7	9	3	1	2	5	6
5	9	6	2	4	8	3	7	1
3	2	1	6	5	7	9	4	8
7	8	5	1	2	4	6	3	9
2	6	3	8	9	5	4	1	7
9	1	4	7	6	3	5	8	2
4	7	2	5	1	6	8	9	3
6	5	8	3	7	9	1	2	4
1	3	9	4	8	2	7	6	5

460

2	8	5	4	7	9	1	6	3
3	1	6	8	2	5	4	9	7
7	4	9	1	3	6	8	5	2
9	7	8	3	6	4	2	1	5
5	2	1	7	9	8	3	4	6
6	3	4	2	5	1	7	8	9
4	6	7	5	1	3	9	2	8
8	9	2	6	4	7	5	3	1
1	5	3	9	8	2	6	7	4

461

1	7	3	8	6	5	4	2	9
6	4	5	1	9	2	8	7	3
8	2	9	3	7	4	6	5	1
2	9	6	4	3	8	5	1	7
3	8	1	2	5	7	9	6	4
7	5	4	6	1	9	2	3	8
5	1	2	9	4	3	7	8	6
4	3	8	7	2	6	1	9	5
9	6	7	5	8	1	3	4	2

462

6	5	1	4	7	8	9	2	3
3	9	2	5	1	6	7	8	4
8	4	7	3	9	2	5	1	6
9	2	3	1	6	5	8	4	7
5	1	6	7	8	4	2	3	9
4	7	8	9	2	3	1	6	5
2	3	9	6	5	1	4	7	8
7	8	4	2	3	9	6	5	1
1	6	5	8	4	7	3	9	2

SUDOKU

463

6	2	7	8	4	5	1	3	9
4	3	9	6	1	2	7	8	5
8	1	5	3	7	9	4	6	2
1	5	3	4	2	8	6	9	7
2	9	8	7	5	6	3	4	1
7	4	6	1	9	3	2	5	8
3	7	4	5	8	1	9	2	6
9	8	1	2	6	4	5	7	3
5	6	2	9	3	7	8	1	4

464

5	3	2	4	7	9	8	6	1
8	9	6	3	5	1	7	4	2
7	4	1	2	6	8	3	9	5
9	8	4	5	2	3	1	7	6
2	7	5	1	9	6	4	3	8
1	6	3	7	8	4	2	5	9
4	2	9	6	1	7	5	8	3
3	5	8	9	4	2	6	1	7
6	1	7	8	3	5	9	2	4

465

3	2	6	4	9	8	5	1	7
5	8	9	2	1	7	4	3	6
4	1	7	3	6	5	9	2	8
9	5	8	6	7	3	1	4	2
1	7	2	8	4	9	3	6	5
6	4	3	1	5	2	8	7	9
2	9	4	7	8	1	6	5	3
7	6	5	9	3	4	2	8	1
8	3	1	5	2	6	7	9	4

466

7	6	3	9	2	5	4	1	8
4	9	2	8	6	1	7	5	3
5	1	8	3	4	7	9	2	6
3	5	9	6	8	4	1	7	2
8	4	7	1	5	2	6	3	9
6	2	1	7	9	3	5	8	4
2	8	5	4	7	6	3	9	1
1	7	6	2	3	9	8	4	5
9	3	4	5	1	8	2	6	7

467

2	9	6	1	4	8	7	5	3
5	4	7	6	2	3	1	9	8
8	1	3	5	7	9	2	4	6
4	6	2	8	3	1	9	7	5
7	3	8	9	5	4	6	1	2
9	5	1	2	6	7	8	3	4
1	7	5	3	8	6	4	2	9
6	2	9	4	1	5	3	8	7
3	8	4	7	9	2	5	6	1

468

7	3	9	5	2	8	4	1	6
4	2	8	6	1	3	7	5	9
5	6	1	4	9	7	8	3	2
2	7	4	1	8	6	3	9	5
1	9	5	7	3	4	2	6	8
3	8	6	9	5	2	1	4	7
8	5	7	3	6	1	9	2	4
6	1	2	8	4	9	5	7	3
9	4	3	2	7	5	6	8	1

469

6	9	2	7	1	3	5	4	8
8	7	1	4	5	9	2	6	3
4	3	5	2	8	6	1	9	7
5	2	7	6	4	8	3	1	9
1	4	9	3	7	5	6	8	2
3	8	6	1	9	2	4	7	5
2	5	8	9	6	1	7	3	4
7	6	3	8	2	4	9	5	1
9	1	4	5	3	7	8	2	6

470

2	3	5	9	6	7	1	8	4
4	1	9	8	3	2	7	5	6
8	6	7	4	5	1	9	3	2
9	4	1	6	7	8	3	2	5
3	5	2	1	4	9	8	6	7
7	8	6	3	2	5	4	1	9
6	9	3	5	1	4	2	7	8
5	7	8	2	9	3	6	4	1
1	2	4	7	8	6	5	9	3

471

2	3	1	4	7	8	6	5	9
8	4	7	9	6	5	1	2	3
5	9	6	3	1	2	7	8	4
7	2	4	8	9	6	3	1	5
6	8	9	5	3	1	4	7	2
1	5	3	2	4	7	9	6	8
9	7	8	6	5	3	2	4	1
3	6	5	1	2	4	8	9	7
4	1	2	7	8	9	5	3	6

472

3	2	4	8	9	6	7	5	1
5	9	6	1	7	3	8	2	4
1	8	7	2	4	5	6	3	9
8	7	9	5	2	1	3	4	6
4	1	2	6	3	7	5	9	8
6	5	3	4	8	9	2	1	7
2	6	5	9	1	8	4	7	3
7	4	1	3	6	2	9	8	5
9	3	8	7	5	4	1	6	2

473

5	3	8	9	7	4	1	6	2
1	4	9	6	2	3	8	5	7
6	2	7	1	5	8	3	4	9
7	5	2	4	1	9	6	8	3
9	6	4	8	3	2	7	1	5
8	1	3	5	6	7	9	2	4
2	8	6	7	9	5	4	3	1
4	9	5	3	8	1	2	7	6
3	7	1	2	4	6	5	9	8

474

1	6	9	8	2	3	5	4	7
8	4	5	9	7	1	6	2	3
3	7	2	6	4	5	9	1	8
9	1	8	4	5	7	3	6	2
6	2	3	1	9	8	4	7	5
4	5	7	2	3	6	8	9	1
2	9	1	5	8	4	7	3	6
5	3	6	7	1	9	2	8	4
7	8	4	3	6	2	1	5	9

SUDOKU

475

8	4	1	7	6	3	9	2	5
5	3	2	8	1	9	4	7	6
9	7	6	2	4	5	1	3	8
3	2	5	9	7	6	8	1	4
1	8	4	3	5	2	6	9	7
7	6	9	4	8	1	2	5	3
6	1	3	5	2	4	7	8	9
4	9	7	1	3	8	5	6	2
2	5	8	6	9	7	3	4	1

476

7	1	3	5	4	2	9	8	6
6	5	2	3	9	8	7	4	1
4	8	9	1	6	7	5	3	2
3	9	4	2	7	1	6	5	8
8	2	6	9	3	5	1	7	4
1	7	5	4	8	6	2	9	3
5	6	7	8	2	4	3	1	9
9	4	1	6	5	3	8	2	7
2	3	8	7	1	9	4	6	5

477

9	4	7	1	2	3	6	5	8
6	2	8	5	7	4	1	9	3
3	1	5	8	6	9	2	4	7
7	6	2	3	5	1	9	8	4
8	3	1	4	9	6	7	2	5
5	9	4	7	8	2	3	1	6
1	7	3	9	4	5	8	6	2
4	8	6	2	1	7	5	3	9
2	5	9	6	3	8	4	7	1

478

8	2	4	9	6	7	3	5	1
6	7	5	3	1	2	9	4	8
3	9	1	4	5	8	6	7	2
7	3	2	8	9	4	5	1	6
9	5	6	7	2	1	4	8	3
1	4	8	6	3	5	7	2	9
4	6	7	1	8	3	2	9	5
5	1	3	2	7	9	8	6	4
2	8	9	5	4	6	1	3	7

479

9	1	3	8	4	2	5	7	6
8	4	5	7	6	1	2	9	3
2	7	6	9	5	3	8	4	1
4	2	8	6	3	9	7	1	5
1	6	7	5	2	8	9	3	4
3	5	9	4	1	7	6	2	8
7	8	4	3	9	5	1	6	2
5	3	2	1	7	6	4	8	9
6	9	1	2	8	4	3	5	7

480

8	3	9	5	1	6	4	7	2
6	7	1	4	3	2	8	9	5
4	5	2	7	9	8	6	1	3
2	1	3	8	4	9	7	5	6
7	9	4	6	5	1	2	3	8
5	6	8	3	2	7	9	4	1
1	2	5	9	6	4	3	8	7
3	4	7	2	8	5	1	6	9
9	8	6	1	7	3	5	2	4

SUDOKU

481

9	7	3	5	8	2	4	6	1
2	5	6	4	3	1	7	9	8
1	4	8	7	6	9	3	2	5
7	9	5	1	4	8	2	3	6
6	8	1	2	7	3	9	5	4
4	3	2	9	5	6	1	8	7
8	6	9	3	1	4	5	7	2
5	2	4	8	9	7	6	1	3
3	1	7	6	2	5	8	4	9

482

9	1	8	6	7	4	3	2	5
3	7	2	9	5	1	6	4	8
5	6	4	3	8	2	9	1	7
1	3	7	2	6	8	5	9	4
2	9	6	4	3	5	7	8	1
4	8	5	1	9	7	2	3	6
6	4	3	5	1	9	8	7	2
8	5	1	7	2	3	4	6	9
7	2	9	8	4	6	1	5	3

483

7	6	1	3	4	2	8	5	9
2	4	3	9	5	8	6	1	7
9	8	5	1	6	7	2	4	3
5	9	8	6	7	1	3	2	4
1	7	6	4	2	3	9	8	5
3	2	4	5	8	9	7	6	1
4	3	2	8	9	5	1	7	6
8	5	9	7	1	6	4	3	2
6	1	7	2	3	4	5	9	8

484

4	8	1	5	9	7	6	3	2
2	7	9	3	1	6	8	5	4
6	3	5	2	8	4	9	7	1
3	2	6	9	7	1	5	4	8
5	4	8	6	3	2	1	9	7
9	1	7	8	4	5	3	2	6
1	9	2	4	5	8	7	6	3
7	5	4	1	6	3	2	8	9
8	6	3	7	2	9	4	1	5

485

7	9	6	1	3	4	8	2	5
1	5	8	2	6	9	4	7	3
3	2	4	8	7	5	1	9	6
4	3	7	6	9	1	2	5	8
6	1	9	5	8	2	3	4	7
5	8	2	3	4	7	9	6	1
9	4	1	7	5	8	6	3	2
2	7	3	9	1	6	5	8	4
8	6	5	4	2	3	7	1	9

486

9	2	7	6	1	4	5	8	3
8	3	1	7	2	5	9	4	6
6	5	4	9	8	3	7	1	2
5	7	9	1	3	2	4	6	8
3	4	6	8	9	7	1	2	5
2	1	8	4	5	6	3	9	7
4	6	2	5	7	9	8	3	1
7	8	3	2	4	1	6	5	9
1	9	5	3	6	8	2	7	4

SUDOKU

487

8	6	5	9	3	1	2	4	7
4	3	7	2	8	5	6	9	1
2	1	9	7	6	4	5	3	8
7	9	1	6	5	3	8	2	4
3	5	4	8	2	7	1	6	9
6	2	8	4	1	9	7	5	3
5	4	2	1	9	8	3	7	6
9	8	6	3	7	2	4	1	5
1	7	3	5	4	6	9	8	2

488

3	6	2	9	5	7	1	8	4
1	4	5	2	8	3	7	6	9
8	7	9	4	1	6	2	5	3
7	2	6	5	3	9	8	4	1
4	9	3	8	7	1	6	2	5
5	1	8	6	2	4	9	3	7
6	5	4	7	9	2	3	1	8
9	8	1	3	6	5	4	7	2
2	3	7	1	4	8	5	9	6

489

6	4	2	5	9	8	7	3	1
3	8	9	7	1	2	4	6	5
5	1	7	4	3	6	8	2	9
7	9	3	6	4	1	2	5	8
2	6	4	9	8	5	3	1	7
1	5	8	3	2	7	9	4	6
9	2	5	1	7	3	6	8	4
8	7	6	2	5	4	1	9	3
4	3	1	8	6	9	5	7	2

490

8	6	1	5	4	9	7	3	2
3	4	9	2	1	7	5	6	8
2	7	5	3	6	8	9	1	4
5	2	7	4	9	3	6	8	1
6	1	8	7	2	5	3	4	9
9	3	4	6	8	1	2	7	5
1	9	3	8	5	6	4	2	7
4	5	6	1	7	2	8	9	3
7	8	2	9	3	4	1	5	6

491

7	6	5	1	4	3	9	2	8
9	8	3	7	2	5	6	4	1
4	2	1	8	9	6	7	5	3
6	1	2	9	8	4	5	3	7
3	7	4	6	5	2	1	8	9
5	9	8	3	7	1	2	6	4
8	3	6	2	1	7	4	9	5
1	4	9	5	6	8	3	7	2
2	5	7	4	3	9	8	1	6

492

8	7	5	1	6	2	4	3	9
6	2	9	5	3	4	8	7	1
3	4	1	8	9	7	2	5	6
2	1	7	9	8	5	6	4	3
5	3	8	4	7	6	1	9	2
9	6	4	2	1	3	7	8	5
7	9	2	6	5	8	3	1	4
4	5	3	7	2	1	9	6	8
1	8	6	3	4	9	5	2	7

SUDOKU

493

7	8	1	2	3	9	5	4	6
4	9	2	6	8	5	1	3	7
6	5	3	4	1	7	9	8	2
3	2	9	7	6	8	4	1	5
8	6	5	9	4	1	2	7	3
1	7	4	5	2	3	6	9	8
2	3	6	1	7	4	8	5	9
9	1	7	8	5	6	3	2	4
5	4	8	3	9	2	7	6	1

494

9	2	7	1	5	8	4	3	6
4	1	6	7	3	9	5	8	2
5	8	3	4	6	2	1	7	9
6	7	9	5	4	3	8	2	1
1	3	5	8	2	6	7	9	4
8	4	2	9	1	7	3	6	5
3	6	4	2	8	1	9	5	7
7	5	8	6	9	4	2	1	3
2	9	1	3	7	5	6	4	8

495

2	1	8	5	9	6	4	7	3
4	9	6	3	2	7	8	5	1
7	5	3	8	1	4	9	2	6
3	7	9	2	4	8	6	1	5
1	8	2	9	6	5	3	4	7
5	6	4	7	3	1	2	8	9
9	2	1	4	5	3	7	6	8
6	3	7	1	8	2	5	9	4
8	4	5	6	7	9	1	3	2

496

9	2	6	5	3	8	4	1	7
1	5	4	2	6	7	3	9	8
8	3	7	1	9	4	2	6	5
7	8	5	3	2	9	6	4	1
4	1	2	8	7	6	5	3	9
6	9	3	4	5	1	8	7	2
5	7	9	6	4	2	1	8	3
3	4	1	7	8	5	9	2	6
2	6	8	9	1	3	7	5	4

497

2	3	7	4	1	8	9	5	6
5	8	6	3	9	2	4	1	7
4	9	1	5	6	7	2	8	3
7	4	8	6	5	3	1	2	9
3	1	5	2	4	9	6	7	8
9	6	2	8	7	1	3	4	5
1	5	3	7	2	6	8	9	4
6	7	9	1	8	4	5	3	2
8	2	4	9	3	5	7	6	1

498

8	9	4	6	2	5	7	3	1
5	3	2	7	1	9	4	8	6
7	1	6	4	8	3	2	5	9
6	2	7	8	3	1	5	9	4
3	5	9	2	7	4	1	6	8
1	4	8	9	5	6	3	2	7
9	6	5	1	4	2	8	7	3
2	8	1	3	9	7	6	4	5
4	7	3	5	6	8	9	1	2

SUDOKU

499

2	3	8	6	7	1	9	5	4
9	1	6	4	5	2	8	3	7
5	4	7	3	9	8	1	2	6
8	5	3	1	4	9	7	6	2
4	9	1	2	6	7	3	8	5
6	7	2	8	3	5	4	9	1
3	6	5	7	8	4	2	1	9
7	2	9	5	1	3	6	4	8
1	8	4	9	2	6	5	7	3

500

6	5	8	3	1	9	4	2	7
3	7	4	2	5	8	1	6	9
9	1	2	4	6	7	8	5	3
1	2	9	5	8	6	3	7	4
8	6	5	7	4	3	9	1	2
7	4	3	1	9	2	6	8	5
5	3	1	6	7	4	2	9	8
2	9	6	8	3	5	7	4	1
4	8	7	9	2	1	5	3	6

501

6	9	4	7	2	5	1	3	8
7	1	8	4	3	6	9	5	2
3	2	5	9	1	8	6	4	7
5	7	9	6	8	1	3	2	4
2	8	6	3	5	4	7	1	9
1	4	3	2	9	7	8	6	5
8	6	2	1	4	9	5	7	3
9	3	1	5	7	2	4	8	6
4	5	7	8	6	3	2	9	1

502

2	9	8	5	7	4	1	3	6
3	5	6	1	9	2	7	8	4
7	1	4	6	3	8	5	9	2
5	4	9	8	6	7	3	2	1
1	6	7	2	5	3	9	4	8
8	2	3	4	1	9	6	7	5
9	8	1	3	4	6	2	5	7
6	3	2	7	8	5	4	1	9
4	7	5	9	2	1	8	6	3

503

5	8	7	3	2	1	4	9	6
3	2	9	6	5	4	1	8	7
4	1	6	7	9	8	5	3	2
8	4	2	9	7	5	6	1	3
9	6	3	8	1	2	7	5	4
1	7	5	4	3	6	9	2	8
7	5	1	2	6	3	8	4	9
6	3	8	5	4	9	2	7	1
2	9	4	1	8	7	3	6	5

504

6	3	8	1	7	9	4	2	5
5	2	1	8	6	4	3	7	9
7	4	9	5	2	3	6	1	8
1	5	7	2	3	8	9	6	4
3	9	6	7	4	5	2	8	1
4	8	2	6	9	1	7	5	3
9	7	5	4	1	6	8	3	2
8	6	4	3	5	2	1	9	7
2	1	3	9	8	7	5	4	6

SUDOKU

505

5	9	4	8	2	7	6	3	1
8	2	6	9	1	3	4	7	5
7	3	1	6	5	4	8	2	9
6	7	3	2	8	5	1	9	4
9	8	2	1	4	6	7	5	3
1	4	5	3	7	9	2	8	6
4	6	9	7	3	8	5	1	2
3	1	7	5	6	2	9	4	8
2	5	8	4	9	1	3	6	7

506

3	4	6	2	9	1	8	7	5
7	1	8	5	6	4	3	9	2
9	5	2	3	7	8	4	6	1
8	6	1	9	4	5	7	2	3
2	7	4	8	3	6	5	1	9
5	9	3	7	1	2	6	8	4
1	2	5	6	8	3	9	4	7
6	3	9	4	2	7	1	5	8
4	8	7	1	5	9	2	3	6

507

9	7	1	8	6	3	5	2	4
6	2	8	5	4	9	1	3	7
5	3	4	7	2	1	9	8	6
7	8	3	4	5	6	2	9	1
1	9	6	3	8	2	4	7	5
4	5	2	1	9	7	8	6	3
2	1	9	6	3	4	7	5	8
3	4	5	2	7	8	6	1	9
8	6	7	9	1	5	3	4	2

508

5	4	1	3	8	9	6	7	2
2	3	7	4	5	6	9	1	8
9	6	8	2	1	7	5	4	3
8	7	2	1	9	5	4	3	6
6	1	5	8	3	4	7	2	9
4	9	3	7	6	2	1	8	5
7	5	4	9	2	8	3	6	1
3	2	6	5	7	1	8	9	4
1	8	9	6	4	3	2	5	7

509

7	9	4	3	1	2	8	5	6
5	8	1	7	9	6	2	4	3
3	6	2	4	8	5	7	1	9
2	3	8	1	5	7	9	6	4
1	7	5	9	6	4	3	8	2
9	4	6	8	2	3	1	7	5
4	5	3	2	7	8	6	9	1
8	2	9	6	4	1	5	3	7
6	1	7	5	3	9	4	2	8

510

5	4	3	2	9	1	6	8	7
8	1	9	7	6	5	2	4	3
2	7	6	3	4	8	5	1	9
3	8	5	9	1	2	4	7	6
9	2	1	4	7	6	3	5	8
7	6	4	5	8	3	1	9	2
1	5	2	8	3	9	7	6	4
4	3	8	6	5	7	9	2	1
6	9	7	1	2	4	8	3	5

SUDOKU

511

4	1	2	3	6	8	5	7	9
3	6	5	1	7	9	2	4	8
7	8	9	4	2	5	3	6	1
6	3	4	5	1	2	8	9	7
1	9	7	6	8	3	4	5	2
5	2	8	9	4	7	1	3	6
2	5	3	8	9	6	7	1	4
9	7	1	2	3	4	6	8	5
8	4	6	7	5	1	9	2	3

512

7	9	5	1	4	2	3	6	8
2	1	8	5	3	6	7	4	9
4	6	3	8	7	9	1	5	2
3	5	6	2	8	7	4	9	1
8	2	7	9	1	4	6	3	5
1	4	9	6	5	3	8	2	7
6	8	1	4	9	5	2	7	3
5	7	4	3	2	1	9	8	6
9	3	2	7	6	8	5	1	4

513

8	1	3	2	6	9	7	5	4
9	2	6	7	5	4	8	1	3
4	5	7	8	1	3	6	9	2
6	9	2	1	7	8	3	4	5
5	3	1	9	4	6	2	7	8
7	4	8	5	3	2	9	6	1
3	6	9	4	2	5	1	8	7
2	7	5	6	8	1	4	3	9
1	8	4	3	9	7	5	2	6

514

6	1	8	5	4	3	2	9	7
9	7	2	8	1	6	3	4	5
5	3	4	9	2	7	1	8	6
2	9	7	1	6	8	5	3	4
4	5	3	2	7	9	6	1	8
8	6	1	4	3	5	7	2	9
3	4	5	7	9	2	8	6	1
1	8	6	3	5	4	9	7	2
7	2	9	6	8	1	4	5	3

515

1	6	3	8	4	5	9	2	7
4	5	8	2	7	9	1	6	3
9	2	7	3	1	6	5	8	4
2	7	9	1	6	3	8	4	5
6	3	1	4	5	8	2	7	9
5	8	4	7	9	2	6	3	1
8	4	5	9	2	7	3	1	6
7	9	2	6	3	1	4	5	8
3	1	6	5	8	4	7	9	2

516

5	8	6	3	9	7	4	2	1
3	4	1	2	5	8	7	6	9
2	7	9	6	4	1	3	5	8
7	6	8	1	3	4	2	9	5
4	2	3	5	6	9	1	8	7
9	1	5	7	8	2	6	4	3
6	3	2	9	7	5	8	1	4
1	9	4	8	2	3	5	7	6
8	5	7	4	1	6	9	3	2

SUDOKU

517

4	3	8	2	5	1	9	7	6
7	9	1	3	8	6	4	2	5
5	2	6	4	7	9	3	8	1
8	6	9	5	1	3	7	4	2
3	4	5	7	6	2	8	1	9
2	1	7	8	9	4	5	6	3
6	8	2	9	3	7	1	5	4
9	7	4	1	2	5	6	3	8
1	5	3	6	4	8	2	9	7

518

5	1	6	3	4	9	7	8	2
3	7	4	6	2	8	1	5	9
8	9	2	5	7	1	6	4	3
9	6	8	1	5	4	3	2	7
7	4	3	2	8	6	9	1	5
2	5	1	7	9	3	4	6	8
1	8	5	4	3	7	2	9	6
6	3	9	8	1	2	5	7	4
4	2	7	9	6	5	8	3	1

519

9	3	4	5	6	1	7	2	8
7	1	6	8	2	3	5	4	9
5	2	8	4	9	7	3	1	6
1	6	5	7	3	8	4	9	2
8	7	3	2	4	9	6	5	1
2	4	9	6	1	5	8	3	7
6	5	1	9	7	4	2	8	3
4	9	2	3	8	6	1	7	5
3	8	7	1	5	2	9	6	4

520

5	4	2	6	1	9	3	7	8
1	7	6	8	5	3	2	9	4
3	8	9	4	7	2	6	5	1
9	6	1	5	3	4	7	8	2
4	2	7	1	9	8	5	6	3
8	3	5	7	2	6	4	1	9
6	1	8	2	4	7	9	3	5
7	9	4	3	8	5	1	2	6
2	5	3	9	6	1	8	4	7

521

4	3	6	9	7	2	8	5	1
8	5	1	4	3	6	7	2	9
2	9	7	8	5	1	6	3	4
5	7	9	2	8	3	1	4	6
1	6	2	7	4	9	5	8	3
3	4	8	1	6	5	2	9	7
6	1	5	3	2	4	9	7	8
9	8	4	5	1	7	3	6	2
7	2	3	6	9	8	4	1	5

522

2	3	4	5	9	8	7	6	1
1	6	5	2	7	4	8	9	3
9	7	8	3	6	1	5	4	2
7	1	6	9	8	3	4	2	5
8	9	3	4	2	5	1	7	6
5	4	2	6	1	7	9	3	8
4	2	9	1	5	6	3	8	7
3	8	1	7	4	2	6	5	9
6	5	7	8	3	9	2	1	4

SUDOKU

523

3	6	5	1	8	9	2	7	4
8	4	7	3	2	5	1	6	9
9	2	1	6	7	4	8	3	5
5	9	8	2	4	3	6	1	7
6	7	4	9	1	8	3	5	2
1	3	2	7	5	6	9	4	8
7	8	3	4	6	2	5	9	1
2	1	6	5	9	7	4	8	3
4	5	9	8	3	1	7	2	6

524

7	9	5	2	4	6	8	1	3
2	4	8	3	5	1	7	6	9
6	3	1	8	7	9	4	5	2
5	7	2	1	3	4	9	8	6
3	1	6	7	9	8	2	4	5
9	8	4	5	6	2	1	3	7
4	5	3	9	1	7	6	2	8
8	6	7	4	2	5	3	9	1
1	2	9	6	8	3	5	7	4

525

9	2	5	8	4	7	3	1	6
6	7	1	3	5	9	4	8	2
8	3	4	1	6	2	7	5	9
4	8	6	7	2	1	9	3	5
3	5	9	6	8	4	1	2	7
2	1	7	5	9	3	6	4	8
7	9	3	2	1	5	8	6	4
5	4	8	9	3	6	2	7	1
1	6	2	4	7	8	5	9	3

526

3	2	5	1	9	7	4	6	8
9	1	7	4	8	6	2	5	3
8	4	6	2	3	5	1	7	9
2	6	3	5	1	9	7	8	4
1	5	9	7	4	8	6	3	2
4	7	8	6	2	3	5	9	1
6	8	2	3	5	1	9	4	7
5	3	1	9	7	4	8	2	6
7	9	4	8	6	2	3	1	5

527

4	8	3	6	7	2	9	5	1
9	1	2	5	8	3	4	6	7
5	6	7	1	9	4	2	8	3
1	2	8	4	3	5	6	7	9
7	9	5	8	1	6	3	4	2
6	3	4	7	2	9	8	1	5
3	5	6	2	4	1	7	9	8
8	4	9	3	5	7	1	2	6
2	7	1	9	6	8	5	3	4

528

1	4	8	7	3	6	2	9	5
2	5	7	9	4	1	6	3	8
9	6	3	8	2	5	1	7	4
6	9	5	1	8	4	3	2	7
8	7	4	3	9	2	5	6	1
3	1	2	5	6	7	8	4	9
5	3	6	4	1	9	7	8	2
7	8	9	2	5	3	4	1	6
4	2	1	6	7	8	9	5	3

SUDOKU

529

4	9	2	7	3	8	6	5	1
3	8	1	9	5	6	4	2	7
6	5	7	2	4	1	8	9	3
2	7	4	5	1	9	3	6	8
9	6	5	8	7	3	1	4	2
8	1	3	4	6	2	9	7	5
7	3	9	6	8	5	2	1	4
1	4	6	3	2	7	5	8	9
5	2	8	1	9	4	7	3	6

530

5	8	2	4	1	6	7	3	9
1	6	3	9	7	5	2	8	4
9	7	4	8	2	3	1	5	6
3	2	5	6	9	4	8	1	7
6	9	7	1	8	2	5	4	3
4	1	8	3	5	7	9	6	2
7	4	9	5	3	1	6	2	8
8	5	6	2	4	9	3	7	1
2	3	1	7	6	8	4	9	5

531

9	1	7	6	2	8	4	3	5
3	5	6	7	4	9	8	2	1
4	8	2	5	1	3	7	9	6
1	6	9	3	8	5	2	7	4
8	4	3	2	6	7	1	5	9
2	7	5	1	9	4	6	8	3
7	3	8	4	5	1	9	6	2
6	9	1	8	3	2	5	4	7
5	2	4	9	7	6	3	1	8

532

7	5	2	8	3	9	1	6	4
4	1	6	5	2	7	3	9	8
9	8	3	4	1	6	5	2	7
6	4	1	7	5	2	8	3	9
2	7	5	9	8	3	4	1	6
3	9	8	6	4	1	7	5	2
1	6	4	2	7	5	9	8	3
8	3	9	1	6	4	2	7	5
5	2	7	3	9	8	6	4	1

533

7	4	6	9	3	5	8	1	2
5	3	8	1	2	4	6	7	9
2	9	1	6	7	8	3	5	4
4	1	3	7	5	6	2	9	8
9	2	7	4	8	3	1	6	5
8	6	5	2	9	1	7	4	3
3	7	4	5	1	2	9	8	6
1	5	2	8	6	9	4	3	7
6	8	9	3	4	7	5	2	1

534

5	3	7	6	4	1	2	9	8
2	4	6	7	9	8	5	3	1
8	1	9	5	2	3	4	6	7
4	9	2	3	7	5	1	8	6
3	6	5	8	1	4	9	7	2
1	7	8	9	6	2	3	4	5
7	2	1	4	3	6	8	5	9
6	8	4	2	5	9	7	1	3
9	5	3	1	8	7	6	2	4

SUDOKU

535

4	9	1	7	8	6	3	2	5
3	2	5	9	1	4	8	6	7
6	7	8	5	3	2	4	9	1
7	8	6	3	2	5	9	1	4
9	1	4	8	6	7	2	5	3
2	5	3	1	4	9	6	7	8
5	3	2	4	9	1	7	8	6
8	6	7	2	5	3	1	4	9
1	4	9	6	7	8	5	3	2

536

9	2	3	7	4	8	1	5	6
1	7	8	5	6	2	9	4	3
5	6	4	3	9	1	7	2	8
4	1	7	2	8	6	5	3	9
3	9	2	1	5	4	8	6	7
6	8	5	9	3	7	4	1	2
8	4	9	6	2	5	3	7	1
7	3	6	4	1	9	2	8	5
2	5	1	8	7	3	6	9	4

537

5	6	2	8	1	3	7	4	9
9	3	7	4	5	2	1	8	6
1	8	4	9	7	6	2	5	3
2	1	6	3	8	9	5	7	4
4	5	3	2	6	7	8	9	1
7	9	8	1	4	5	6	3	2
3	4	5	6	2	8	9	1	7
8	2	9	7	3	1	4	6	5
6	7	1	5	9	4	3	2	8

538

2	4	6	1	9	5	7	8	3
9	7	5	6	8	3	4	1	2
3	8	1	4	7	2	5	9	6
1	5	9	7	2	6	8	3	4
4	3	8	5	1	9	2	6	7
7	6	2	3	4	8	9	5	1
6	2	3	9	5	7	1	4	8
5	1	7	8	3	4	6	2	9
8	9	4	2	6	1	3	7	5

539

4	6	3	8	7	5	2	9	1
5	1	9	4	6	2	8	7	3
2	7	8	9	1	3	5	4	6
7	4	2	5	3	1	6	8	9
6	3	1	2	8	9	7	5	4
9	8	5	6	4	7	1	3	2
3	9	7	1	2	8	4	6	5
8	2	6	3	5	4	9	1	7
1	5	4	7	9	6	3	2	8

540

2	7	5	6	8	9	3	4	1
1	8	4	7	2	3	9	5	6
6	9	3	4	1	5	7	8	2
4	2	6	9	7	8	1	3	5
3	1	7	5	4	2	8	6	9
9	5	8	1	3	6	4	2	7
7	3	1	2	5	4	6	9	8
5	4	9	8	6	7	2	1	3
8	6	2	3	9	1	5	7	4

SUDOKU

541

9	2	6	1	5	7	3	8	4
3	7	5	4	8	6	1	9	2
1	4	8	3	9	2	5	7	6
8	1	7	6	4	9	2	3	5
5	6	2	7	3	8	4	1	9
4	3	9	2	1	5	7	6	8
6	8	4	5	7	1	9	2	3
7	9	3	8	2	4	6	5	1
2	5	1	9	6	3	8	4	7

542

4	2	1	3	6	9	8	7	5
5	6	7	8	4	2	3	1	9
9	3	8	1	5	7	2	6	4
7	4	9	6	2	3	5	8	1
8	5	2	4	7	1	6	9	3
3	1	6	9	8	5	7	4	2
2	8	5	7	1	4	9	3	6
1	7	3	2	9	6	4	5	8
6	9	4	5	3	8	1	2	7

543

6	9	8	4	3	5	1	7	2
4	2	5	7	8	1	9	6	3
3	1	7	6	2	9	5	4	8
1	3	2	5	4	8	6	9	7
9	7	4	1	6	3	2	8	5
5	8	6	9	7	2	4	3	1
7	6	1	3	5	4	8	2	9
8	4	9	2	1	7	3	5	6
2	5	3	8	9	6	7	1	4

544

7	9	6	1	5	4	2	3	8
3	5	4	8	2	9	1	7	6
1	2	8	7	3	6	4	9	5
9	8	1	5	6	7	3	4	2
5	4	3	9	8	2	6	1	7
6	7	2	4	1	3	8	5	9
8	6	7	3	4	5	9	2	1
4	1	9	2	7	8	5	6	3
2	3	5	6	9	1	7	8	4

545

3	9	7	1	2	4	8	6	5
5	6	8	9	7	3	1	2	4
1	2	4	5	6	8	7	3	9
2	7	9	3	1	6	4	5	8
4	8	3	7	5	9	2	1	6
6	5	1	4	8	2	3	9	7
9	1	5	2	4	7	6	8	3
7	3	6	8	9	1	5	4	2
8	4	2	6	3	5	9	7	1

546

9	3	8	5	2	7	6	4	1
2	5	4	3	6	1	8	7	9
6	1	7	9	8	4	3	2	5
7	8	5	2	1	3	9	6	4
4	2	1	6	7	9	5	8	3
3	6	9	8	4	5	2	1	7
1	9	6	7	3	2	4	5	8
8	4	3	1	5	6	7	9	2
5	7	2	4	9	8	1	3	6

SUDOKU

547

6	8	9	1	4	5	3	2	7
1	5	2	7	3	9	8	6	4
7	4	3	6	2	8	9	1	5
8	2	6	9	1	7	5	4	3
4	3	1	5	8	2	6	7	9
5	9	7	3	6	4	2	8	1
3	6	4	8	5	1	7	9	2
9	1	5	2	7	6	4	3	8
2	7	8	4	9	3	1	5	6

548

5	1	2	4	6	8	9	7	3
6	4	7	9	3	2	1	5	8
9	8	3	5	1	7	4	6	2
8	7	1	2	9	4	5	3	6
4	5	9	6	7	3	2	8	1
3	2	6	1	8	5	7	9	4
1	9	5	3	4	6	8	2	7
7	3	4	8	2	9	6	1	5
2	6	8	7	5	1	3	4	9

549

4	1	5	9	2	7	3	8	6
8	7	3	6	4	1	9	2	5
9	2	6	8	3	5	4	7	1
3	9	8	7	6	2	1	5	4
6	4	1	3	5	8	7	9	2
7	5	2	1	9	4	8	6	3
5	3	9	4	7	6	2	1	8
1	6	4	2	8	9	5	3	7
2	8	7	5	1	3	6	4	9

550

6	8	2	5	3	9	7	4	1
9	1	5	4	7	2	6	8	3
3	7	4	1	6	8	5	2	9
5	6	7	8	1	3	4	9	2
4	3	9	2	5	6	1	7	8
1	2	8	7	9	4	3	5	6
2	4	6	3	8	7	9	1	5
7	9	1	6	2	5	8	3	4
8	5	3	9	4	1	2	6	7

551

3	5	9	1	4	6	7	8	2
4	8	2	7	9	3	1	6	5
6	7	1	8	2	5	9	3	4
7	9	5	3	8	2	6	4	1
1	4	6	9	5	7	3	2	8
8	2	3	4	6	1	5	9	7
2	6	8	5	7	9	4	1	3
5	1	4	6	3	8	2	7	9
9	3	7	2	1	4	8	5	6

552

8	7	3	9	4	6	5	2	1
2	4	1	3	5	8	9	6	7
6	5	9	1	7	2	8	4	3
4	3	6	7	8	1	2	9	5
5	9	7	4	2	3	6	1	8
1	8	2	5	6	9	7	3	4
7	1	5	6	9	4	3	8	2
9	2	4	8	3	7	1	5	6
3	6	8	2	1	5	4	7	9

SUDOKU

553

3	7	8	9	4	5	6	1	2
5	6	9	7	1	2	4	3	8
4	2	1	3	6	8	9	7	5
8	5	4	6	2	3	7	9	1
7	1	2	5	9	4	3	8	6
9	3	6	1	8	7	5	2	4
6	9	7	8	5	1	2	4	3
1	4	3	2	7	6	8	5	9
2	8	5	4	3	9	1	6	7

554

7	6	2	1	9	3	4	8	5
9	1	5	4	8	2	3	6	7
8	3	4	6	7	5	9	2	1
3	7	1	2	4	6	5	9	8
4	2	9	3	5	8	7	1	6
6	5	8	7	1	9	2	4	3
1	9	6	5	3	4	8	7	2
2	8	3	9	6	7	1	5	4
5	4	7	8	2	1	6	3	9

555

9	4	3	5	7	2	6	1	8
5	1	7	6	8	3	4	9	2
6	8	2	1	4	9	5	3	7
7	3	4	8	6	5	9	2	1
2	9	8	3	1	4	7	5	6
1	6	5	9	2	7	3	8	4
3	2	6	4	5	1	8	7	9
8	7	9	2	3	6	1	4	5
4	5	1	7	9	8	2	6	3

556

2	3	7	9	1	5	6	8	4
5	4	1	6	8	2	7	3	9
8	9	6	4	7	3	2	1	5
7	2	8	3	5	9	4	6	1
3	1	5	7	4	6	9	2	8
9	6	4	8	2	1	5	7	3
1	7	3	5	6	4	8	9	2
4	8	2	1	9	7	3	5	6
6	5	9	2	3	8	1	4	7

557

6	7	2	3	5	8	1	4	9
9	4	1	7	6	2	5	3	8
3	8	5	1	9	4	7	2	6
8	5	3	6	1	7	2	9	4
2	9	6	8	4	5	3	7	1
4	1	7	9	2	3	8	6	5
1	3	9	5	7	6	4	8	2
5	2	8	4	3	9	6	1	7
7	6	4	2	8	1	9	5	3

558

8	4	7	2	1	6	3	9	5
2	6	3	5	9	8	1	7	4
1	5	9	4	7	3	8	2	6
5	3	8	7	6	4	9	1	2
4	2	1	9	8	5	7	6	3
9	7	6	3	2	1	5	4	8
3	1	4	6	5	7	2	8	9
6	8	2	1	3	9	4	5	7
7	9	5	8	4	2	6	3	1

SUDOKU

559

2	9	6	8	1	5	3	4	7
4	8	3	6	2	7	9	5	1
1	7	5	9	3	4	6	2	8
8	4	9	7	6	2	5	1	3
6	2	7	1	5	3	8	9	4
3	5	1	4	9	8	2	7	6
7	6	8	2	4	9	1	3	5
5	1	2	3	7	6	4	8	9
9	3	4	5	8	1	7	6	2

560

8	2	6	7	3	5	4	9	1
1	4	7	2	6	9	5	3	8
5	3	9	8	4	1	2	7	6
2	8	1	5	9	3	7	6	4
4	9	3	6	8	7	1	2	5
6	7	5	1	2	4	9	8	3
7	6	4	3	5	2	8	1	9
9	1	8	4	7	6	3	5	2
3	5	2	9	1	8	6	4	7

561

2	8	5	1	7	4	3	6	9
7	9	3	8	2	6	1	5	4
1	6	4	5	3	9	7	8	2
5	4	7	9	1	2	8	3	6
8	3	6	4	5	7	2	9	1
9	1	2	6	8	3	4	7	5
3	5	8	2	9	1	6	4	7
6	7	1	3	4	5	9	2	8
4	2	9	7	6	8	5	1	3

562

4	9	7	5	1	6	3	8	2
1	3	5	2	8	7	9	6	4
2	8	6	4	3	9	5	1	7
3	7	4	8	9	2	1	5	6
9	2	8	1	6	5	4	7	3
6	5	1	7	4	3	8	2	9
7	4	2	3	5	1	6	9	8
5	6	3	9	2	8	7	4	1
8	1	9	6	7	4	2	3	5

563

5	8	7	6	4	9	2	1	3
4	3	2	1	5	8	7	6	9
1	6	9	7	3	2	4	8	5
8	4	5	3	2	1	9	7	6
3	2	1	9	6	7	8	5	4
9	7	6	5	8	4	3	2	1
7	5	4	2	1	3	6	9	8
6	9	3	8	7	5	1	4	2
2	1	8	4	9	6	5	3	7

564

3	1	5	7	6	4	9	8	2
2	8	6	9	1	5	4	3	7
7	4	9	3	8	2	5	6	1
9	7	4	1	5	3	8	2	6
8	6	2	4	7	9	3	1	5
5	3	1	8	2	6	7	4	9
6	5	3	2	9	8	1	7	4
4	2	7	5	3	1	6	9	8
1	9	8	6	4	7	2	5	3

SUDOKU

565

8	3	4	6	5	7	2	9	1
9	2	7	3	4	1	6	5	8
5	1	6	2	8	9	4	7	3
3	4	1	5	9	2	7	8	6
6	7	5	8	1	3	9	4	2
2	9	8	4	7	6	1	3	5
4	6	3	9	2	8	5	1	7
7	5	2	1	3	4	8	6	9
1	8	9	7	6	5	3	2	4

566

3	6	5	4	9	1	7	2	8
8	4	2	5	7	6	3	9	1
9	7	1	8	2	3	6	4	5
1	2	4	7	3	8	5	6	9
5	3	6	9	1	4	2	8	7
7	8	9	6	5	2	4	1	3
6	1	8	3	4	5	9	7	2
4	9	3	2	8	7	1	5	6
2	5	7	1	6	9	8	3	4

567

1	5	7	6	8	4	2	9	3
8	2	6	3	9	7	1	5	4
3	9	4	2	1	5	6	8	7
5	7	8	4	6	3	9	1	2
2	4	1	5	7	9	3	6	8
9	6	3	8	2	1	4	7	5
6	3	5	9	4	8	7	2	1
4	1	2	7	5	6	8	3	9
7	8	9	1	3	2	5	4	6

568

5	8	4	9	6	7	2	1	3
6	3	9	1	8	2	4	7	5
1	2	7	5	4	3	9	6	8
9	7	6	3	2	8	5	4	1
2	5	8	4	9	1	6	3	7
4	1	3	6	7	5	8	2	9
8	9	2	7	1	6	3	5	4
7	4	5	2	3	9	1	8	6
3	6	1	8	5	4	7	9	2

569

5	9	4	1	6	8	7	2	3
6	8	1	3	7	2	9	4	5
2	3	7	4	5	9	1	8	6
7	5	2	6	9	3	4	1	8
1	4	3	2	8	7	5	6	9
8	6	9	5	1	4	3	7	2
4	1	5	8	3	6	2	9	7
3	7	6	9	2	1	8	5	4
9	2	8	7	4	5	6	3	1

570

3	4	7	9	8	5	2	6	1
2	6	8	7	3	1	4	9	5
5	1	9	4	2	6	8	7	3
7	2	6	5	9	8	1	3	4
9	8	5	1	4	3	6	2	7
4	3	1	2	6	7	5	8	9
6	9	2	3	1	4	7	5	8
8	5	4	6	7	9	3	1	2
1	7	3	8	5	2	9	4	6

SUDOKU

571

1	7	5	2	8	6	4	3	9
9	4	8	7	3	1	5	6	2
6	2	3	4	5	9	7	1	8
7	1	2	9	4	8	6	5	3
3	8	9	6	7	5	1	2	4
4	5	6	1	2	3	9	8	7
2	6	4	8	1	7	3	9	5
8	3	1	5	9	4	2	7	6
5	9	7	3	6	2	8	4	1

572

8	1	5	4	7	9	3	2	6
2	7	9	6	3	5	1	4	8
4	6	3	1	8	2	9	5	7
3	8	1	7	9	4	5	6	2
6	5	2	3	1	8	4	7	9
9	4	7	2	5	6	8	1	3
7	9	4	8	2	1	6	3	5
1	3	8	5	6	7	2	9	4
5	2	6	9	4	3	7	8	1

573

7	4	2	8	6	5	1	3	9
3	1	8	9	7	2	6	5	4
6	5	9	1	3	4	2	8	7
2	6	3	4	5	1	7	9	8
8	9	4	7	2	3	5	1	6
5	7	1	6	8	9	3	4	2
4	8	5	2	1	6	9	7	3
1	2	7	3	9	8	4	6	5
9	3	6	5	4	7	8	2	1

574

9	5	7	2	1	3	8	6	4
8	1	4	7	6	9	3	2	5
6	3	2	8	4	5	1	7	9
5	2	8	6	7	1	9	4	3
1	7	3	9	5	4	6	8	2
4	6	9	3	8	2	5	1	7
2	8	1	5	9	7	4	3	6
3	9	6	4	2	8	7	5	1
7	4	5	1	3	6	2	9	8

575

1	5	8	4	3	9	6	2	7
9	7	4	2	6	8	3	5	1
6	3	2	5	1	7	4	9	8
3	2	9	6	8	4	1	7	5
5	1	7	3	9	2	8	4	6
8	4	6	1	7	5	9	3	2
2	8	5	9	4	1	7	6	3
4	6	1	7	2	3	5	8	9
7	9	3	8	5	6	2	1	4

576

1	8	4	7	5	3	2	9	6
5	7	6	2	9	4	1	8	3
2	9	3	6	1	8	7	4	5
3	4	2	1	8	6	5	7	9
8	6	1	9	7	5	4	3	2
9	5	7	3	4	2	6	1	8
7	1	5	8	6	9	3	2	4
6	3	8	4	2	1	9	5	7
4	2	9	5	3	7	8	6	1

577

5	1	2	6	8	7	4	3	9
7	3	9	4	2	1	8	5	6
4	6	8	9	3	5	7	1	2
9	5	7	2	1	4	3	6	8
2	4	1	3	6	8	9	7	5
6	8	3	7	5	9	1	2	4
1	7	4	5	9	2	6	8	3
8	2	6	1	4	3	5	9	7
3	9	5	8	7	6	2	4	1

578

9	4	6	3	1	8	5	7	2
8	2	3	5	7	6	1	4	9
7	1	5	9	4	2	6	3	8
1	9	4	2	5	7	3	8	6
5	7	2	6	8	3	9	1	4
6	3	8	1	9	4	7	2	5
3	8	7	4	6	9	2	5	1
4	6	1	7	2	5	8	9	3
2	5	9	8	3	1	4	6	7

579

3	9	6	5	2	4	1	7	8
7	4	2	1	8	6	5	3	9
5	1	8	7	3	9	6	2	4
9	6	4	3	7	1	2	8	5
2	7	1	8	6	5	9	4	3
8	3	5	9	4	2	7	6	1
6	8	9	2	1	3	4	5	7
4	5	7	6	9	8	3	1	2
1	2	3	4	5	7	8	9	6

580

4	9	6	1	2	7	5	3	8
7	8	2	3	5	9	1	6	4
1	3	5	4	6	8	9	7	2
6	2	3	7	4	1	8	5	9
9	1	8	2	3	5	6	4	7
5	7	4	9	8	6	3	2	1
2	6	9	5	1	4	7	8	3
3	5	7	8	9	2	4	1	6
8	4	1	6	7	3	2	9	5

581

8	2	4	3	9	7	1	5	6
5	1	3	6	4	2	7	9	8
9	6	7	5	8	1	4	3	2
2	4	6	1	5	9	3	8	7
7	3	9	2	6	8	5	4	1
1	5	8	7	3	4	6	2	9
4	7	2	8	1	5	9	6	3
3	9	1	4	2	6	8	7	5
6	8	5	9	7	3	2	1	4

582

3	1	7	6	8	2	9	4	5
6	5	2	4	9	1	8	3	7
4	8	9	3	7	5	1	2	6
1	6	4	5	2	8	7	9	3
7	2	5	9	6	3	4	1	8
9	3	8	7	1	4	5	6	2
5	7	3	1	4	6	2	8	9
2	9	1	8	3	7	6	5	4
8	4	6	2	5	9	3	7	1

583

7	8	1	3	9	4	6	5	2
9	3	5	6	2	1	8	7	4
6	4	2	7	8	5	3	9	1
4	6	7	9	5	3	2	1	8
1	5	9	8	4	2	7	3	6
3	2	8	1	6	7	5	4	9
2	7	6	4	3	9	1	8	5
8	9	3	5	1	6	4	2	7
5	1	4	2	7	8	9	6	3

584

5	2	7	9	4	8	3	6	1
4	1	9	7	6	3	2	8	5
8	6	3	1	2	5	7	9	4
1	3	2	4	9	6	5	7	8
6	5	8	2	3	7	4	1	9
9	7	4	5	8	1	6	2	3
3	9	1	6	7	4	8	5	2
2	4	6	8	5	9	1	3	7
7	8	5	3	1	2	9	4	6

585

1	5	7	2	6	9	4	8	3
6	8	4	7	5	3	1	2	9
3	9	2	8	1	4	5	6	7
7	1	5	6	4	2	9	3	8
8	3	6	1	9	5	7	4	2
4	2	9	3	8	7	6	1	5
9	7	8	4	3	6	2	5	1
5	4	1	9	2	8	3	7	6
2	6	3	5	7	1	8	9	4

586

9	3	6	4	2	5	1	8	7
1	8	4	6	3	7	9	2	5
5	7	2	1	9	8	3	6	4
3	2	9	8	4	1	7	5	6
8	6	1	5	7	3	2	4	9
7	4	5	2	6	9	8	3	1
4	9	7	3	8	6	5	1	2
2	1	8	7	5	4	6	9	3
6	5	3	9	1	2	4	7	8

587

9	3	4	5	2	8	1	7	6
8	6	1	7	3	4	9	5	2
5	7	2	9	1	6	8	3	4
1	8	6	2	4	5	3	9	7
3	4	7	6	9	1	5	2	8
2	9	5	3	8	7	6	4	1
6	5	3	8	7	2	4	1	9
4	2	8	1	5	9	7	6	3
7	1	9	4	6	3	2	8	5

588

7	5	2	8	6	9	1	4	3
6	4	3	7	1	5	2	8	9
8	1	9	4	2	3	6	7	5
1	9	4	6	5	8	7	3	2
5	3	8	2	9	7	4	6	1
2	6	7	1	3	4	5	9	8
4	2	6	9	8	1	3	5	7
3	8	1	5	7	6	9	2	4
9	7	5	3	4	2	8	1	6

SUDOKU

589

8	7	2	4	3	6	1	9	5
9	4	1	8	5	7	3	6	2
6	3	5	2	1	9	8	7	4
7	8	4	9	2	3	5	1	6
2	5	9	6	7	1	4	3	8
1	6	3	5	8	4	9	2	7
4	9	7	3	6	5	2	8	1
3	2	6	1	4	8	7	5	9
5	1	8	7	9	2	6	4	3

590

7	8	6	5	1	3	9	2	4
1	2	9	6	4	7	3	8	5
3	5	4	8	2	9	7	1	6
5	1	7	4	3	2	6	9	8
9	3	8	1	5	6	4	7	2
4	6	2	9	7	8	5	3	1
2	4	5	3	9	1	8	6	7
6	7	3	2	8	4	1	5	9
8	9	1	7	6	5	2	4	3

591

3	7	4	1	5	9	2	8	6
5	9	1	8	6	2	7	4	3
6	2	8	4	3	7	9	1	5
4	3	9	2	1	5	6	7	8
1	5	2	7	8	6	3	9	4
8	6	7	9	4	3	5	2	1
9	4	5	6	2	1	8	3	7
2	1	6	3	7	8	4	5	9
7	8	3	5	9	4	1	6	2

592

5	7	2	3	1	9	6	4	8
9	8	6	5	7	4	1	3	2
3	1	4	6	8	2	9	7	5
7	9	3	2	6	5	4	8	1
2	6	1	9	4	8	7	5	3
4	5	8	7	3	1	2	9	6
8	2	9	1	5	7	3	6	4
1	3	5	4	9	6	8	2	7
6	4	7	8	2	3	5	1	9

593

2	1	5	6	7	3	9	4	8
8	6	4	9	2	5	3	1	7
7	3	9	4	1	8	6	5	2
5	2	3	8	9	7	1	6	4
4	8	1	2	3	6	5	7	9
6	9	7	1	5	4	8	2	3
3	5	6	7	4	9	2	8	1
9	7	2	5	8	1	4	3	6
1	4	8	3	6	2	7	9	5

594

9	3	5	6	1	8	2	4	7
2	4	8	7	3	5	6	9	1
1	7	6	4	2	9	8	3	5
8	5	3	9	7	4	1	6	2
4	1	7	8	6	2	3	5	9
6	9	2	1	5	3	4	7	8
5	6	9	3	8	1	7	2	4
7	8	4	2	9	6	5	1	3
3	2	1	5	4	7	9	8	6

SUDOKU

595

3	5	7	9	2	4	8	1	6
6	9	1	3	8	5	2	4	7
8	4	2	7	1	6	3	5	9
2	3	4	8	5	9	6	7	1
5	8	9	6	7	1	4	3	2
1	7	6	4	3	2	9	8	5
4	6	8	5	9	7	1	2	3
7	2	3	1	6	8	5	9	4
9	1	5	2	4	3	7	6	8

596

9	1	6	2	7	5	8	3	4
2	7	3	4	8	1	5	9	6
4	5	8	3	6	9	1	2	7
5	9	7	8	1	2	4	6	3
3	8	2	6	5	4	9	7	1
1	6	4	7	9	3	2	8	5
7	4	5	9	2	6	3	1	8
8	2	1	5	3	7	6	4	9
6	3	9	1	4	8	7	5	2

597

7	8	4	3	9	5	2	6	1
2	1	9	6	7	4	3	5	8
5	3	6	8	2	1	9	7	4
3	4	7	1	5	8	6	9	2
8	2	5	9	3	6	4	1	7
6	9	1	2	4	7	8	3	5
9	5	3	7	8	2	1	4	6
4	6	8	5	1	9	7	2	3
1	7	2	4	6	3	5	8	9

598

4	1	7	3	9	5	6	8	2
2	8	6	7	4	1	9	5	3
5	3	9	8	6	2	1	7	4
7	9	4	1	3	6	8	2	5
1	5	2	4	8	7	3	6	9
3	6	8	5	2	9	7	4	1
8	7	3	9	5	4	2	1	6
6	4	1	2	7	3	5	9	8
9	2	5	6	1	8	4	3	7

599

2	8	6	4	1	9	7	3	5
7	4	9	3	5	8	2	1	6
5	1	3	2	6	7	9	8	4
4	3	8	6	2	5	1	7	9
9	7	5	8	3	1	6	4	2
6	2	1	9	7	4	3	5	8
8	6	2	1	4	3	5	9	7
3	5	4	7	9	2	8	6	1
1	9	7	5	8	6	4	2	3

600

2	5	1	8	9	4	6	3	7
7	8	3	5	6	1	9	2	4
6	9	4	7	2	3	8	5	1
9	7	5	3	1	8	4	6	2
1	4	6	2	5	7	3	9	8
3	2	8	9	4	6	1	7	5
5	3	9	1	8	2	7	4	6
4	1	7	6	3	5	2	8	9
8	6	2	4	7	9	5	1	3

SUDOKU

601

5	3	8	1	9	4	2	6	7
4	1	6	7	2	5	3	8	9
2	9	7	3	6	8	1	5	4
8	2	4	9	1	6	7	3	5
3	7	9	4	5	2	8	1	6
1	6	5	8	7	3	4	9	2
7	4	3	6	8	9	5	2	1
9	8	2	5	4	1	6	7	3
6	5	1	2	3	7	9	4	8

602

7	5	2	6	9	4	8	1	3
1	6	8	5	2	3	9	7	4
4	9	3	1	7	8	5	2	6
3	4	6	9	5	7	2	8	1
8	1	5	4	3	2	6	9	7
2	7	9	8	6	1	4	3	5
6	3	7	2	8	5	1	4	9
9	8	1	3	4	6	7	5	2
5	2	4	7	1	9	3	6	8

603

6	4	5	8	9	7	3	2	1
8	7	9	2	3	1	4	5	6
1	3	2	6	5	4	9	8	7
2	1	3	5	4	6	7	9	8
5	6	4	9	7	8	1	3	2
9	8	7	3	1	2	6	4	5
7	9	8	1	2	3	5	6	4
3	2	1	4	6	5	8	7	9
4	5	6	7	8	9	2	1	3

604

1	6	8	7	9	2	3	5	4
2	9	4	5	3	1	8	6	7
3	5	7	4	6	8	9	1	2
7	4	5	3	1	9	6	2	8
8	2	9	6	4	5	1	7	3
6	3	1	8	2	7	5	4	9
9	8	6	2	5	4	7	3	1
4	1	3	9	7	6	2	8	5
5	7	2	1	8	3	4	9	6

605

6	8	4	1	2	3	9	5	7
7	1	2	9	4	5	8	3	6
9	5	3	6	8	7	2	1	4
2	4	1	3	6	8	5	7	9
3	6	8	7	5	9	4	2	1
5	7	9	4	1	2	3	6	8
4	2	7	8	3	6	1	9	5
1	3	6	5	9	4	7	8	2
8	9	5	2	7	1	6	4	3

606

6	2	8	5	7	3	1	4	9
3	7	4	8	9	1	2	5	6
9	1	5	6	2	4	3	7	8
8	5	1	4	6	2	7	9	3
4	6	2	7	3	9	8	1	5
7	9	3	1	8	5	4	6	2
2	3	7	9	4	6	5	8	1
5	4	6	2	1	8	9	3	7
1	8	9	3	5	7	6	2	4

SUDOKU

607

4	5	3	2	8	6	9	1	7
6	7	9	4	1	3	5	8	2
2	8	1	9	7	5	6	3	4
3	2	8	6	4	1	7	9	5
1	6	4	7	5	9	8	2	3
5	9	7	8	3	2	4	6	1
9	1	2	5	6	4	3	7	8
8	3	5	1	9	7	2	4	6
7	4	6	3	2	8	1	5	9

608

1	5	9	8	2	4	6	3	7
7	8	2	3	1	6	5	4	9
4	6	3	5	9	7	8	1	2
8	4	5	7	3	1	9	2	6
9	7	6	2	4	8	3	5	1
2	3	1	9	6	5	7	8	4
3	2	4	6	8	9	1	7	5
6	1	7	4	5	3	2	9	8
5	9	8	1	7	2	4	6	3

609

3	2	8	7	6	4	9	1	5
9	6	5	2	1	3	4	7	8
1	7	4	8	5	9	2	3	6
8	1	3	6	9	2	5	4	7
5	4	7	1	3	8	6	2	9
2	9	6	5	4	7	1	8	3
7	3	9	4	2	5	8	6	1
4	5	1	3	8	6	7	9	2
6	8	2	9	7	1	3	5	4

610

5	4	2	9	3	6	8	7	1
7	3	1	8	4	5	9	2	6
8	9	6	2	1	7	5	3	4
4	2	3	5	6	8	7	1	9
1	7	5	3	9	2	4	6	8
6	8	9	4	7	1	3	5	2
9	1	4	6	5	3	2	8	7
2	5	7	1	8	4	6	9	3
3	6	8	7	2	9	1	4	5

611

7	5	8	6	9	4	2	1	3
4	2	3	8	1	5	7	9	6
1	9	6	3	2	7	8	4	5
3	1	9	2	4	6	5	7	8
5	7	2	9	8	3	1	6	4
8	6	4	7	5	1	3	2	9
2	3	7	4	6	8	9	5	1
6	8	1	5	7	9	4	3	2
9	4	5	1	3	2	6	8	7

612

9	1	3	8	7	2	4	6	5
4	5	7	3	6	1	9	8	2
6	8	2	9	4	5	3	7	1
5	7	6	2	1	9	8	4	3
2	9	4	7	3	8	5	1	6
1	3	8	4	5	6	7	2	9
3	2	1	5	8	4	6	9	7
7	4	9	6	2	3	1	5	8
8	6	5	1	9	7	2	3	4

SUDOKU

613

7	2	1	9	6	3	5	4	8
3	8	4	2	5	1	7	6	9
9	6	5	4	7	8	2	3	1
8	5	9	1	2	4	3	7	6
2	1	7	8	3	6	9	5	4
6	4	3	5	9	7	1	8	2
5	7	8	6	1	2	4	9	3
1	3	6	7	4	9	8	2	5
4	9	2	3	8	5	6	1	7

614

6	8	1	7	9	4	5	2	3
4	7	9	3	5	2	6	8	1
3	5	2	6	8	1	7	9	4
1	6	8	4	7	9	3	5	2
2	3	5	1	6	8	4	7	9
9	4	7	2	3	5	1	6	8
5	2	3	8	1	6	9	4	7
8	1	6	9	4	7	2	3	5
7	9	4	5	2	3	8	1	6

615

8	6	3	4	5	9	1	2	7
9	1	2	7	3	6	4	8	5
5	7	4	1	2	8	6	9	3
4	3	7	5	9	1	8	6	2
6	2	9	3	8	4	7	5	1
1	5	8	2	6	7	9	3	4
2	8	1	9	4	5	3	7	6
7	9	5	6	1	3	2	4	8
3	4	6	8	7	2	5	1	9

616

2	1	4	7	3	9	5	6	8
7	8	9	4	5	6	2	3	1
6	5	3	2	1	8	9	4	7
1	4	8	5	9	7	3	2	6
3	2	6	1	8	4	7	5	9
9	7	5	3	6	2	1	8	4
5	9	1	8	4	3	6	7	2
4	6	7	9	2	5	8	1	3
8	3	2	6	7	1	4	9	5

617

8	5	3	9	7	4	6	1	2
2	1	6	5	3	8	4	9	7
7	4	9	2	6	1	3	8	5
5	2	1	6	8	9	7	3	4
3	6	8	4	1	7	2	5	9
9	7	4	3	2	5	1	6	8
6	9	2	7	5	3	8	4	1
4	8	7	1	9	6	5	2	3
1	3	5	8	4	2	9	7	6

618

4	1	7	8	5	9	2	3	6
2	3	9	1	6	7	8	4	5
8	6	5	4	2	3	7	9	1
3	9	4	2	8	6	5	1	7
1	7	8	3	9	5	4	6	2
6	5	2	7	4	1	3	8	9
5	8	3	6	1	2	9	7	4
9	4	6	5	7	8	1	2	3
7	2	1	9	3	4	6	5	8

SUDOKU

619

8	6	3	7	9	2	5	1	4
5	2	4	3	1	6	8	9	7
7	9	1	4	8	5	6	2	3
9	5	8	2	4	7	1	3	6
2	3	7	5	6	1	9	4	8
4	1	6	9	3	8	2	7	5
3	4	5	8	2	9	7	6	1
1	7	2	6	5	4	3	8	9
6	8	9	1	7	3	4	5	2

620

9	1	8	6	7	4	3	2	5
2	5	3	9	1	8	6	7	4
6	7	4	3	2	5	8	9	1
3	2	5	8	9	1	4	6	7
8	9	1	4	6	7	5	3	2
4	6	7	5	3	2	1	8	9
5	3	2	1	8	9	7	4	6
7	4	6	2	5	3	9	1	8
1	8	9	7	4	6	2	5	3

621

6	9	4	1	8	3	5	2	7
3	8	1	7	2	5	4	6	9
5	2	7	9	6	4	1	3	8
7	5	2	6	4	9	8	1	3
1	3	8	2	5	7	9	4	6
4	6	9	8	3	1	7	5	2
9	4	6	3	1	8	2	7	5
8	1	3	5	7	2	6	9	4
2	7	5	4	9	6	3	8	1

622

6	4	1	8	9	5	3	2	7
7	9	8	2	1	3	6	5	4
2	3	5	4	7	6	8	9	1
8	7	3	6	4	2	9	1	5
1	6	4	3	5	9	2	7	8
5	2	9	7	8	1	4	3	6
9	5	6	1	2	8	7	4	3
3	1	7	9	6	4	5	8	2
4	8	2	5	3	7	1	6	9

623

6	7	2	8	4	5	3	1	9
5	4	9	6	3	1	8	7	2
8	1	3	2	9	7	4	6	5
7	9	6	1	2	3	5	8	4
3	2	1	5	8	4	6	9	7
4	8	5	9	7	6	1	2	3
1	6	7	4	5	9	2	3	8
9	5	8	3	1	2	7	4	6
2	3	4	7	6	8	9	5	1

624

9	3	5	1	8	7	6	2	4
4	2	8	9	6	5	3	1	7
6	1	7	3	4	2	8	9	5
3	4	2	7	9	6	5	8	1
7	8	1	5	3	4	2	6	9
5	6	9	2	1	8	4	7	3
1	9	6	4	2	3	7	5	8
8	7	3	6	5	9	1	4	2
2	5	4	8	7	1	9	3	6

SUDOKU

625

6	5	4	7	9	2	8	3	1
1	9	8	5	6	3	2	7	4
7	3	2	8	1	4	6	5	9
2	7	3	4	5	6	9	1	8
9	8	1	3	2	7	5	4	6
4	6	5	9	8	1	3	2	7
5	4	9	1	3	8	7	6	2
8	2	7	6	4	5	1	9	3
3	1	6	2	7	9	4	8	5

626

7	2	4	8	6	5	1	9	3
5	9	8	7	1	3	2	6	4
1	3	6	9	2	4	7	5	8
3	4	5	2	7	9	8	1	6
9	7	1	6	4	8	3	2	5
6	8	2	5	3	1	9	4	7
2	1	7	3	5	6	4	8	9
4	6	9	1	8	7	5	3	2
8	5	3	4	9	2	6	7	1

627

5	2	6	4	8	9	7	3	1
1	7	3	6	5	2	9	4	8
8	9	4	3	1	7	2	6	5
2	3	5	8	9	6	4	1	7
7	4	1	5	2	3	6	8	9
9	6	8	1	7	4	3	5	2
3	1	2	9	6	5	8	7	4
4	8	7	2	3	1	5	9	6
6	5	9	7	4	8	1	2	3

628

1	6	4	5	2	7	9	3	8
2	5	9	3	4	8	1	7	6
7	8	3	6	1	9	5	2	4
9	7	6	2	5	3	8	4	1
5	3	1	8	6	4	7	9	2
8	4	2	9	7	1	6	5	3
6	9	8	4	3	5	2	1	7
4	2	7	1	9	6	3	8	5
3	1	5	7	8	2	4	6	9

629

4	9	2	8	5	6	1	3	7
8	5	7	4	1	3	2	9	6
3	1	6	9	2	7	4	8	5
1	4	9	2	7	8	5	6	3
5	7	3	1	6	9	8	4	2
2	6	8	5	3	4	9	7	1
9	3	1	6	4	5	7	2	8
7	2	4	3	8	1	6	5	9
6	8	5	7	9	2	3	1	4

630

2	5	6	1	3	4	9	7	8
1	4	7	2	8	9	5	6	3
8	3	9	6	7	5	4	1	2
6	7	8	9	5	2	1	3	4
4	9	2	3	1	6	7	8	5
3	1	5	7	4	8	6	2	9
5	6	4	8	2	7	3	9	1
7	8	1	4	9	3	2	5	6
9	2	3	5	6	1	8	4	7

SUDOKU

631

3	7	2	1	4	5	6	8	9
6	8	1	3	7	9	2	5	4
5	9	4	2	6	8	3	7	1
4	6	8	9	3	1	7	2	5
2	1	3	8	5	7	9	4	6
9	5	7	4	2	6	1	3	8
1	3	9	7	8	4	5	6	2
8	2	5	6	9	3	4	1	7
7	4	6	5	1	2	8	9	3

632

1	6	3	2	8	5	9	7	4
9	7	4	6	1	3	2	5	8
2	5	8	7	9	4	6	3	1
5	8	2	4	7	9	3	1	6
7	4	9	3	6	1	5	8	2
6	3	1	5	2	8	7	4	9
3	1	6	8	5	2	4	9	7
4	9	7	1	3	6	8	2	5
8	2	5	9	4	7	1	6	3

633

4	6	2	9	1	5	7	3	8
9	8	7	4	2	3	1	5	6
1	5	3	8	6	7	4	9	2
6	2	1	7	9	8	5	4	3
8	7	4	5	3	2	9	6	1
5	3	9	1	4	6	2	8	7
3	9	6	2	7	4	8	1	5
7	1	8	3	5	9	6	2	4
2	4	5	6	8	1	3	7	9

634

9	4	7	5	3	1	6	8	2
8	5	6	4	2	7	9	1	3
1	3	2	6	8	9	5	4	7
6	9	5	2	1	8	7	3	4
7	1	4	3	5	6	2	9	8
2	8	3	7	9	4	1	6	5
3	6	1	8	7	2	4	5	9
5	2	9	1	4	3	8	7	6
4	7	8	9	6	5	3	2	1

635

2	6	4	3	1	9	8	5	7
5	3	1	7	4	8	6	9	2
7	8	9	5	2	6	4	3	1
9	2	5	4	8	7	3	1	6
6	1	3	2	9	5	7	4	8
8	4	7	6	3	1	5	2	9
1	5	2	8	6	3	9	7	4
3	9	8	1	7	4	2	6	5
4	7	6	9	5	2	1	8	3

636

3	5	7	1	6	8	4	2	9
4	1	9	5	2	3	8	6	7
2	6	8	9	7	4	3	1	5
7	9	6	8	4	1	5	3	2
8	3	1	2	5	9	7	4	6
5	2	4	7	3	6	9	8	1
9	4	3	6	1	7	2	5	8
1	8	2	4	9	5	6	7	3
6	7	5	3	8	2	1	9	4

SUDOKU

637

2	1	8	4	5	6	7	9	3
3	9	6	7	2	8	5	1	4
5	7	4	3	1	9	8	2	6
4	6	9	8	7	1	2	3	5
7	8	5	6	3	2	1	4	9
1	2	3	5	9	4	6	7	8
6	5	2	9	4	7	3	8	1
9	3	7	1	8	5	4	6	2
8	4	1	2	6	3	9	5	7

638

5	7	2	6	8	9	1	4	3
1	6	3	4	7	5	9	8	2
8	9	4	2	3	1	7	5	6
3	2	8	5	6	7	4	1	9
9	5	1	3	4	8	2	6	7
6	4	7	9	1	2	5	3	8
4	3	9	1	2	6	8	7	5
7	1	5	8	9	3	6	2	4
2	8	6	7	5	4	3	9	1

639

9	8	7	3	5	1	6	2	4
1	4	3	2	8	6	7	5	9
6	5	2	9	7	4	8	3	1
5	2	1	8	6	3	4	9	7
8	9	6	7	4	2	3	1	5
3	7	4	5	1	9	2	6	8
2	3	5	4	9	7	1	8	6
7	1	9	6	2	8	5	4	3
4	6	8	1	3	5	9	7	2

640

4	1	7	5	3	9	2	6	8
5	6	3	4	8	2	7	1	9
2	9	8	1	6	7	4	3	5
1	4	2	6	9	5	8	7	3
8	5	9	3	7	4	1	2	6
7	3	6	2	1	8	5	9	4
3	8	4	9	2	1	6	5	7
6	2	5	7	4	3	9	8	1
9	7	1	8	5	6	3	4	2

641

7	2	1	8	9	3	4	6	5
8	9	6	1	5	4	7	2	3
3	4	5	7	2	6	9	1	8
5	6	7	9	4	8	1	3	2
9	1	2	6	3	5	8	4	7
4	3	8	2	1	7	6	5	9
2	7	4	3	8	1	5	9	6
1	8	3	5	6	9	2	7	4
6	5	9	4	7	2	3	8	1

642

2	9	4	7	6	5	3	1	8
6	3	7	1	2	8	9	4	5
5	8	1	4	3	9	7	2	6
1	2	8	5	4	7	6	3	9
4	6	3	9	8	2	5	7	1
7	5	9	6	1	3	4	8	2
8	7	2	3	5	6	1	9	4
3	1	6	8	9	4	2	5	7
9	4	5	2	7	1	8	6	3

SUDOKU

643

7	4	9	6	3	1	8	5	2
6	2	8	5	7	4	1	9	3
5	3	1	2	8	9	4	7	6
8	9	4	7	6	3	2	1	5
2	6	5	1	4	8	7	3	9
1	7	3	9	2	5	6	4	8
4	1	6	3	9	2	5	8	7
3	8	7	4	5	6	9	2	1
9	5	2	8	1	7	3	6	4

644

1	6	5	4	8	7	3	2	9
2	4	9	3	5	6	1	8	7
7	3	8	2	9	1	5	6	4
5	2	7	8	4	3	6	9	1
3	1	4	5	6	9	8	7	2
8	9	6	1	7	2	4	5	3
4	7	1	6	2	8	9	3	5
6	5	2	9	3	4	7	1	8
9	8	3	7	1	5	2	4	6

645

7	2	8	6	1	4	9	5	3
3	9	6	8	2	5	1	7	4
5	4	1	7	3	9	8	6	2
1	3	9	5	8	2	6	4	7
4	6	7	3	9	1	5	2	8
8	5	2	4	6	7	3	9	1
2	8	5	9	7	3	4	1	6
6	7	4	1	5	8	2	3	9
9	1	3	2	4	6	7	8	5

646

2	5	4	9	1	6	3	8	7
8	1	6	7	3	4	5	9	2
9	7	3	5	2	8	6	4	1
6	9	1	8	4	7	2	5	3
7	4	8	3	5	2	9	1	6
3	2	5	1	6	9	4	7	8
1	6	9	2	8	5	7	3	4
5	3	2	4	7	1	8	6	9
4	8	7	6	9	3	1	2	5

647

2	5	9	1	8	6	3	7	4
8	7	4	5	3	9	1	6	2
3	1	6	7	2	4	5	8	9
6	9	5	8	4	7	2	3	1
7	3	8	2	9	1	6	4	5
1	4	2	3	6	5	8	9	7
4	6	1	9	5	8	7	2	3
5	8	3	4	7	2	9	1	6
9	2	7	6	1	3	4	5	8

648

2	1	7	3	8	9	5	6	4
5	9	3	6	4	7	1	8	2
4	8	6	2	1	5	9	7	3
7	6	4	1	9	3	8	2	5
1	2	5	8	7	6	4	3	9
8	3	9	4	5	2	6	1	7
9	7	8	5	2	1	3	4	6
3	5	1	7	6	4	2	9	8
6	4	2	9	3	8	7	5	1

SUDOKU

649

7	1	4	2	3	6	5	9	8
3	2	8	5	1	9	4	6	7
5	6	9	4	8	7	2	3	1
1	9	7	6	5	3	8	2	4
2	3	6	8	7	4	1	5	9
8	4	5	9	2	1	3	7	6
4	5	2	7	9	8	6	1	3
6	7	1	3	4	5	9	8	2
9	8	3	1	6	2	7	4	5

650

3	8	1	2	9	5	7	4	6
7	4	5	6	1	3	9	2	8
2	9	6	8	7	4	1	5	3
1	6	8	5	4	2	3	7	9
4	2	7	1	3	9	8	6	5
9	5	3	7	8	6	4	1	2
8	3	2	4	5	1	6	9	7
5	7	4	9	6	8	2	3	1
6	1	9	3	2	7	5	8	4

651

3	1	6	7	8	9	4	5	2
7	8	5	4	3	2	9	1	6
9	4	2	1	6	5	7	8	3
1	5	3	6	2	4	8	9	7
4	2	8	3	9	7	5	6	1
6	9	7	8	5	1	2	3	4
8	7	4	5	1	6	3	2	9
5	6	9	2	4	3	1	7	8
2	3	1	9	7	8	6	4	5

652

1	8	4	9	7	5	2	6	3
3	9	2	4	6	8	1	5	7
6	5	7	1	3	2	4	9	8
2	3	6	7	5	1	9	8	4
7	1	5	8	4	9	3	2	6
8	4	9	3	2	6	5	7	1
4	7	8	2	9	3	6	1	5
5	2	1	6	8	4	7	3	9
9	6	3	5	1	7	8	4	2

653

9	5	6	1	8	4	3	2	7
8	7	1	3	2	9	5	4	6
4	2	3	7	5	6	8	9	1
6	8	4	2	9	1	7	3	5
2	1	7	5	4	3	9	6	8
5	3	9	8	6	7	4	1	2
3	4	8	6	1	5	2	7	9
1	9	2	4	7	8	6	5	3
7	6	5	9	3	2	1	8	4

654

8	2	1	9	5	3	4	6	7
9	7	5	4	6	8	1	3	2
3	6	4	1	7	2	8	5	9
1	8	7	6	2	4	3	9	5
6	4	2	5	3	9	7	8	1
5	9	3	8	1	7	2	4	6
4	1	8	7	9	5	6	2	3
7	3	9	2	4	6	5	1	8
2	5	6	3	8	1	9	7	4

SUDOKU

655

7	6	8	1	4	2	3	9	5
9	4	2	5	8	3	1	7	6
5	3	1	9	6	7	8	4	2
2	1	4	3	9	5	7	6	8
6	7	3	8	2	1	9	5	4
8	5	9	4	7	6	2	3	1
4	9	5	2	3	8	6	1	7
3	2	7	6	1	4	5	8	9
1	8	6	7	5	9	4	2	3

656

5	7	4	6	8	9	2	3	1
2	3	8	1	4	5	9	7	6
6	9	1	7	2	3	4	8	5
8	4	5	2	3	1	6	9	7
3	1	2	9	6	7	8	5	4
7	6	9	4	5	8	1	2	3
4	8	7	3	1	2	5	6	9
9	2	6	5	7	4	3	1	8
1	5	3	8	9	6	7	4	2

657

7	8	5	3	1	4	6	9	2
1	4	6	2	5	9	8	7	3
9	3	2	7	8	6	1	4	5
6	7	1	4	3	5	2	8	9
2	9	3	6	7	8	4	5	1
8	5	4	1	9	2	7	3	6
5	1	9	8	2	7	3	6	4
3	6	8	5	4	1	9	2	7
4	2	7	9	6	3	5	1	8

658

1	4	7	5	9	2	8	3	6
3	2	6	1	7	8	5	9	4
8	9	5	4	3	6	2	7	1
2	8	9	6	1	4	3	5	7
6	7	1	3	5	9	4	8	2
4	5	3	2	8	7	6	1	9
9	3	2	7	6	5	1	4	8
5	6	8	9	4	1	7	2	3
7	1	4	8	2	3	9	6	5

659

8	3	7	9	6	5	4	2	1
9	6	2	7	1	4	3	5	8
5	4	1	8	3	2	7	9	6
7	2	6	4	8	1	9	3	5
3	8	4	5	7	9	6	1	2
1	9	5	3	2	6	8	7	4
4	1	8	2	9	3	5	6	7
2	7	9	6	5	8	1	4	3
6	5	3	1	4	7	2	8	9

660

1	6	7	4	8	5	9	3	2
4	3	9	2	1	6	5	8	7
8	5	2	7	3	9	4	1	6
2	4	8	3	6	1	7	9	5
6	7	3	5	9	2	8	4	1
5	9	1	8	4	7	2	6	3
9	2	4	1	5	3	6	7	8
3	8	5	6	7	4	1	2	9
7	1	6	9	2	8	3	5	4

SUDOKU

661

3	6	7	5	9	8	4	1	2
4	1	9	3	7	2	6	5	8
8	2	5	6	4	1	3	9	7
7	5	8	4	3	9	1	2	6
6	9	4	1	2	7	5	8	3
1	3	2	8	6	5	9	7	4
2	8	6	9	5	4	7	3	1
9	7	3	2	1	6	8	4	5
5	4	1	7	8	3	2	6	9

662

4	6	3	7	9	8	5	2	1
9	8	1	5	2	3	6	7	4
7	2	5	4	6	1	9	8	3
1	3	8	6	7	9	2	4	5
5	4	6	8	3	2	7	1	9
2	9	7	1	4	5	8	3	6
8	1	4	9	5	7	3	6	2
6	5	2	3	8	4	1	9	7
3	7	9	2	1	6	4	5	8

663

8	5	7	2	3	6	9	1	4
3	6	1	9	7	4	8	5	2
4	2	9	8	5	1	6	7	3
5	7	3	1	8	9	4	2	6
2	1	8	6	4	5	7	3	9
9	4	6	7	2	3	1	8	5
1	3	5	4	9	7	2	6	8
7	8	4	5	6	2	3	9	1
6	9	2	3	1	8	5	4	7

664

4	2	3	9	1	6	7	5	8
9	7	5	8	4	2	6	1	3
6	1	8	7	3	5	2	9	4
1	3	7	2	9	8	5	4	6
8	4	9	6	5	3	1	7	2
5	6	2	4	7	1	8	3	9
2	9	1	5	8	4	3	6	7
3	8	4	1	6	7	9	2	5
7	5	6	3	2	9	4	8	1

665

2	3	1	7	4	9	5	8	6
5	4	7	3	8	6	9	1	2
6	9	8	1	2	5	3	4	7
8	6	3	9	5	1	7	2	4
9	1	5	2	7	4	8	6	3
7	2	4	8	6	3	1	9	5
4	7	2	5	1	8	6	3	9
1	5	9	6	3	2	4	7	8
3	8	6	4	9	7	2	5	1

666

8	1	9	4	3	6	5	2	7
2	6	3	7	9	5	8	1	4
7	5	4	1	2	8	6	9	3
1	7	5	3	6	9	4	8	2
3	4	8	2	7	1	9	5	6
9	2	6	8	5	4	7	3	1
6	9	1	5	4	2	3	7	8
4	3	2	9	8	7	1	6	5
5	8	7	6	1	3	2	4	9

SUDOKU

667

7	6	8	9	4	3	1	2	5
3	5	9	1	8	2	6	7	4
4	1	2	6	5	7	9	3	8
1	4	5	8	3	9	7	6	2
6	2	3	4	7	1	5	8	9
9	8	7	5	2	6	3	4	1
2	7	1	3	9	4	8	5	6
8	3	6	2	1	5	4	9	7
5	9	4	7	6	8	2	1	3

668

9	2	3	7	1	6	4	5	8
5	6	8	2	9	4	7	3	1
1	4	7	8	5	3	6	9	2
7	8	6	9	2	1	5	4	3
3	9	5	4	7	8	1	2	6
2	1	4	6	3	5	9	8	7
8	3	1	5	4	7	2	6	9
4	7	9	3	6	2	8	1	5
6	5	2	1	8	9	3	7	4

669

1	6	8	5	4	3	9	2	7
4	9	2	7	8	1	5	3	6
5	3	7	2	9	6	4	8	1
9	8	4	3	7	5	6	1	2
3	2	5	1	6	9	8	7	4
6	7	1	8	2	4	3	9	5
8	5	3	6	1	7	2	4	9
2	1	9	4	5	8	7	6	3
7	4	6	9	3	2	1	5	8

670

4	7	9	5	3	8	1	6	2
6	3	2	1	4	9	7	5	8
1	8	5	2	7	6	9	3	4
7	1	4	6	8	5	2	9	3
3	9	6	4	1	2	8	7	5
2	5	8	7	9	3	4	1	6
9	6	1	8	5	4	3	2	7
5	4	7	3	2	1	6	8	9
8	2	3	9	6	7	5	4	1

671

1	8	2	9	6	3	7	5	4
9	6	7	4	5	2	8	3	1
3	5	4	8	7	1	2	9	6
4	2	5	1	3	8	9	6	7
6	9	8	2	4	7	3	1	5
7	1	3	6	9	5	4	8	2
8	4	9	5	2	6	1	7	3
2	7	6	3	1	9	5	4	8
5	3	1	7	8	4	6	2	9

672

6	5	4	7	9	1	3	8	2
9	7	2	5	8	3	4	6	1
3	8	1	2	4	6	9	7	5
4	6	8	1	7	9	2	5	3
5	2	3	4	6	8	7	1	9
1	9	7	3	5	2	8	4	6
7	1	9	6	2	4	5	3	8
8	4	6	9	3	5	1	2	7
2	3	5	8	1	7	6	9	4

SUDOKU

673

7	4	1	3	6	5	8	2	9
3	5	9	8	7	2	6	4	1
8	2	6	9	4	1	3	7	5
9	8	7	4	2	6	5	1	3
2	1	4	5	8	3	9	6	7
6	3	5	1	9	7	4	8	2
4	7	8	2	5	9	1	3	6
1	9	2	6	3	4	7	5	8
5	6	3	7	1	8	2	9	4

674

5	6	9	8	1	4	2	3	7
7	4	8	5	3	2	9	1	6
1	3	2	9	7	6	5	8	4
3	5	6	2	9	7	1	4	8
2	8	1	4	5	3	7	6	9
4	9	7	6	8	1	3	5	2
8	1	5	7	6	9	4	2	3
6	7	4	3	2	5	8	9	1
9	2	3	1	4	8	6	7	5

675

3	5	2	6	7	1	8	9	4
8	1	7	4	9	5	6	2	3
6	9	4	2	3	8	5	1	7
1	7	6	8	5	4	2	3	9
4	8	5	9	2	3	7	6	1
9	2	3	7	1	6	4	5	8
7	6	1	3	8	2	9	4	5
2	3	9	5	4	7	1	8	6
5	4	8	1	6	9	3	7	2

676

1	4	7	5	9	2	6	3	8
8	6	2	4	3	7	5	9	1
3	9	5	8	6	1	7	2	4
6	2	8	3	5	9	1	4	7
5	3	9	1	7	4	8	6	2
4	7	1	2	8	6	3	5	9
7	5	4	6	2	8	9	1	3
9	1	6	7	4	3	2	8	5
2	8	3	9	1	5	4	7	6

677

6	9	2	1	5	8	4	3	7
3	5	7	4	9	2	6	1	8
8	1	4	7	6	3	5	2	9
5	6	9	2	8	4	1	7	3
1	2	3	9	7	5	8	6	4
4	7	8	3	1	6	2	9	5
7	8	1	5	2	9	3	4	6
2	4	6	8	3	7	9	5	1
9	3	5	6	4	1	7	8	2

678

5	4	8	9	3	1	6	2	7
3	2	6	5	7	4	8	9	1
9	1	7	8	6	2	5	3	4
8	9	2	3	4	6	7	1	5
6	3	1	7	5	9	4	8	2
7	5	4	2	1	8	9	6	3
1	8	9	4	2	7	3	5	6
4	6	3	1	9	5	2	7	8
2	7	5	6	8	3	1	4	9

SUDOKU

679

8	7	9	3	4	1	5	2	6
1	4	6	2	5	9	7	3	8
5	2	3	6	8	7	1	4	9
4	8	7	1	3	6	9	5	2
2	9	5	8	7	4	3	6	1
6	3	1	9	2	5	8	7	4
3	1	4	7	6	8	2	9	5
7	5	8	4	9	2	6	1	3
9	6	2	5	1	3	4	8	7

680

4	8	1	3	2	5	7	6	9
6	9	2	7	1	4	5	3	8
7	3	5	9	6	8	2	1	4
8	4	7	6	5	9	1	2	3
2	5	9	8	3	1	4	7	6
1	6	3	4	7	2	8	9	5
5	7	6	1	8	3	9	4	2
9	1	8	2	4	6	3	5	7
3	2	4	5	9	7	6	8	1

681

2	3	8	5	1	6	7	9	4
6	9	4	7	3	8	1	2	5
1	5	7	2	9	4	8	6	3
8	7	5	4	6	9	3	1	2
9	6	3	1	7	2	4	5	8
4	2	1	8	5	3	9	7	6
5	4	9	6	8	7	2	3	1
3	1	2	9	4	5	6	8	7
7	8	6	3	2	1	5	4	9

682

2	7	4	9	3	5	6	8	1
9	8	6	4	1	7	3	2	5
5	3	1	2	6	8	9	7	4
7	1	2	8	4	6	5	9	3
6	4	8	5	9	3	2	1	7
3	9	5	1	7	2	8	4	6
1	5	9	6	8	4	7	3	2
8	2	7	3	5	1	4	6	9
4	6	3	7	2	9	1	5	8

683

3	2	6	9	7	8	5	4	1
4	9	8	1	5	6	7	3	2
1	7	5	2	4	3	6	8	9
2	8	7	5	9	4	1	6	3
6	1	9	3	8	7	2	5	4
5	4	3	6	2	1	9	7	8
9	3	2	4	6	5	8	1	7
8	5	4	7	1	9	3	2	6
7	6	1	8	3	2	4	9	5

684

5	6	4	1	8	9	3	7	2
9	3	2	5	6	7	1	4	8
7	8	1	4	3	2	9	6	5
3	5	8	2	1	4	7	9	6
4	9	7	3	5	6	2	8	1
2	1	6	7	9	8	4	5	3
1	4	9	8	2	5	6	3	7
6	2	5	9	7	3	8	1	4
8	7	3	6	4	1	5	2	9

SUDOKU

685

8	2	5	6	7	4	3	1	9
7	6	3	8	1	9	5	2	4
9	4	1	3	2	5	6	8	7
4	3	9	7	6	2	1	5	8
6	8	7	1	5	3	4	9	2
5	1	2	9	4	8	7	3	6
3	5	8	4	9	6	2	7	1
1	9	4	2	3	7	8	6	5
2	7	6	5	8	1	9	4	3

686

3	6	2	9	5	8	1	7	4
8	7	1	2	6	4	5	3	9
9	5	4	1	7	3	8	2	6
2	4	7	8	9	1	6	5	3
6	9	8	4	3	5	2	1	7
5	1	3	7	2	6	9	4	8
1	2	6	3	4	9	7	8	5
7	3	9	5	8	2	4	6	1
4	8	5	6	1	7	3	9	2

687

7	4	2	5	3	9	1	8	6
9	8	6	7	1	4	3	2	5
1	3	5	6	2	8	9	7	4
5	6	1	2	9	7	8	4	3
2	7	4	8	6	3	5	9	1
3	9	8	1	4	5	7	6	2
6	2	7	9	5	1	4	3	8
4	5	9	3	8	6	2	1	7
8	1	3	4	7	2	6	5	9

688

3	2	9	8	7	4	1	5	6
1	6	4	9	5	2	3	8	7
8	5	7	1	6	3	2	4	9
6	4	5	3	9	1	8	7	2
7	8	1	4	2	5	6	9	3
9	3	2	7	8	6	5	1	4
4	1	8	6	3	7	9	2	5
5	9	3	2	4	8	7	6	1
2	7	6	5	1	9	4	3	8

689

6	4	8	2	5	7	1	9	3
1	7	3	9	6	4	5	2	8
9	2	5	3	8	1	4	7	6
5	3	4	7	2	6	9	8	1
7	6	2	1	9	8	3	4	5
8	1	9	4	3	5	7	6	2
4	5	1	8	7	2	6	3	9
2	9	6	5	4	3	8	1	7
3	8	7	6	1	9	2	5	4

690

6	3	4	8	5	2	1	9	7
7	2	8	4	1	9	3	6	5
1	9	5	3	6	7	2	4	8
3	4	7	1	2	8	6	5	9
9	5	1	7	3	6	8	2	4
8	6	2	9	4	5	7	3	1
4	7	9	6	8	3	5	1	2
5	1	6	2	7	4	9	8	3
2	8	3	5	9	1	4	7	6

SUDOKU

691

8	4	5	9	7	6	1	3	2
3	1	7	5	8	2	4	6	9
2	9	6	3	1	4	8	5	7
5	3	9	2	4	8	6	7	1
4	2	1	6	5	7	3	9	8
6	7	8	1	3	9	2	4	5
7	5	2	4	6	1	9	8	3
1	8	4	7	9	3	5	2	6
9	6	3	8	2	5	7	1	4

692

8	6	7	1	9	3	5	2	4
5	9	2	4	7	6	8	1	3
1	4	3	8	2	5	6	9	7
9	5	4	2	6	7	3	8	1
2	3	8	9	1	4	7	6	5
6	7	1	5	3	8	2	4	9
3	1	9	7	8	2	4	5	6
4	8	6	3	5	9	1	7	2
7	2	5	6	4	1	9	3	8

693

5	2	8	9	7	3	1	6	4
3	1	4	2	8	6	9	7	5
9	7	6	1	5	4	3	2	8
8	3	9	7	6	2	4	5	1
1	4	7	5	3	9	6	8	2
2	6	5	8	4	1	7	3	9
6	8	3	4	1	5	2	9	7
7	9	1	6	2	8	5	4	3
4	5	2	3	9	7	8	1	6

694

1	2	5	9	6	3	4	7	8
7	8	6	1	4	2	3	9	5
9	3	4	7	5	8	2	6	1
2	4	7	6	8	9	1	5	3
6	5	1	4	3	7	9	8	2
3	9	8	5	2	1	7	4	6
4	1	3	8	7	6	5	2	9
8	7	2	3	9	5	6	1	4
5	6	9	2	1	4	8	3	7

695

5	1	7	8	9	4	2	3	6
2	8	9	3	6	1	4	5	7
4	3	6	2	7	5	8	9	1
1	6	5	4	8	7	9	2	3
7	4	2	9	1	3	6	8	5
8	9	3	5	2	6	7	1	4
9	5	1	7	4	2	3	6	8
6	7	8	1	3	9	5	4	2
3	2	4	6	5	8	1	7	9

696

6	7	9	4	5	3	2	1	8
4	8	2	1	9	7	3	6	5
5	1	3	2	6	8	4	7	9
8	2	1	5	3	6	7	9	4
9	4	7	8	2	1	5	3	6
3	5	6	9	7	4	1	8	2
7	3	4	6	8	2	9	5	1
1	6	5	7	4	9	8	2	3
2	9	8	3	1	5	6	4	7

SUDOKU

697

4	8	1	2	9	3	6	7	5
2	7	5	1	4	6	9	8	3
6	9	3	7	5	8	2	1	4
9	5	6	4	2	1	7	3	8
3	1	7	6	8	9	4	5	2
8	4	2	5	3	7	1	9	6
7	2	8	3	1	4	5	6	9
5	6	9	8	7	2	3	4	1
1	3	4	9	6	5	8	2	7

698

2	1	9	4	5	3	8	6	7
3	5	4	7	6	8	1	9	2
6	7	8	1	2	9	4	3	5
9	2	1	5	3	4	7	8	6
8	6	7	2	9	1	5	4	3
4	3	5	6	8	7	2	1	9
7	8	6	9	1	2	3	5	4
1	9	2	3	4	5	6	7	8
5	4	3	8	7	6	9	2	1

699

7	5	4	8	1	6	3	2	9
2	9	3	5	4	7	1	6	8
6	8	1	9	3	2	4	7	5
3	7	9	6	5	4	8	1	2
1	2	8	7	9	3	5	4	6
4	6	5	2	8	1	9	3	7
8	3	2	4	7	9	6	5	1
5	1	6	3	2	8	7	9	4
9	4	7	1	6	5	2	8	3

700

4	3	8	9	5	6	2	1	7
2	1	7	3	8	4	5	9	6
9	6	5	7	1	2	8	3	4
3	9	4	8	6	7	1	2	5
8	5	6	2	4	1	3	7	9
1	7	2	5	3	9	4	6	8
5	4	9	6	2	3	7	8	1
7	8	3	1	9	5	6	4	2
6	2	1	4	7	8	9	5	3

701

2	9	1	5	6	4	8	7	3
3	5	7	1	8	9	2	6	4
6	4	8	3	7	2	1	9	5
7	6	9	8	2	3	5	4	1
8	1	4	7	9	5	3	2	6
5	3	2	4	1	6	7	8	9
4	7	5	6	3	8	9	1	2
9	8	3	2	4	1	6	5	7
1	2	6	9	5	7	4	3	8

702

2	7	5	1	3	4	8	6	9
6	9	8	5	2	7	4	1	3
4	1	3	9	8	6	2	7	5
8	6	9	7	5	2	3	4	1
3	4	1	6	9	8	5	2	7
5	2	7	4	1	3	9	8	6
1	3	4	8	6	9	7	5	2
7	5	2	3	4	1	6	9	8
9	8	6	2	7	5	1	3	4

SUDOKU

703

4	5	3	6	2	7	1	9	8
1	2	6	3	9	8	4	5	7
9	8	7	5	1	4	6	3	2
3	6	8	4	7	5	9	2	1
2	7	1	9	3	6	5	8	4
5	9	4	1	8	2	3	7	6
6	4	2	8	5	9	7	1	3
8	1	9	7	6	3	2	4	5
7	3	5	2	4	1	8	6	9

704

1	2	3	4	9	6	7	5	8
6	9	8	7	5	2	3	1	4
5	4	7	8	3	1	6	9	2
2	7	5	1	8	4	9	3	6
8	1	4	9	6	3	2	7	5
9	3	6	2	7	5	8	4	1
3	6	9	5	1	8	4	2	7
4	8	1	3	2	7	5	6	9
7	5	2	6	4	9	1	8	3

705

1	4	8	9	3	6	7	5	2
5	2	7	1	4	8	9	3	6
3	6	9	5	2	7	1	4	8
8	1	4	6	9	3	2	7	5
7	5	2	8	1	4	6	9	3
9	3	6	7	5	2	8	1	4
4	8	1	3	6	9	5	2	7
2	7	5	4	8	1	3	6	9
6	9	3	2	7	5	4	8	1

706

4	7	6	8	3	9	2	5	1
3	9	1	5	6	2	4	8	7
2	5	8	7	1	4	6	9	3
8	2	3	9	5	6	7	1	4
7	1	9	4	8	3	5	6	2
5	6	4	2	7	1	9	3	8
9	3	5	1	4	7	8	2	6
1	8	7	6	2	5	3	4	9
6	4	2	3	9	8	1	7	5

707

3	7	9	4	2	5	8	6	1
2	8	6	3	1	9	4	5	7
4	5	1	8	7	6	3	9	2
5	3	7	9	8	1	2	4	6
9	4	8	6	3	2	7	1	5
6	1	2	5	4	7	9	3	8
7	9	4	1	6	8	5	2	3
8	6	3	2	5	4	1	7	9
1	2	5	7	9	3	6	8	4

708

6	9	8	2	5	4	7	1	3
7	1	2	9	3	8	4	6	5
5	3	4	6	7	1	8	2	9
1	7	6	4	9	5	3	8	2
2	8	3	1	6	7	9	5	4
4	5	9	3	8	2	6	7	1
3	4	1	8	2	6	5	9	7
9	6	5	7	1	3	2	4	8
8	2	7	5	4	9	1	3	6

SUDOKU

709

7	8	5	3	1	6	9	2	4
4	3	1	9	2	7	8	6	5
9	2	6	8	4	5	7	3	1
1	7	9	2	6	3	5	4	8
8	5	2	4	7	9	6	1	3
3	6	4	1	5	8	2	7	9
6	1	7	5	8	4	3	9	2
5	4	3	7	9	2	1	8	6
2	9	8	6	3	1	4	5	7

710

5	7	2	4	9	3	8	6	1
1	6	3	8	5	7	9	2	4
8	4	9	6	2	1	7	3	5
7	1	8	3	4	6	2	5	9
6	2	5	7	1	9	3	4	8
9	3	4	2	8	5	1	7	6
3	5	6	9	7	8	4	1	2
2	9	1	5	3	4	6	8	7
4	8	7	1	6	2	5	9	3

711

3	6	1	9	4	8	2	5	7
2	9	5	7	1	6	4	3	8
8	7	4	3	5	2	6	1	9
9	2	8	4	6	1	3	7	5
5	1	3	2	8	7	9	6	4
7	4	6	5	3	9	8	2	1
4	3	2	8	7	5	1	9	6
1	8	7	6	9	3	5	4	2
6	5	9	1	2	4	7	8	3

712

9	7	8	3	1	2	4	6	5
6	4	2	7	5	8	1	3	9
1	3	5	9	6	4	7	2	8
4	2	9	8	7	1	6	5	3
3	5	1	6	4	9	8	7	2
8	6	7	5	2	3	9	4	1
2	9	3	4	8	6	5	1	7
7	8	4	1	3	5	2	9	6
5	1	6	2	9	7	3	8	4

713

9	1	2	3	5	6	8	7	4
7	5	8	2	1	4	6	3	9
3	6	4	7	9	8	2	1	5
6	3	5	9	8	2	7	4	1
8	7	9	1	4	3	5	6	2
2	4	1	5	6	7	9	8	3
1	2	3	8	7	9	4	5	6
5	8	6	4	2	1	3	9	7
4	9	7	6	3	5	1	2	8

714

1	6	7	9	5	8	3	2	4
3	2	4	7	1	6	8	9	5
9	5	8	3	2	4	7	1	6
7	1	6	8	9	5	4	3	2
8	9	5	4	3	2	6	7	1
4	3	2	6	7	1	5	8	9
5	8	9	2	4	3	1	6	7
6	7	1	5	8	9	2	4	3
2	4	3	1	6	7	9	5	8

SUDOKU

715

6	2	8	1	9	7	4	3	5
4	9	5	6	3	2	1	7	8
3	7	1	4	5	8	2	6	9
8	3	6	2	4	9	5	1	7
5	1	7	8	6	3	9	2	4
2	4	9	7	1	5	3	8	6
7	6	4	5	2	1	8	9	3
1	5	3	9	8	6	7	4	2
9	8	2	3	7	4	6	5	1

716

3	2	5	6	1	7	8	9	4
4	8	1	9	3	5	7	6	2
6	7	9	2	8	4	5	1	3
5	3	7	1	6	9	4	2	8
8	9	2	7	4	3	6	5	1
1	6	4	5	2	8	3	7	9
2	4	6	3	5	1	9	8	7
9	5	3	8	7	2	1	4	6
7	1	8	4	9	6	2	3	5

717

4	1	8	2	6	3	7	9	5
9	7	2	5	8	1	4	3	6
3	6	5	9	7	4	8	1	2
8	2	3	4	9	6	1	5	7
6	5	9	1	2	7	3	4	8
7	4	1	3	5	8	6	2	9
5	8	4	7	3	9	2	6	1
1	9	7	6	4	2	5	8	3
2	3	6	8	1	5	9	7	4

718

2	1	4	6	8	7	9	5	3
5	3	6	9	4	1	8	2	7
9	8	7	2	5	3	1	6	4
4	6	9	7	3	2	5	8	1
3	7	1	5	9	8	6	4	2
8	5	2	1	6	4	3	7	9
7	9	5	3	2	6	4	1	8
1	4	3	8	7	5	2	9	6
6	2	8	4	1	9	7	3	5

719

8	4	1	6	3	7	5	9	2
3	2	9	4	5	1	6	7	8
5	7	6	2	9	8	4	3	1
2	9	3	5	7	4	8	1	6
6	5	8	3	1	9	7	2	4
7	1	4	8	6	2	3	5	9
9	3	7	1	4	6	2	8	5
4	8	5	9	2	3	1	6	7
1	6	2	7	8	5	9	4	3

720

3	2	7	5	8	1	6	9	4
6	4	5	9	3	7	2	1	8
9	1	8	2	4	6	7	5	3
2	5	1	4	6	3	9	8	7
7	3	6	8	9	2	5	4	1
8	9	4	7	1	5	3	6	2
4	7	2	6	5	8	1	3	9
5	8	3	1	2	9	4	7	6
1	6	9	3	7	4	8	2	5

SUDOKU

721

8	1	3	5	9	4	6	7	2
5	4	9	2	7	6	3	1	8
6	7	2	1	3	8	9	5	4
1	5	8	3	4	2	7	6	9
3	9	4	6	8	7	1	2	5
7	2	6	9	1	5	8	4	3
2	3	1	7	5	9	4	8	6
9	8	5	4	6	1	2	3	7
4	6	7	8	2	3	5	9	1

722

8	1	7	6	5	2	3	4	9
3	4	6	8	7	9	2	1	5
5	2	9	1	3	4	8	7	6
1	8	4	2	9	5	6	3	7
9	3	5	7	1	6	4	2	8
6	7	2	4	8	3	9	5	1
7	6	3	5	2	8	1	9	4
4	9	1	3	6	7	5	8	2
2	5	8	9	4	1	7	6	3

723

2	6	8	5	9	1	4	7	3
1	5	4	3	2	7	9	6	8
7	9	3	8	4	6	2	1	5
4	2	1	6	8	9	5	3	7
5	8	7	1	3	4	6	2	9
9	3	6	7	5	2	1	8	4
6	4	2	9	7	3	8	5	1
3	1	5	4	6	8	7	9	2
8	7	9	2	1	5	3	4	6

724

5	7	1	6	4	3	9	8	2
2	8	4	9	1	5	3	6	7
6	9	3	7	8	2	5	1	4
7	2	8	3	9	1	6	4	5
3	1	9	5	6	4	7	2	8
4	5	6	2	7	8	1	9	3
1	4	7	8	3	6	2	5	9
9	6	2	4	5	7	8	3	1
8	3	5	1	2	9	4	7	6

725

7	5	3	2	8	9	4	1	6
6	9	1	4	3	7	8	2	5
2	4	8	1	6	5	9	3	7
5	1	9	3	7	4	6	8	2
4	3	7	6	2	8	1	5	9
8	2	6	9	5	1	7	4	3
9	7	4	5	1	3	2	6	8
3	8	2	7	4	6	5	9	1
1	6	5	8	9	2	3	7	4

726

2	1	3	8	5	4	9	6	7
4	6	9	7	1	3	5	2	8
5	7	8	9	6	2	1	4	3
3	5	4	6	2	8	7	9	1
6	8	7	1	4	9	2	3	5
1	9	2	5	3	7	4	8	6
8	2	6	4	7	5	3	1	9
9	4	5	3	8	1	6	7	2
7	3	1	2	9	6	8	5	4

SUDOKU

727

7	8	1	2	5	6	9	3	4
3	4	5	9	8	1	7	2	6
9	2	6	4	7	3	8	5	1
8	9	2	1	4	7	3	6	5
5	3	4	8	6	2	1	9	7
1	6	7	3	9	5	2	4	8
4	1	9	6	2	8	5	7	3
2	7	8	5	3	4	6	1	9
6	5	3	7	1	9	4	8	2

728

1	3	4	6	2	9	7	8	5
6	9	5	8	4	7	2	1	3
8	7	2	1	5	3	9	4	6
9	2	1	4	3	8	6	5	7
4	5	6	2	7	1	8	3	9
7	8	3	5	9	6	1	2	4
2	6	7	3	1	4	5	9	8
5	4	8	9	6	2	3	7	1
3	1	9	7	8	5	4	6	2

729

3	1	2	4	6	5	8	9	7
8	9	5	7	3	1	4	2	6
6	4	7	8	9	2	3	1	5
9	6	4	5	2	8	7	3	1
1	7	3	9	4	6	2	5	8
5	2	8	3	1	7	6	4	9
7	5	1	2	8	3	9	6	4
4	3	6	1	7	9	5	8	2
2	8	9	6	5	4	1	7	3

730

2	3	6	9	7	4	8	5	1
4	7	9	8	5	1	3	6	2
8	5	1	6	2	3	9	7	4
3	6	2	1	4	5	7	9	8
5	8	7	2	9	6	1	4	3
1	9	4	3	8	7	5	2	6
9	1	5	4	6	8	2	3	7
6	2	8	7	3	9	4	1	5
7	4	3	5	1	2	6	8	9

731

8	7	4	3	1	5	9	6	2
1	3	2	4	6	9	7	5	8
9	5	6	7	8	2	1	3	4
5	9	3	8	4	7	2	1	6
4	1	8	2	5	6	3	7	9
2	6	7	1	9	3	4	8	5
7	8	9	5	3	4	6	2	1
3	4	5	6	2	1	8	9	7
6	2	1	9	7	8	5	4	3

732

1	5	2	7	4	3	8	9	6
7	6	3	2	9	8	5	4	1
4	9	8	6	5	1	3	7	2
5	1	6	8	7	9	4	2	3
3	2	4	1	6	5	7	8	9
9	8	7	4	3	2	6	1	5
8	4	1	3	2	6	9	5	7
2	3	5	9	8	7	1	6	4
6	7	9	5	1	4	2	3	8

SUDOKU

733

8	9	4	2	5	6	1	3	7
1	2	7	4	3	9	8	5	6
6	3	5	1	7	8	4	9	2
9	8	1	6	2	3	7	4	5
7	6	2	8	4	5	9	1	3
4	5	3	7	9	1	6	2	8
3	1	6	5	8	4	2	7	9
5	7	8	9	1	2	3	6	4
2	4	9	3	6	7	5	8	1

734

2	1	9	6	7	5	3	4	8
3	7	5	4	8	9	1	6	2
4	8	6	2	1	3	7	9	5
1	5	3	9	4	7	2	8	6
9	6	7	8	3	2	5	1	4
8	2	4	5	6	1	9	7	3
7	4	1	3	2	8	6	5	9
6	9	2	1	5	4	8	3	7
5	3	8	7	9	6	4	2	1

735

2	4	8	9	6	5	1	7	3
1	3	9	7	4	8	6	2	5
7	5	6	1	3	2	9	4	8
4	8	2	3	5	1	7	6	9
6	9	5	8	7	4	3	1	2
3	1	7	6	2	9	5	8	4
9	7	4	5	8	6	2	3	1
8	6	1	2	9	3	4	5	7
5	2	3	4	1	7	8	9	6

736

9	5	8	7	4	1	6	3	2
1	6	3	2	9	8	5	4	7
4	2	7	5	6	3	9	8	1
2	4	6	3	8	9	1	7	5
7	9	5	4	1	2	8	6	3
8	3	1	6	5	7	4	2	9
3	1	4	9	7	6	2	5	8
6	7	9	8	2	5	3	1	4
5	8	2	1	3	4	7	9	6

737

9	5	4	1	6	7	2	8	3
6	8	2	9	4	3	5	1	7
3	7	1	8	5	2	6	9	4
8	1	5	7	9	6	3	4	2
4	3	9	5	2	8	7	6	1
7	2	6	3	1	4	8	5	9
1	9	8	2	7	5	4	3	6
5	4	7	6	3	9	1	2	8
2	6	3	4	8	1	9	7	5

738

8	6	3	1	2	5	4	9	7
1	5	7	9	4	6	3	2	8
9	4	2	8	7	3	1	6	5
7	9	8	6	1	4	2	5	3
2	1	5	7	3	8	9	4	6
4	3	6	5	9	2	7	8	1
6	2	4	3	5	7	8	1	9
3	8	1	2	6	9	5	7	4
5	7	9	4	8	1	6	3	2

739

1	4	8	6	2	5	7	3	9
5	2	6	9	3	7	1	4	8
7	3	9	8	4	1	5	2	6
2	6	1	5	9	3	4	8	7
3	9	5	7	8	4	2	6	1
4	8	7	1	6	2	3	9	5
9	5	2	3	7	8	6	1	4
8	7	3	4	1	6	9	5	2
6	1	4	2	5	9	8	7	3

740

8	7	2	4	3	6	1	5	9
6	5	4	9	7	1	3	2	8
1	3	9	2	5	8	6	4	7
4	9	6	8	2	7	5	1	3
3	8	7	1	4	5	9	6	2
2	1	5	6	9	3	7	8	4
9	2	1	7	6	4	8	3	5
5	4	8	3	1	9	2	7	6
7	6	3	5	8	2	4	9	1

741

2	1	5	8	9	6	4	7	3
6	9	7	3	2	4	8	5	1
8	4	3	7	1	5	9	6	2
9	3	6	5	4	7	2	1	8
4	7	1	2	3	8	5	9	6
5	8	2	1	6	9	3	4	7
3	2	4	9	7	1	6	8	5
1	5	9	6	8	3	7	2	4
7	6	8	4	5	2	1	3	9

742

6	3	4	8	7	9	2	1	5
8	1	2	6	4	5	9	3	7
9	5	7	1	3	2	8	4	6
1	8	9	3	5	6	7	2	4
7	6	5	4	2	8	1	9	3
2	4	3	9	1	7	6	5	8
4	7	8	5	9	1	3	6	2
5	2	1	7	6	3	4	8	9
3	9	6	2	8	4	5	7	1

743

2	9	1	3	5	6	4	8	7
7	4	3	8	1	2	9	6	5
8	6	5	4	9	7	1	3	2
4	1	2	9	7	8	6	5	3
9	7	8	6	3	5	2	1	4
3	5	6	2	4	1	8	7	9
1	3	4	5	6	9	7	2	8
5	8	7	1	2	4	3	9	6
6	2	9	7	8	3	5	4	1

744

7	1	4	9	6	5	2	8	3
8	6	9	3	1	2	5	4	7
5	3	2	8	4	7	6	9	1
3	2	6	4	9	1	8	7	5
1	4	8	7	5	6	9	3	2
9	5	7	2	8	3	4	1	6
2	8	5	1	3	4	7	6	9
4	7	3	6	2	9	1	5	8
6	9	1	5	7	8	3	2	4

SUDOKU

745

4	6	2	7	1	9	5	3	8
1	3	8	5	6	4	9	2	7
5	9	7	8	2	3	4	6	1
9	7	1	4	5	2	3	8	6
6	4	3	9	8	7	2	1	5
2	8	5	6	3	1	7	4	9
3	5	4	1	7	6	8	9	2
8	2	6	3	9	5	1	7	4
7	1	9	2	4	8	6	5	3

746

6	2	5	9	1	7	4	3	8
9	1	7	4	3	8	5	6	2
4	3	8	5	6	2	7	9	1
3	8	4	6	2	5	9	1	7
1	7	9	3	8	4	6	2	5
2	5	6	1	7	9	3	8	4
5	6	2	7	9	1	8	4	3
7	9	1	8	4	3	2	5	6
8	4	3	2	5	6	1	7	9

747

6	7	3	4	2	9	5	8	1
9	1	8	7	6	5	2	4	3
5	4	2	3	8	1	9	6	7
8	9	4	6	1	3	7	5	2
2	3	7	8	5	4	1	9	6
1	5	6	2	9	7	4	3	8
4	6	5	1	7	8	3	2	9
3	8	1	9	4	2	6	7	5
7	2	9	5	3	6	8	1	4

748

1	6	2	7	4	9	8	3	5
5	7	8	6	2	3	9	1	4
3	4	9	5	8	1	7	6	2
7	8	4	3	6	5	1	2	9
2	5	6	9	1	8	3	4	7
9	3	1	2	7	4	6	5	8
8	2	5	1	9	6	4	7	3
6	9	3	4	5	7	2	8	1
4	1	7	8	3	2	5	9	6

749

7	5	9	6	3	2	8	1	4
2	4	3	7	8	1	5	6	9
6	1	8	4	9	5	7	3	2
3	7	1	9	5	8	4	2	6
9	6	2	3	7	4	1	5	8
5	8	4	1	2	6	3	9	7
8	2	7	5	6	3	9	4	1
1	9	5	2	4	7	6	8	3
4	3	6	8	1	9	2	7	5

750

2	8	4	3	1	7	6	9	5
3	6	9	4	8	5	2	7	1
1	7	5	2	6	9	3	4	8
9	2	1	5	4	6	8	3	7
4	3	6	7	2	8	1	5	9
7	5	8	9	3	1	4	2	6
6	9	2	1	7	3	5	8	4
5	1	3	8	9	4	7	6	2
8	4	7	6	5	2	9	1	3

SUDOKU

751

3	5	4	8	9	6	7	1	2
7	6	9	2	1	5	8	4	3
8	1	2	4	3	7	5	6	9
6	9	8	7	5	2	4	3	1
2	7	5	1	4	3	9	8	6
1	4	3	9	6	8	2	5	7
9	8	6	3	7	4	1	2	5
4	3	1	5	2	9	6	7	8
5	2	7	6	8	1	3	9	4

752

2	3	9	8	4	7	6	1	5
6	4	7	9	5	1	2	3	8
5	1	8	2	6	3	7	9	4
9	6	3	1	2	5	4	8	7
1	2	5	7	8	4	3	6	9
7	8	4	6	3	9	5	2	1
3	9	1	4	7	6	8	5	2
8	7	6	5	1	2	9	4	3
4	5	2	3	9	8	1	7	6

753

8	7	2	5	4	9	1	6	3
5	3	4	7	1	6	9	2	8
6	9	1	3	8	2	7	4	5
3	2	7	9	5	4	8	1	6
9	4	5	1	6	8	2	3	7
1	6	8	2	3	7	5	9	4
7	5	9	4	2	3	6	8	1
2	8	3	6	7	1	4	5	9
4	1	6	8	9	5	3	7	2

754

6	9	2	5	1	7	8	4	3
7	3	8	9	4	6	2	1	5
5	1	4	8	3	2	9	7	6
8	7	3	4	5	1	6	9	2
1	4	5	2	6	9	7	3	8
2	6	9	7	8	3	1	5	4
9	5	6	3	7	8	4	2	1
3	2	1	6	9	4	5	8	7
4	8	7	1	2	5	3	6	9

755

9	5	4	7	3	2	6	8	1
7	3	2	6	8	1	9	5	4
6	8	1	9	5	4	7	3	2
4	7	3	2	6	8	1	9	5
2	6	8	1	9	5	4	7	3
1	9	5	4	7	3	2	6	8
3	2	6	8	1	9	5	4	7
8	1	9	5	4	7	3	2	6
5	4	7	3	2	6	8	1	9

756

9	6	8	7	3	1	2	4	5
2	3	4	9	6	5	7	1	8
1	5	7	2	4	8	9	6	3
6	4	2	8	1	3	5	9	7
5	9	3	6	7	2	4	8	1
7	8	1	4	5	9	6	3	2
3	1	6	5	9	7	8	2	4
8	7	9	3	2	4	1	5	6
4	2	5	1	8	6	3	7	9

SUDOKU

757

9	4	8	7	5	6	3	1	2
5	2	3	1	9	4	8	7	6
1	7	6	8	2	3	5	4	9
4	5	9	2	3	1	6	8	7
2	3	1	6	7	8	4	9	5
6	8	7	9	4	5	2	3	1
8	9	5	3	1	2	7	6	4
7	6	2	4	8	9	1	5	3
3	1	4	5	6	7	9	2	8

758

2	9	7	1	5	6	3	4	8
1	5	6	3	4	8	9	7	2
4	8	3	7	2	9	6	1	5
7	2	9	6	1	5	8	3	4
3	4	8	9	7	2	5	6	1
6	1	5	8	3	4	2	9	7
8	3	4	2	9	7	1	5	6
9	7	2	5	6	1	4	8	3
5	6	1	4	8	3	7	2	9

759

8	4	9	1	3	5	2	6	7
1	3	5	7	6	2	9	8	4
2	6	7	8	9	4	5	3	1
5	1	2	4	7	3	8	9	6
3	7	6	9	1	8	4	5	2
9	8	4	2	5	6	7	1	3
6	2	1	5	8	7	3	4	9
7	9	8	3	4	1	6	2	5
4	5	3	6	2	9	1	7	8

760

5	7	9	6	1	8	3	2	4
6	1	8	2	4	3	7	9	5
4	2	3	9	5	7	6	1	8
3	9	2	4	7	6	5	8	1
7	5	4	8	3	1	9	6	2
8	6	1	5	2	9	4	7	3
1	8	7	3	6	4	2	5	9
2	4	6	1	9	5	8	3	7
9	3	5	7	8	2	1	4	6

761

6	2	7	1	3	9	8	4	5
8	3	1	6	5	4	7	2	9
4	9	5	2	8	7	6	1	3
1	4	8	5	7	2	9	3	6
5	7	2	3	9	6	4	8	1
9	6	3	8	4	1	5	7	2
7	5	6	4	2	3	1	9	8
3	8	9	7	1	5	2	6	4
2	1	4	9	6	8	3	5	7

762

2	4	8	7	6	3	9	5	1
3	7	6	5	1	9	8	2	4
1	9	5	4	8	2	6	7	3
5	8	1	9	4	6	7	3	2
9	2	3	1	7	5	4	6	8
4	6	7	2	3	8	5	1	9
8	3	2	6	9	7	1	4	5
6	1	9	3	5	4	2	8	7
7	5	4	8	2	1	3	9	6

SUDOKU

763

2	1	6	5	3	7	8	4	9
9	7	8	4	6	1	5	2	3
4	3	5	2	8	9	7	1	6
7	8	3	9	1	4	2	6	5
6	9	1	8	2	5	4	3	7
5	4	2	3	7	6	1	9	8
8	6	9	1	5	2	3	7	4
1	5	4	7	9	3	6	8	2
3	2	7	6	4	8	9	5	1

764

9	4	8	2	5	7	1	3	6
3	5	6	8	1	4	7	9	2
1	2	7	6	3	9	5	4	8
6	1	5	9	8	2	3	7	4
2	3	9	7	4	5	8	6	1
8	7	4	1	6	3	2	5	9
4	8	2	3	7	6	9	1	5
5	9	3	4	2	1	6	8	7
7	6	1	5	9	8	4	2	3

765

9	4	2	7	8	6	1	3	5
7	1	6	5	3	9	2	8	4
8	3	5	1	2	4	6	9	7
4	6	7	8	1	2	3	5	9
5	9	1	4	6	3	7	2	8
2	8	3	9	5	7	4	1	6
1	7	4	2	9	5	8	6	3
3	2	9	6	7	8	5	4	1
6	5	8	3	4	1	9	7	2

766

8	6	5	3	9	7	2	1	4
4	2	3	1	6	8	7	5	9
1	9	7	4	5	2	3	6	8
7	1	9	6	8	5	4	2	3
6	5	8	2	4	3	1	9	7
3	4	2	9	7	1	6	8	5
9	3	6	5	2	4	8	7	1
5	7	1	8	3	6	9	4	2
2	8	4	7	1	9	5	3	6

767

4	7	2	8	1	3	6	9	5
9	5	3	2	6	4	8	1	7
6	8	1	9	5	7	3	4	2
8	1	4	5	9	2	7	3	6
3	9	5	7	8	6	1	2	4
2	6	7	3	4	1	9	5	8
5	4	6	1	3	8	2	7	9
7	3	8	4	2	9	5	6	1
1	2	9	6	7	5	4	8	3

768

6	3	7	4	2	5	8	9	1
4	1	5	9	8	3	2	6	7
9	2	8	6	7	1	3	5	4
8	6	2	7	3	9	1	4	5
7	5	1	8	4	6	9	3	2
3	4	9	1	5	2	7	8	6
1	7	6	3	9	4	5	2	8
5	8	3	2	6	7	4	1	9
2	9	4	5	1	8	6	7	3

SUDOKU

769

5	1	3	9	2	6	4	7	8
2	9	6	4	8	7	5	1	3
8	4	7	5	3	1	2	9	6
7	8	4	3	1	5	6	2	9
6	2	9	8	7	4	3	5	1
3	5	1	2	6	9	8	4	7
1	3	5	6	9	2	7	8	4
9	6	2	7	4	8	1	3	5
4	7	8	1	5	3	9	6	2

770

2	1	4	3	7	5	9	6	8
3	8	9	1	6	2	7	5	4
5	6	7	4	8	9	2	3	1
1	2	6	9	4	7	3	8	5
4	9	8	5	3	6	1	2	7
7	5	3	2	1	8	4	9	6
6	3	1	8	9	4	5	7	2
9	7	5	6	2	1	8	4	3
8	4	2	7	5	3	6	1	9

771

2	9	6	5	3	7	1	4	8
4	8	1	2	6	9	5	7	3
3	5	7	4	1	8	6	9	2
8	6	9	1	2	4	7	3	5
5	4	2	7	9	3	8	6	1
7	1	3	6	8	5	9	2	4
1	2	4	9	5	6	3	8	7
9	7	8	3	4	1	2	5	6
6	3	5	8	7	2	4	1	9

772

3	5	9	8	1	7	2	6	4
8	4	6	2	5	3	7	1	9
2	7	1	9	6	4	8	5	3
6	9	8	5	7	1	4	3	2
5	2	7	4	3	8	1	9	6
1	3	4	6	9	2	5	7	8
7	1	2	3	8	6	9	4	5
9	8	3	1	4	5	6	2	7
4	6	5	7	2	9	3	8	1

773

4	3	9	8	5	6	1	7	2
5	6	1	3	2	7	8	9	4
2	8	7	9	1	4	6	3	5
9	1	8	4	3	5	2	6	7
3	7	5	2	6	8	4	1	9
6	4	2	1	7	9	3	5	8
1	2	4	5	9	3	7	8	6
8	9	6	7	4	1	5	2	3
7	5	3	6	8	2	9	4	1

774

7	9	3	1	2	5	8	4	6
6	2	4	3	9	8	1	7	5
1	8	5	4	7	6	2	3	9
4	1	7	2	5	3	9	6	8
8	3	2	6	4	9	7	5	1
5	6	9	7	8	1	3	2	4
9	5	6	8	3	2	4	1	7
3	4	8	5	1	7	6	9	2
2	7	1	9	6	4	5	8	3

SUDOKU

775

9	7	1	8	5	4	2	3	6
8	6	5	2	1	3	7	4	9
2	3	4	7	6	9	8	5	1
6	1	8	4	2	7	3	9	5
4	5	7	9	3	6	1	8	2
3	9	2	1	8	5	4	6	7
1	8	9	6	4	2	5	7	3
5	4	6	3	7	1	9	2	8
7	2	3	5	9	8	6	1	4

776

9	3	5	7	4	1	6	8	2
6	1	4	5	2	8	3	9	7
2	8	7	3	9	6	1	4	5
4	7	3	1	5	2	9	6	8
1	6	2	8	7	9	4	5	3
8	5	9	6	3	4	2	7	1
7	4	8	9	1	3	5	2	6
5	2	1	4	6	7	8	3	9
3	9	6	2	8	5	7	1	4

777

5	2	4	7	1	8	9	6	3
7	3	1	6	5	9	2	4	8
9	6	8	3	2	4	5	1	7
3	8	7	5	4	1	6	2	9
6	4	9	2	3	7	1	8	5
2	1	5	9	8	6	3	7	4
1	9	6	8	7	3	4	5	2
8	5	3	4	6	2	7	9	1
4	7	2	1	9	5	8	3	6

778

6	2	3	9	8	5	4	7	1
8	7	4	6	2	1	5	3	9
1	9	5	4	7	3	2	8	6
9	5	1	3	6	2	8	4	7
4	8	7	1	5	9	6	2	3
2	3	6	8	4	7	1	9	5
3	6	8	7	1	4	9	5	2
5	4	9	2	3	6	7	1	8
7	1	2	5	9	8	3	6	4

779

7	8	3	1	6	4	2	5	9
4	5	2	3	9	8	7	6	1
6	1	9	5	7	2	8	4	3
3	9	4	2	5	6	1	7	8
1	7	8	4	3	9	5	2	6
2	6	5	8	1	7	9	3	4
5	3	6	9	2	1	4	8	7
8	2	1	7	4	3	6	9	5
9	4	7	6	8	5	3	1	2

780

3	9	8	7	5	2	6	1	4
1	6	5	8	4	3	7	2	9
4	7	2	6	9	1	8	3	5
8	5	1	9	2	6	3	4	7
6	2	3	4	1	7	9	5	8
7	4	9	5	3	8	1	6	2
2	1	7	3	8	4	5	9	6
9	8	4	1	6	5	2	7	3
5	3	6	2	7	9	4	8	1

SUDOKU

781

8	2	5	7	3	9	4	6	1
9	6	1	2	5	4	8	3	7
7	4	3	1	8	6	5	2	9
3	7	4	8	2	5	1	9	6
2	5	8	9	6	1	3	7	4
1	9	6	4	7	3	2	8	5
5	3	9	6	1	8	7	4	2
4	8	7	5	9	2	6	1	3
6	1	2	3	4	7	9	5	8

782

5	8	7	1	2	9	6	4	3
6	3	2	7	8	4	5	1	9
9	1	4	5	6	3	8	2	7
4	6	5	3	7	2	9	8	1
1	9	8	4	5	6	3	7	2
7	2	3	9	1	8	4	5	6
3	7	9	2	4	5	1	6	8
2	5	6	8	3	1	7	9	4
8	4	1	6	9	7	2	3	5

783

5	8	2	4	1	9	7	6	3
4	6	7	8	5	3	2	1	9
9	3	1	2	6	7	8	4	5
3	2	9	5	8	6	1	7	4
8	4	5	1	7	2	3	9	6
7	1	6	9	3	4	5	2	8
2	7	4	3	9	8	6	5	1
6	5	8	7	4	1	9	3	2
1	9	3	6	2	5	4	8	7

784

3	8	6	5	7	2	4	9	1
9	1	2	4	8	6	7	3	5
7	5	4	1	9	3	8	2	6
8	2	7	6	3	9	5	1	4
5	9	1	2	4	8	6	7	3
4	6	3	7	5	1	2	8	9
2	3	5	9	6	7	1	4	8
6	7	9	8	1	4	3	5	2
1	4	8	3	2	5	9	6	7

785

2	5	9	1	4	3	8	7	6
4	6	1	9	8	7	2	5	3
7	3	8	6	5	2	9	4	1
9	8	6	4	7	1	3	2	5
3	1	4	2	6	5	7	9	8
5	2	7	8	3	9	6	1	4
6	7	5	3	9	4	1	8	2
8	9	2	5	1	6	4	3	7
1	4	3	7	2	8	5	6	9

786

5	1	6	8	3	4	9	2	7
3	8	2	7	9	1	6	5	4
7	4	9	2	5	6	3	8	1
6	3	1	4	8	7	5	9	2
2	5	4	6	1	9	8	7	3
9	7	8	3	2	5	1	4	6
8	6	7	9	4	3	2	1	5
4	2	5	1	6	8	7	3	9
1	9	3	5	7	2	4	6	8

SUDOKU

787

8	5	4	7	1	9	3	6	2
3	9	1	2	6	5	4	7	8
7	2	6	3	4	8	5	9	1
2	4	9	1	7	3	8	5	6
5	3	7	4	8	6	1	2	9
6	1	8	5	9	2	7	3	4
4	8	2	6	3	7	9	1	5
9	7	5	8	2	1	6	4	3
1	6	3	9	5	4	2	8	7

788

6	1	4	9	3	8	2	7	5
3	5	9	2	7	4	1	6	8
8	2	7	6	5	1	3	4	9
4	6	5	8	1	3	7	9	2
7	8	2	4	9	5	6	1	3
1	9	3	7	2	6	8	5	4
9	4	8	1	6	2	5	3	7
5	7	1	3	8	9	4	2	6
2	3	6	5	4	7	9	8	1

789

5	7	3	2	1	8	6	4	9
6	4	2	3	9	5	8	7	1
1	9	8	7	6	4	3	5	2
3	5	7	6	4	2	9	1	8
9	8	1	5	3	7	4	2	6
2	6	4	1	8	9	7	3	5
8	3	5	4	2	6	1	9	7
7	1	6	9	5	3	2	8	4
4	2	9	8	7	1	5	6	3

790

6	4	1	9	2	3	7	8	5
8	7	2	1	5	6	9	3	4
5	9	3	7	4	8	1	6	2
1	2	8	4	3	7	6	5	9
7	3	6	5	8	9	4	2	1
9	5	4	2	6	1	8	7	3
3	8	9	6	1	5	2	4	7
4	1	5	8	7	2	3	9	6
2	6	7	3	9	4	5	1	8

791

7	5	3	8	9	1	6	4	2
6	4	2	5	3	7	9	1	8
9	1	8	4	2	6	3	7	5
1	8	9	2	6	4	7	5	3
4	2	6	3	7	5	1	8	9
5	3	7	9	1	8	4	2	6
3	7	5	1	8	9	2	6	4
2	6	4	7	5	3	8	9	1
8	9	1	6	4	2	5	3	7

792

2	1	4	8	5	6	7	3	9
3	9	5	1	7	2	8	6	4
6	8	7	9	4	3	1	5	2
8	6	9	2	1	4	3	7	5
5	4	2	3	8	7	6	9	1
1	7	3	6	9	5	2	4	8
7	2	8	5	3	9	4	1	6
9	3	1	4	6	8	5	2	7
4	5	6	7	2	1	9	8	3

SUDOKU

793

8	3	7	9	1	6	5	2	4
9	4	1	3	2	5	6	7	8
2	6	5	7	8	4	1	9	3
1	7	8	4	6	9	2	3	5
5	2	3	1	7	8	4	6	9
4	9	6	2	5	3	7	8	1
6	1	9	8	4	7	3	5	2
7	8	2	5	3	1	9	4	6
3	5	4	6	9	2	8	1	7

794

5	2	6	1	3	8	4	7	9
8	3	7	6	9	4	2	1	5
9	4	1	5	2	7	8	3	6
3	9	8	4	6	1	7	5	2
7	5	2	3	8	9	6	4	1
6	1	4	7	5	2	3	9	8
2	8	3	9	7	5	1	6	4
1	7	5	2	4	6	9	8	3
4	6	9	8	1	3	5	2	7

795

7	6	5	3	1	2	9	4	8
3	4	8	9	5	7	2	1	6
9	1	2	4	8	6	3	5	7
2	7	1	8	6	5	4	3	9
8	9	6	1	3	4	5	7	2
5	3	4	2	7	9	6	8	1
4	2	7	5	9	1	8	6	3
1	5	3	6	2	8	7	9	4
6	8	9	7	4	3	1	2	5

796

2	5	9	1	6	8	7	3	4
3	8	1	4	2	7	6	9	5
7	6	4	3	9	5	1	2	8
5	2	8	7	3	6	4	1	9
6	4	7	9	8	1	3	5	2
9	1	3	5	4	2	8	7	6
1	9	2	6	7	4	5	8	3
4	3	5	8	1	9	2	6	7
8	7	6	2	5	3	9	4	1

797

9	4	3	8	1	6	7	5	2
1	2	5	3	7	9	4	8	6
8	6	7	5	4	2	1	3	9
5	1	9	2	8	4	6	7	3
3	8	2	6	5	7	9	1	4
4	7	6	9	3	1	8	2	5
6	5	8	7	9	3	2	4	1
7	9	4	1	2	5	3	6	8
2	3	1	4	6	8	5	9	7

798

7	1	8	4	2	9	5	3	6
5	9	6	3	1	8	4	7	2
3	2	4	5	6	7	9	8	1
6	4	3	7	5	1	2	9	8
2	8	5	6	9	4	7	1	3
1	7	9	8	3	2	6	5	4
9	6	1	2	8	5	3	4	7
4	5	2	1	7	3	8	6	9
8	3	7	9	4	6	1	2	5

SUDOKU

799

8	7	9	1	6	3	5	2	4
1	3	5	9	2	4	7	6	8
4	2	6	8	5	7	3	1	9
7	9	2	4	8	5	1	3	6
6	1	4	3	9	2	8	7	5
5	8	3	7	1	6	4	9	2
9	6	1	5	7	8	2	4	3
3	5	7	2	4	9	6	8	1
2	4	8	6	3	1	9	5	7

800

7	4	2	5	8	6	1	9	3
1	6	8	7	9	3	5	4	2
5	9	3	4	2	1	8	7	6
3	7	5	1	4	2	9	6	8
2	1	4	8	6	9	3	5	7
6	8	9	3	7	5	4	2	1
8	2	6	9	1	4	7	3	5
4	5	1	2	3	7	6	8	9
9	3	7	6	5	8	2	1	4

801

4	6	2	3	9	8	5	7	1
7	3	8	5	1	6	9	4	2
9	5	1	4	7	2	3	6	8
3	9	4	8	6	1	7	2	5
1	7	5	9	2	4	6	8	3
8	2	6	7	3	5	1	9	4
5	4	3	6	8	9	2	1	7
6	1	7	2	4	3	8	5	9
2	8	9	1	5	7	4	3	6

802

2	4	3	6	5	9	1	7	8
6	8	7	1	3	2	5	4	9
9	5	1	8	4	7	3	6	2
1	7	5	4	2	3	9	8	6
8	2	6	5	9	1	4	3	7
4	3	9	7	8	6	2	5	1
3	9	8	2	7	4	6	1	5
5	6	2	3	1	8	7	9	4
7	1	4	9	6	5	8	2	3

803

1	5	4	2	7	8	6	9	3
6	8	7	3	9	5	1	4	2
2	9	3	6	1	4	5	8	7
8	7	1	5	3	6	4	2	9
3	6	2	8	4	9	7	1	5
9	4	5	1	2	7	8	3	6
7	1	9	4	6	2	3	5	8
4	2	8	7	5	3	9	6	1
5	3	6	9	8	1	2	7	4

804

6	5	1	8	7	4	3	9	2
8	4	3	2	9	5	6	7	1
9	7	2	3	6	1	4	5	8
3	1	7	9	2	8	5	4	6
2	9	4	5	1	6	8	3	7
5	8	6	4	3	7	2	1	9
4	6	8	1	5	9	7	2	3
1	2	5	7	8	3	9	6	4
7	3	9	6	4	2	1	8	5

SUDOKU

805

2	6	1	7	4	8	5	3	9
9	8	4	1	5	3	6	7	2
5	7	3	9	6	2	8	1	4
4	9	6	3	8	7	2	5	1
3	5	7	2	1	6	4	9	8
1	2	8	4	9	5	3	6	7
6	4	2	5	7	9	1	8	3
7	3	5	8	2	1	9	4	6
8	1	9	6	3	4	7	2	5

806

1	4	9	3	5	6	7	8	2
2	8	6	9	7	4	5	1	3
5	3	7	8	1	2	9	6	4
7	2	8	6	3	5	1	4	9
3	6	4	7	9	1	2	5	8
9	5	1	4	2	8	3	7	6
6	9	5	1	8	3	4	2	7
4	7	2	5	6	9	8	3	1
8	1	3	2	4	7	6	9	5

807

8	2	1	7	3	6	5	9	4
4	7	3	9	5	8	6	2	1
9	6	5	4	2	1	8	3	7
6	5	8	2	1	7	9	4	3
1	3	2	6	4	9	7	8	5
7	9	4	5	8	3	1	6	2
2	8	9	1	7	4	3	5	6
5	1	6	3	9	2	4	7	8
3	4	7	8	6	5	2	1	9

808

9	1	3	5	2	8	4	6	7
5	4	6	3	7	9	1	2	8
8	2	7	1	4	6	9	3	5
4	6	2	8	9	3	5	7	1
3	9	1	7	5	2	6	8	4
7	8	5	4	6	1	2	9	3
2	5	4	9	3	7	8	1	6
6	7	8	2	1	4	3	5	9
1	3	9	6	8	5	7	4	2

809

7	9	6	2	8	4	1	3	5
5	4	2	1	3	9	7	8	6
1	8	3	5	6	7	2	9	4
6	2	9	4	5	8	3	7	1
4	3	1	9	7	6	8	5	2
8	7	5	3	1	2	6	4	9
2	6	4	7	9	3	5	1	8
9	1	7	8	2	5	4	6	3
3	5	8	6	4	1	9	2	7

810

9	7	4	2	8	6	1	5	3
2	1	8	5	3	4	9	7	6
3	5	6	7	1	9	4	2	8
4	6	3	9	5	1	2	8	7
1	8	2	6	4	7	3	9	5
7	9	5	3	2	8	6	1	4
5	4	9	8	6	2	7	3	1
8	2	1	4	7	3	5	6	9
6	3	7	1	9	5	8	4	2

SUDOKU

811

7	1	6	8	3	4	9	2	5
4	2	9	1	6	5	8	3	7
5	8	3	9	7	2	4	1	6
9	6	5	2	4	8	1	7	3
2	3	8	7	5	1	6	9	4
1	7	4	6	9	3	5	8	2
8	5	1	4	2	7	3	6	9
3	9	7	5	1	6	2	4	8
6	4	2	3	8	9	7	5	1

812

1	8	7	2	9	4	6	5	3
6	5	2	1	7	3	4	8	9
9	4	3	8	6	5	1	7	2
8	1	5	4	3	9	2	6	7
3	6	9	7	8	2	5	4	1
2	7	4	5	1	6	3	9	8
7	2	6	9	4	1	8	3	5
5	3	8	6	2	7	9	1	4
4	9	1	3	5	8	7	2	6

813

5	6	9	3	2	7	1	8	4
3	7	1	6	4	8	5	9	2
8	2	4	5	9	1	6	3	7
7	5	2	4	8	6	3	1	9
4	3	6	2	1	9	7	5	8
9	1	8	7	5	3	2	4	6
2	8	5	1	7	4	9	6	3
1	4	3	9	6	2	8	7	5
6	9	7	8	3	5	4	2	1

814

7	8	1	5	3	9	4	2	6
4	6	5	2	8	1	3	7	9
3	2	9	7	4	6	8	1	5
9	4	2	6	7	5	1	3	8
6	7	8	4	1	3	9	5	2
5	1	3	9	2	8	7	6	4
1	3	6	8	5	4	2	9	7
8	5	7	1	9	2	6	4	3
2	9	4	3	6	7	5	8	1

815

7	9	2	3	8	4	1	5	6
6	1	3	5	9	7	4	2	8
8	5	4	2	6	1	3	7	9
2	3	1	7	5	6	9	8	4
5	7	8	1	4	9	2	6	3
4	6	9	8	3	2	7	1	5
9	2	5	6	1	3	8	4	7
1	4	6	9	7	8	5	3	2
3	8	7	4	2	5	6	9	1

816

4	6	7	3	5	2	9	1	8
8	2	3	1	7	9	6	4	5
9	5	1	4	6	8	3	2	7
6	7	5	8	3	4	1	9	2
1	4	2	5	9	6	8	7	3
3	9	8	7	2	1	5	6	4
7	8	4	9	1	3	2	5	6
2	3	9	6	4	5	7	8	1
5	1	6	2	8	7	4	3	9

SUDOKU

817

5	7	4	3	2	8	1	9	6
1	6	3	9	5	7	8	4	2
9	8	2	1	6	4	5	3	7
6	2	8	7	9	1	3	5	4
3	5	1	8	4	2	6	7	9
4	9	7	5	3	6	2	1	8
2	1	9	4	8	5	7	6	3
7	4	6	2	1	3	9	8	5
8	3	5	6	7	9	4	2	1

818

1	9	6	4	3	7	2	5	8
5	8	2	9	6	1	4	3	7
4	3	7	8	2	5	6	9	1
6	5	1	2	9	8	7	4	3
8	4	9	7	1	3	5	2	6
2	7	3	6	5	4	1	8	9
9	2	8	1	4	6	3	7	5
7	1	5	3	8	2	9	6	4
3	6	4	5	7	9	8	1	2

819

1	7	4	6	3	9	8	2	5
2	8	5	7	1	4	9	3	6
3	9	6	8	2	5	4	1	7
4	6	7	2	8	3	5	9	1
9	2	1	5	4	6	7	8	3
5	3	8	1	9	7	2	6	4
6	4	2	9	7	1	3	5	8
8	1	3	4	5	2	6	7	9
7	5	9	3	6	8	1	4	2

820

7	1	8	3	6	4	5	2	9
5	4	3	8	2	9	6	1	7
2	6	9	7	5	1	8	3	4
6	5	2	9	1	8	7	4	3
9	7	4	2	3	5	1	8	6
3	8	1	4	7	6	9	5	2
4	2	5	6	8	7	3	9	1
8	9	6	1	4	3	2	7	5
1	3	7	5	9	2	4	6	8

821

2	8	3	4	7	5	9	6	1
4	6	1	9	2	3	5	8	7
5	7	9	8	1	6	4	2	3
3	4	6	2	8	7	1	9	5
9	5	7	6	4	1	8	3	2
1	2	8	5	3	9	7	4	6
6	1	2	7	9	8	3	5	4
8	3	4	1	5	2	6	7	9
7	9	5	3	6	4	2	1	8

822

1	6	9	5	3	2	8	4	7
2	8	7	6	9	4	3	1	5
3	5	4	1	8	7	6	2	9
5	3	8	7	4	6	1	9	2
7	9	2	3	1	5	4	6	8
6	4	1	8	2	9	5	7	3
4	7	3	9	5	1	2	8	6
8	1	6	2	7	3	9	5	4
9	2	5	4	6	8	7	3	1

SUDOKU

823

9	8	5	3	6	4	2	1	7
6	4	7	1	2	5	3	9	8
1	3	2	9	8	7	5	4	6
7	6	8	4	5	1	9	2	3
3	2	1	7	9	8	6	5	4
4	5	9	2	3	6	7	8	1
2	1	4	6	7	9	8	3	5
5	7	3	8	4	2	1	6	9
8	9	6	5	1	3	4	7	2

824

2	7	5	4	9	8	6	3	1
4	8	1	2	6	3	7	9	5
9	3	6	1	5	7	4	8	2
7	5	8	9	3	4	2	1	6
6	4	3	8	2	1	9	5	7
1	9	2	5	7	6	8	4	3
5	2	7	3	4	9	1	6	8
3	1	4	6	8	2	5	7	9
8	6	9	7	1	5	3	2	4

825

6	1	2	8	4	5	7	9	3
9	7	4	2	3	1	5	6	8
8	5	3	6	9	7	2	4	1
2	8	9	1	5	6	3	7	4
7	4	5	3	8	2	6	1	9
3	6	1	9	7	4	8	5	2
4	3	6	7	2	9	1	8	5
1	9	8	5	6	3	4	2	7
5	2	7	4	1	8	9	3	6

826

5	6	1	4	9	8	2	3	7
7	9	2	5	3	6	4	8	1
8	3	4	1	7	2	6	5	9
6	4	7	2	8	5	9	1	3
9	2	8	3	6	1	7	4	5
1	5	3	7	4	9	8	2	6
3	7	5	9	2	4	1	6	8
2	8	9	6	1	3	5	7	4
4	1	6	8	5	7	3	9	2

827

6	9	7	5	4	8	3	1	2
8	3	5	2	1	7	9	6	4
1	4	2	9	3	6	7	8	5
7	8	6	3	5	2	4	9	1
2	1	3	4	6	9	8	5	7
9	5	4	8	7	1	6	2	3
5	2	9	7	8	4	1	3	6
3	7	1	6	9	5	2	4	8
4	6	8	1	2	3	5	7	9

828

9	4	2	1	3	5	6	7	8
8	7	3	6	9	4	2	5	1
6	5	1	2	8	7	9	3	4
2	3	6	9	4	8	7	1	5
7	1	8	5	2	6	4	9	3
5	9	4	3	7	1	8	6	2
1	6	7	8	5	2	3	4	9
4	2	9	7	1	3	5	8	6
3	8	5	4	6	9	1	2	7

SUDOKU

829

6	2	8	7	9	4	5	3	1
5	3	9	1	8	6	7	4	2
4	7	1	2	5	3	8	9	6
3	1	5	4	2	8	9	6	7
7	8	2	9	6	5	4	1	3
9	6	4	3	1	7	2	8	5
1	4	3	8	7	2	6	5	9
8	5	7	6	3	9	1	2	4
2	9	6	5	4	1	3	7	8

830

8	2	7	3	9	4	1	6	5
6	4	9	5	1	2	7	8	3
1	3	5	8	6	7	2	4	9
7	8	1	9	5	6	3	2	4
9	6	3	4	2	1	5	7	8
2	5	4	7	3	8	9	1	6
4	9	8	1	7	5	6	3	2
5	1	6	2	4	3	8	9	7
3	7	2	6	8	9	4	5	1

831

6	7	1	2	4	8	9	5	3
2	5	8	7	9	3	4	6	1
3	9	4	1	6	5	8	2	7
5	3	7	9	1	4	6	8	2
4	1	6	5	8	2	7	3	9
9	8	2	3	7	6	5	1	4
1	4	5	6	2	9	3	7	8
8	2	3	4	5	7	1	9	6
7	6	9	8	3	1	2	4	5

832

6	7	3	5	2	4	1	8	9
5	1	9	6	3	8	2	7	4
4	8	2	7	9	1	6	3	5
2	5	6	8	1	7	9	4	3
8	3	7	2	4	9	5	1	6
9	4	1	3	6	5	7	2	8
7	6	4	1	5	3	8	9	2
3	2	8	9	7	6	4	5	1
1	9	5	4	8	2	3	6	7

833

2	9	8	6	5	3	7	1	4
5	7	6	4	2	1	8	9	3
4	3	1	9	7	8	5	6	2
7	1	4	3	6	5	2	8	9
8	5	9	2	4	7	6	3	1
6	2	3	1	8	9	4	5	7
1	8	2	7	9	6	3	4	5
9	6	7	5	3	4	1	2	8
3	4	5	8	1	2	9	7	6

834

2	6	7	9	8	4	3	1	5
9	4	3	2	1	5	6	8	7
5	1	8	6	3	7	4	2	9
1	7	9	5	4	6	2	3	8
4	8	5	3	7	2	9	6	1
3	2	6	1	9	8	5	7	4
8	5	4	7	2	3	1	9	6
6	3	1	8	5	9	7	4	2
7	9	2	4	6	1	8	5	3

SUDOKU

835

3	2	7	1	5	4	8	6	9
9	5	4	8	6	2	1	3	7
8	1	6	9	7	3	5	4	2
7	9	2	3	1	8	6	5	4
5	8	1	4	2	6	9	7	3
6	4	3	5	9	7	2	8	1
2	7	8	6	4	1	3	9	5
4	6	9	2	3	5	7	1	8
1	3	5	7	8	9	4	2	6

836

4	6	3	9	1	5	8	7	2
1	2	7	3	8	6	4	5	9
9	8	5	7	2	4	3	6	1
8	9	2	5	6	3	1	4	7
5	7	4	1	9	8	2	3	6
3	1	6	4	7	2	5	9	8
7	3	8	6	5	1	9	2	4
2	4	9	8	3	7	6	1	5
6	5	1	2	4	9	7	8	3

837

5	1	4	2	7	3	8	9	6
6	8	3	9	5	4	1	2	7
9	2	7	6	1	8	5	3	4
3	9	2	1	4	7	6	8	5
4	6	8	5	9	2	7	1	3
7	5	1	8	3	6	9	4	2
1	3	9	4	6	5	2	7	8
8	7	6	3	2	9	4	5	1
2	4	5	7	8	1	3	6	9

838

7	1	4	3	8	9	6	5	2
6	5	8	7	4	2	1	3	9
9	2	3	1	6	5	7	8	4
5	7	2	9	1	3	8	4	6
1	8	6	5	2	4	3	9	7
4	3	9	6	7	8	5	2	1
2	9	1	8	3	6	4	7	5
8	4	7	2	5	1	9	6	3
3	6	5	4	9	7	2	1	8

839

7	2	6	3	5	8	9	4	1
5	8	9	4	7	1	3	6	2
1	3	4	6	9	2	8	7	5
8	6	2	5	1	9	7	3	4
9	7	3	2	4	6	5	1	8
4	1	5	8	3	7	2	9	6
3	5	1	7	8	4	6	2	9
2	4	7	9	6	5	1	8	3
6	9	8	1	2	3	4	5	7

840

8	3	2	4	9	6	5	1	7
4	9	5	3	1	7	6	2	8
1	6	7	5	2	8	3	9	4
9	2	6	1	8	4	7	5	3
7	8	1	9	5	3	4	6	2
3	5	4	7	6	2	9	8	1
2	1	3	6	7	5	8	4	9
6	4	9	8	3	1	2	7	5
5	7	8	2	4	9	1	3	6

SUDOKU

841

6	8	1	2	5	9	3	7	4
3	9	5	4	8	7	2	6	1
7	4	2	1	3	6	5	9	8
1	7	3	8	6	5	9	4	2
9	2	6	3	1	4	7	8	5
8	5	4	9	7	2	6	1	3
2	3	9	7	4	1	8	5	6
4	6	7	5	2	8	1	3	9
5	1	8	6	9	3	4	2	7

842

2	9	3	6	7	1	8	5	4
8	1	7	5	4	9	6	2	3
6	4	5	3	2	8	9	7	1
3	7	2	1	9	5	4	6	8
1	8	4	2	6	3	5	9	7
5	6	9	7	8	4	1	3	2
4	3	8	9	5	7	2	1	6
7	5	6	8	1	2	3	4	9
9	2	1	4	3	6	7	8	5

843

5	8	2	4	3	6	1	7	9
6	7	9	1	5	2	8	3	4
4	1	3	9	7	8	5	2	6
3	5	8	7	1	9	4	6	2
9	2	4	8	6	5	7	1	3
7	6	1	3	2	4	9	8	5
8	3	5	6	4	1	2	9	7
2	9	7	5	8	3	6	4	1
1	4	6	2	9	7	3	5	8

844

8	6	7	4	1	9	2	5	3
3	4	9	2	7	5	1	6	8
1	2	5	6	8	3	4	7	9
6	5	3	8	4	7	9	2	1
2	7	8	5	9	1	6	3	4
4	9	1	3	2	6	7	8	5
5	3	2	1	6	4	8	9	7
9	1	6	7	3	8	5	4	2
7	8	4	9	5	2	3	1	6

845

2	3	7	9	4	8	6	5	1
1	5	4	6	7	3	8	9	2
9	8	6	2	5	1	3	7	4
4	7	1	8	9	5	2	6	3
6	2	5	1	3	7	4	8	9
3	9	8	4	2	6	7	1	5
7	1	3	5	8	4	9	2	6
8	6	2	3	1	9	5	4	7
5	4	9	7	6	2	1	3	8

846

1	6	9	5	2	7	4	3	8
8	4	5	9	3	1	7	2	6
3	7	2	8	4	6	9	1	5
2	3	4	1	6	9	8	5	7
9	1	7	2	5	8	6	4	3
5	8	6	3	7	4	2	9	1
7	2	8	4	1	3	5	6	9
6	5	3	7	9	2	1	8	4
4	9	1	6	8	5	3	7	2

SUDOKU

847

7	1	9	4	8	5	3	6	2
6	5	3	9	2	7	8	4	1
4	8	2	6	1	3	5	9	7
2	4	1	5	6	9	7	3	8
5	9	8	7	3	2	4	1	6
3	6	7	1	4	8	2	5	9
8	2	5	3	9	1	6	7	4
1	7	4	2	5	6	9	8	3
9	3	6	8	7	4	1	2	5

848

8	2	1	6	5	9	7	3	4
5	4	9	2	7	3	6	8	1
6	3	7	1	4	8	5	2	9
2	6	4	3	8	1	9	5	7
9	5	3	4	2	7	8	1	6
7	1	8	5	9	6	3	4	2
1	8	2	7	6	5	4	9	3
4	7	5	9	3	2	1	6	8
3	9	6	8	1	4	2	7	5

849

5	8	9	1	3	4	7	6	2
6	4	3	7	2	9	8	1	5
1	2	7	8	5	6	9	3	4
3	6	2	5	1	8	4	7	9
4	7	8	6	9	3	2	5	1
9	1	5	2	4	7	3	8	6
2	3	6	9	7	1	5	4	8
7	9	1	4	8	5	6	2	3
8	5	4	3	6	2	1	9	7

850

1	8	3	5	4	9	7	6	2
2	4	7	8	6	3	5	9	1
6	5	9	1	2	7	4	3	8
3	6	8	7	9	1	2	4	5
9	2	4	6	8	5	1	7	3
7	1	5	4	3	2	9	8	6
5	9	1	3	7	6	8	2	4
4	3	2	9	5	8	6	1	7
8	7	6	2	1	4	3	5	9

851

9	3	1	6	4	7	2	5	8
4	7	2	3	8	5	1	9	6
5	6	8	2	9	1	4	3	7
7	9	3	8	2	4	6	1	5
8	2	5	1	6	9	7	4	3
1	4	6	7	5	3	8	2	9
6	5	7	4	3	2	9	8	1
3	1	4	9	7	8	5	6	2
2	8	9	5	1	6	3	7	4

852

8	9	7	2	5	4	6	3	1
6	4	3	1	8	9	5	7	2
2	5	1	6	3	7	9	4	8
9	7	2	5	4	3	1	8	6
3	1	5	8	6	2	4	9	7
4	8	6	7	9	1	3	2	5
1	2	9	4	7	6	8	5	3
7	3	8	9	1	5	2	6	4
5	6	4	3	2	8	7	1	9

SUDOKU

853

4	7	3	2	6	9	1	5	8
5	8	2	3	4	1	6	9	7
9	6	1	5	7	8	4	3	2
1	4	5	6	9	2	7	8	3
3	9	8	7	1	4	2	6	5
6	2	7	8	3	5	9	4	1
7	1	6	9	5	3	8	2	4
2	5	4	1	8	6	3	7	9
8	3	9	4	2	7	5	1	6

854

1	5	4	8	6	7	3	9	2
8	2	6	9	4	3	1	5	7
9	3	7	5	1	2	6	4	8
5	7	1	6	2	9	4	8	3
3	6	2	1	8	4	9	7	5
4	8	9	3	7	5	2	6	1
7	9	5	2	3	6	8	1	4
2	4	8	7	9	1	5	3	6
6	1	3	4	5	8	7	2	9

855

7	9	6	4	5	1	3	8	2
1	4	5	3	8	2	9	6	7
3	2	8	7	6	9	1	5	4
9	1	7	5	2	8	6	4	3
6	8	4	1	7	3	5	2	9
2	5	3	9	4	6	7	1	8
5	6	2	8	3	7	4	9	1
8	7	1	6	9	4	2	3	5
4	3	9	2	1	5	8	7	6

856

2	8	6	5	4	9	1	3	7
9	3	4	1	6	7	2	8	5
7	5	1	2	3	8	9	4	6
4	6	8	7	1	2	5	9	3
5	2	9	6	8	3	7	1	4
1	7	3	4	9	5	8	6	2
3	1	2	8	5	4	6	7	9
8	4	5	9	7	6	3	2	1
6	9	7	3	2	1	4	5	8

857

8	9	4	3	5	1	7	2	6
1	6	3	2	7	8	5	9	4
7	5	2	4	6	9	8	3	1
9	7	1	8	3	4	2	6	5
2	3	5	9	1	6	4	8	7
6	4	8	5	2	7	3	1	9
4	1	7	6	8	3	9	5	2
5	8	6	7	9	2	1	4	3
3	2	9	1	4	5	6	7	8

858

8	6	1	2	7	5	9	3	4
9	4	5	1	6	3	7	8	2
2	7	3	9	8	4	1	6	5
6	5	7	4	3	2	8	9	1
3	9	2	7	1	8	4	5	6
1	8	4	6	5	9	2	7	3
4	2	6	3	9	7	5	1	8
5	3	9	8	2	1	6	4	7
7	1	8	5	4	6	3	2	9

SUDOKU

859

8	4	7	6	9	5	2	3	1
6	5	2	1	3	8	7	4	9
3	1	9	7	4	2	6	8	5
2	9	8	5	6	7	3	1	4
1	7	3	4	2	9	5	6	8
4	6	5	8	1	3	9	7	2
9	3	4	2	7	1	8	5	6
7	8	1	9	5	6	4	2	3
5	2	6	3	8	4	1	9	7

860

9	8	7	3	5	4	2	1	6
4	3	2	1	8	6	9	5	7
5	6	1	2	7	9	8	3	4
7	4	5	9	2	3	6	8	1
6	2	3	4	1	8	7	9	5
1	9	8	7	6	5	4	2	3
3	1	6	8	4	2	5	7	9
8	7	4	5	9	1	3	6	2
2	5	9	6	3	7	1	4	8

861

4	1	5	3	9	7	8	6	2
7	3	8	2	5	6	1	4	9
6	9	2	1	4	8	3	7	5
1	5	6	7	8	4	9	2	3
3	8	7	9	6	2	5	1	4
2	4	9	5	3	1	6	8	7
9	7	1	6	2	3	4	5	8
5	6	4	8	7	9	2	3	1
8	2	3	4	1	5	7	9	6

862

9	6	3	7	2	5	4	1	8
1	5	2	8	9	4	3	7	6
8	4	7	3	1	6	9	2	5
4	7	9	2	5	1	8	6	3
6	1	5	9	3	8	2	4	7
2	3	8	4	6	7	1	5	9
5	8	6	1	4	3	7	9	2
3	2	4	6	7	9	5	8	1
7	9	1	5	8	2	6	3	4

863

8	5	3	1	4	6	9	7	2
6	4	7	9	3	2	5	8	1
1	9	2	5	7	8	4	6	3
7	2	8	4	1	5	6	3	9
3	6	4	2	9	7	8	1	5
9	1	5	6	8	3	2	4	7
5	7	9	3	6	4	1	2	8
2	8	6	7	5	1	3	9	4
4	3	1	8	2	9	7	5	6

864

6	1	3	4	7	2	8	5	9
5	4	9	3	6	8	2	1	7
2	7	8	5	9	1	3	4	6
9	3	7	1	5	4	6	8	2
8	5	2	9	3	6	4	7	1
1	6	4	8	2	7	9	3	5
4	9	6	7	8	5	1	2	3
7	2	1	6	4	3	5	9	8
3	8	5	2	1	9	7	6	4

SUDOKU

865

3	8	4	7	2	1	5	9	6
9	1	6	4	3	5	8	2	7
7	5	2	8	6	9	1	4	3
8	3	7	5	9	4	6	1	2
2	4	5	1	8	6	3	7	9
6	9	1	2	7	3	4	5	8
1	2	3	9	4	8	7	6	5
4	6	9	3	5	7	2	8	1
5	7	8	6	1	2	9	3	4

866

2	4	5	6	1	7	8	3	9
7	9	8	3	4	5	6	1	2
3	1	6	2	9	8	4	7	5
1	8	4	5	7	9	3	2	6
6	7	9	1	2	3	5	8	4
5	2	3	4	8	6	1	9	7
8	6	1	7	5	2	9	4	3
9	5	2	8	3	4	7	6	1
4	3	7	9	6	1	2	5	8

867

4	5	9	8	6	2	1	7	3
3	1	2	7	9	5	8	6	4
7	6	8	4	3	1	5	9	2
5	8	4	6	2	3	9	1	7
1	2	3	9	5	7	4	8	6
9	7	6	1	4	8	3	2	5
2	4	7	3	8	9	6	5	1
8	3	1	5	7	6	2	4	9
6	9	5	2	1	4	7	3	8

868

3	6	4	7	9	2	1	8	5
5	9	1	3	8	6	4	7	2
7	2	8	5	1	4	6	3	9
2	4	5	1	3	9	8	6	7
9	1	7	2	6	8	3	5	4
6	8	3	4	7	5	2	9	1
4	7	2	8	5	3	9	1	6
1	3	9	6	2	7	5	4	8
8	5	6	9	4	1	7	2	3

869

2	5	1	9	7	6	4	3	8
4	6	8	3	2	5	9	7	1
9	3	7	8	1	4	5	2	6
7	1	6	4	5	8	2	9	3
5	8	9	2	3	1	7	6	4
3	4	2	6	9	7	8	1	5
1	7	3	5	4	9	6	8	2
6	2	4	7	8	3	1	5	9
8	9	5	1	6	2	3	4	7

870

3	1	6	9	2	5	8	7	4
7	8	9	6	4	3	5	1	2
2	4	5	7	1	8	6	3	9
8	6	2	5	3	7	4	9	1
4	5	3	1	8	9	2	6	7
9	7	1	2	6	4	3	5	8
5	3	4	8	9	1	7	2	6
6	9	8	3	7	2	1	4	5
1	2	7	4	5	6	9	8	3

SUDOKU

871

3	2	7	6	4	1	5	9	8
8	6	1	5	9	3	4	7	2
4	5	9	2	7	8	1	3	6
5	9	2	1	8	7	3	6	4
1	4	6	9	3	2	7	8	5
7	8	3	4	5	6	2	1	9
2	1	4	3	6	9	8	5	7
6	7	5	8	1	4	9	2	3
9	3	8	7	2	5	6	4	1

872

8	2	7	5	6	1	4	9	3
1	9	6	2	3	4	7	5	8
4	5	3	8	9	7	2	6	1
6	7	5	4	2	8	1	3	9
3	8	4	1	5	9	6	2	7
9	1	2	3	7	6	5	8	4
5	4	1	9	8	2	3	7	6
2	6	8	7	4	3	9	1	5
7	3	9	6	1	5	8	4	2

873

3	5	9	4	7	8	1	2	6
7	8	6	1	2	9	3	4	5
2	1	4	3	5	6	7	9	8
1	2	8	7	9	5	6	3	4
6	7	3	2	4	1	5	8	9
4	9	5	8	6	3	2	1	7
5	6	1	9	8	2	4	7	3
8	4	2	6	3	7	9	5	1
9	3	7	5	1	4	8	6	2

874

9	3	7	6	2	5	8	1	4
6	5	8	1	7	4	3	9	2
1	2	4	8	9	3	5	6	7
3	7	1	9	8	6	2	4	5
5	8	6	4	1	2	7	3	9
4	9	2	3	5	7	1	8	6
2	6	3	5	4	1	9	7	8
7	1	9	2	6	8	4	5	3
8	4	5	7	3	9	6	2	1

875

3	5	9	7	4	1	8	6	2
8	2	4	3	6	5	1	9	7
6	7	1	9	8	2	4	5	3
4	3	5	8	2	9	6	7	1
2	9	7	6	1	4	3	8	5
1	8	6	5	3	7	2	4	9
5	6	2	4	7	3	9	1	8
9	1	8	2	5	6	7	3	4
7	4	3	1	9	8	5	2	6

876

8	9	5	7	1	4	2	6	3
6	4	7	5	3	2	8	9	1
2	1	3	9	8	6	7	5	4
1	3	8	4	6	7	9	2	5
4	7	2	3	5	9	6	1	8
9	5	6	1	2	8	3	4	7
3	2	9	8	4	1	5	7	6
7	8	4	6	9	5	1	3	2
5	6	1	2	7	3	4	8	9

SUDOKU

877

9	7	6	8	2	5	4	3	1
4	8	1	6	7	3	9	5	2
5	3	2	1	4	9	8	6	7
8	9	5	7	3	4	1	2	6
3	6	7	2	8	1	5	4	9
2	1	4	5	9	6	3	7	8
1	2	8	3	5	7	6	9	4
6	4	3	9	1	2	7	8	5
7	5	9	4	6	8	2	1	3

878

6	9	3	5	7	1	8	2	4
7	4	1	3	8	2	9	6	5
8	2	5	6	4	9	1	3	7
3	7	8	2	5	6	4	1	9
9	5	2	4	1	8	6	7	3
4	1	6	9	3	7	2	5	8
2	6	7	8	9	5	3	4	1
1	8	4	7	6	3	5	9	2
5	3	9	1	2	4	7	8	6

879

4	8	1	2	9	7	3	5	6
5	9	3	1	6	8	2	4	7
2	7	6	5	3	4	1	9	8
1	3	8	6	4	5	7	2	9
6	4	9	7	8	2	5	3	1
7	2	5	9	1	3	8	6	4
9	5	7	4	2	1	6	8	3
8	6	2	3	7	9	4	1	5
3	1	4	8	5	6	9	7	2

880

1	6	2	7	5	9	3	8	4
4	8	5	2	1	3	9	7	6
9	3	7	8	4	6	2	1	5
5	9	8	4	3	7	6	2	1
7	2	6	1	8	5	4	9	3
3	1	4	9	6	2	8	5	7
6	7	3	5	2	8	1	4	9
8	5	1	3	9	4	7	6	2
2	4	9	6	7	1	5	3	8

881

5	6	4	1	3	2	9	8	7
7	1	3	6	8	9	4	5	2
2	9	8	4	7	5	1	6	3
9	7	6	3	1	4	8	2	5
3	5	1	2	9	8	7	4	6
4	8	2	5	6	7	3	1	9
6	3	7	8	5	1	2	9	4
8	4	5	9	2	3	6	7	1
1	2	9	7	4	6	5	3	8

882

2	7	5	6	4	8	3	9	1
3	8	6	2	1	9	7	4	5
1	9	4	5	3	7	8	6	2
9	6	2	4	7	1	5	8	3
8	4	1	3	5	6	9	2	7
7	5	3	9	8	2	4	1	6
4	1	7	8	6	5	2	3	9
6	2	8	7	9	3	1	5	4
5	3	9	1	2	4	6	7	8

883

4	6	5	2	8	1	7	3	9
9	1	2	7	3	5	8	6	4
8	7	3	4	6	9	1	5	2
1	2	6	5	7	3	9	4	8
3	4	7	6	9	8	5	2	1
5	8	9	1	2	4	6	7	3
6	3	8	9	4	7	2	1	5
7	5	4	8	1	2	3	9	6
2	9	1	3	5	6	4	8	7

884

6	7	5	4	1	3	2	9	8
8	3	1	2	9	5	6	7	4
2	9	4	8	6	7	3	5	1
9	8	3	5	2	4	1	6	7
5	1	6	7	3	9	8	4	2
4	2	7	1	8	6	5	3	9
3	6	8	9	7	1	4	2	5
1	4	9	6	5	2	7	8	3
7	5	2	3	4	8	9	1	6

885

5	1	2	7	9	6	3	8	4
9	3	8	5	4	2	6	1	7
6	7	4	1	3	8	2	9	5
2	4	3	8	1	5	7	6	9
1	5	6	2	7	9	4	3	8
8	9	7	3	6	4	5	2	1
7	6	5	9	2	1	8	4	3
4	8	1	6	5	3	9	7	2
3	2	9	4	8	7	1	5	6

886

7	6	1	2	8	9	3	4	5
5	2	3	4	7	6	8	1	9
9	8	4	5	3	1	7	2	6
4	5	2	6	1	8	9	3	7
6	7	9	3	2	4	1	5	8
3	1	8	7	9	5	2	6	4
2	9	6	8	5	3	4	7	1
1	3	5	9	4	7	6	8	2
8	4	7	1	6	2	5	9	3

887

1	4	9	8	5	7	3	6	2
2	5	7	3	6	1	8	4	9
8	6	3	2	4	9	1	5	7
5	1	6	9	7	8	4	2	3
7	3	8	4	1	2	5	9	6
4	9	2	5	3	6	7	1	8
3	2	5	7	9	4	6	8	1
6	8	4	1	2	3	9	7	5
9	7	1	6	8	5	2	3	4

888

5	3	7	9	2	6	4	8	1
1	2	9	8	5	4	7	6	3
6	8	4	7	3	1	2	9	5
7	6	5	3	8	2	9	1	4
4	9	2	5	1	7	8	3	6
8	1	3	4	6	9	5	7	2
2	5	8	1	7	3	6	4	9
9	7	1	6	4	5	3	2	8
3	4	6	2	9	8	1	5	7

SUDOKU

889

9	5	7	4	1	2	8	3	6
6	4	1	9	8	3	7	2	5
2	3	8	5	7	6	1	9	4
1	8	9	2	4	5	6	7	3
4	2	3	6	9	7	5	1	8
7	6	5	8	3	1	9	4	2
3	1	6	7	5	4	2	8	9
8	7	2	3	6	9	4	5	1
5	9	4	1	2	8	3	6	7

890

1	9	5	7	3	4	8	2	6
7	8	3	6	1	2	9	5	4
4	6	2	5	9	8	3	1	7
8	4	1	2	6	7	5	3	9
9	5	7	3	4	1	6	8	2
2	3	6	8	5	9	7	4	1
5	7	8	1	2	6	4	9	3
6	2	4	9	8	3	1	7	5
3	1	9	4	7	5	2	6	8

891

9	6	7	8	3	2	5	4	1
2	8	3	4	5	1	9	6	7
1	4	5	9	6	7	3	2	8
3	7	6	5	2	9	1	8	4
8	9	4	7	1	6	2	3	5
5	2	1	3	4	8	7	9	6
6	5	9	2	7	4	8	1	3
7	1	2	6	8	3	4	5	9
4	3	8	1	9	5	6	7	2

892

3	8	4	1	6	9	2	5	7
9	7	2	5	3	8	4	6	1
5	1	6	4	7	2	8	9	3
6	5	7	8	9	3	1	2	4
1	2	8	6	4	5	7	3	9
4	9	3	2	1	7	6	8	5
2	4	9	3	8	1	5	7	6
7	6	5	9	2	4	3	1	8
8	3	1	7	5	6	9	4	2

893

3	7	4	2	5	1	9	6	8
1	2	6	8	7	9	3	4	5
8	9	5	6	4	3	1	2	7
7	5	3	9	1	6	2	8	4
6	4	9	7	2	8	5	3	1
2	8	1	4	3	5	6	7	9
9	1	2	3	8	4	7	5	6
5	3	8	1	6	7	4	9	2
4	6	7	5	9	2	8	1	3

894

9	1	4	6	8	7	2	3	5
7	3	8	4	2	5	9	1	6
6	2	5	3	9	1	7	8	4
1	4	7	8	3	2	5	6	9
2	5	6	1	4	9	8	7	3
3	8	9	5	7	6	1	4	2
8	9	1	2	6	3	4	5	7
5	6	2	7	1	4	3	9	8
4	7	3	9	5	8	6	2	1

SUDOKU

895

8	7	9	3	1	2	5	6	4
1	6	3	8	5	4	2	7	9
2	5	4	7	9	6	8	3	1
5	9	2	1	8	3	7	4	6
4	3	7	2	6	5	1	9	8
6	1	8	9	4	7	3	5	2
7	8	6	4	3	1	9	2	5
3	4	1	5	2	9	6	8	7
9	2	5	6	7	8	4	1	3

896

7	2	9	5	1	4	6	3	8
4	5	1	6	3	8	7	9	2
6	8	3	2	9	7	5	1	4
2	3	7	1	8	5	4	6	9
1	9	8	7	4	6	3	2	5
5	6	4	9	2	3	1	8	7
9	4	6	8	5	1	2	7	3
8	7	5	3	6	2	9	4	1
3	1	2	4	7	9	8	5	6

897

1	9	5	6	3	8	4	2	7
3	2	4	1	9	7	6	5	8
7	6	8	2	5	4	3	1	9
6	8	3	4	7	1	2	9	5
9	5	1	3	8	2	7	6	4
2	4	7	5	6	9	1	8	3
8	3	2	9	4	6	5	7	1
5	1	9	7	2	3	8	4	6
4	7	6	8	1	5	9	3	2

898

6	1	9	2	5	7	3	4	8
3	7	4	9	1	8	5	2	6
8	2	5	6	3	4	1	7	9
5	6	8	7	4	3	9	1	2
9	4	7	1	2	5	8	6	3
2	3	1	8	9	6	4	5	7
7	9	2	4	8	1	6	3	5
1	5	6	3	7	9	2	8	4
4	8	3	5	6	2	7	9	1

899

4	2	5	6	8	7	3	1	9
1	6	3	4	9	5	2	7	8
8	7	9	2	1	3	4	5	6
2	1	8	3	6	4	7	9	5
5	3	6	9	7	1	8	4	2
9	4	7	5	2	8	6	3	1
7	9	1	8	4	2	5	6	3
3	8	4	1	5	6	9	2	7
6	5	2	7	3	9	1	8	4

900

3	8	7	6	4	1	9	2	5
2	1	9	8	5	3	4	7	6
5	6	4	9	7	2	8	3	1
8	3	6	5	9	4	2	1	7
1	7	5	3	2	8	6	9	4
4	9	2	7	1	6	3	5	8
7	2	8	4	3	5	1	6	9
9	4	1	2	6	7	5	8	3
6	5	3	1	8	9	7	4	2

SUDOKU

901

8	3	5	1	4	6	9	7	2
4	6	7	2	9	3	8	5	1
2	9	1	8	5	7	6	3	4
6	7	2	9	3	5	1	4	8
5	1	9	4	8	2	3	6	7
3	4	8	7	6	1	5	2	9
1	2	6	3	7	8	4	9	5
9	8	3	5	2	4	7	1	6
7	5	4	6	1	9	2	8	3

902

2	4	6	3	7	5	9	1	8
7	5	1	8	9	2	4	6	3
9	8	3	4	1	6	5	7	2
1	6	8	7	5	3	2	9	4
3	7	4	1	2	9	8	5	6
5	9	2	6	8	4	7	3	1
6	3	9	5	4	8	1	2	7
8	1	5	2	6	7	3	4	9
4	2	7	9	3	1	6	8	5

903

8	7	9	4	3	1	6	5	2
5	4	1	6	2	8	7	3	9
6	2	3	5	9	7	4	1	8
4	8	2	9	7	5	1	6	3
1	6	7	3	8	2	9	4	5
3	9	5	1	6	4	2	8	7
7	1	6	2	5	3	8	9	4
2	5	4	8	1	9	3	7	6
9	3	8	7	4	6	5	2	1

904

8	7	1	3	2	9	5	6	4
4	2	3	5	6	1	9	7	8
5	6	9	8	7	4	2	3	1
2	8	7	6	9	3	4	1	5
1	4	6	2	8	5	3	9	7
3	9	5	1	4	7	6	8	2
6	5	2	9	1	8	7	4	3
7	3	8	4	5	6	1	2	9
9	1	4	7	3	2	8	5	6

905

9	3	1	6	8	4	7	2	5
8	2	6	9	7	5	1	4	3
4	5	7	1	3	2	9	8	6
6	7	2	4	5	9	3	1	8
3	9	8	7	6	1	4	5	2
1	4	5	3	2	8	6	7	9
2	6	3	8	1	7	5	9	4
7	8	4	5	9	3	2	6	1
5	1	9	2	4	6	8	3	7

906

2	8	4	6	9	7	3	1	5
1	6	5	4	2	3	9	7	8
9	3	7	8	5	1	6	2	4
3	5	6	1	8	4	7	9	2
8	1	2	7	3	9	4	5	6
7	4	9	5	6	2	1	8	3
5	7	8	9	4	6	2	3	1
6	2	1	3	7	5	8	4	9
4	9	3	2	1	8	5	6	7

SUDOKU

907

4	6	9	5	1	3	2	7	8
1	2	8	4	6	7	3	9	5
5	7	3	8	9	2	1	4	6
6	1	5	3	7	4	9	8	2
8	3	7	9	2	5	4	6	1
2	9	4	1	8	6	7	5	3
9	5	6	2	4	1	8	3	7
3	8	2	7	5	9	6	1	4
7	4	1	6	3	8	5	2	9

908

2	6	1	5	8	9	7	4	3
5	9	7	1	4	3	2	8	6
3	8	4	6	2	7	5	9	1
7	1	3	4	6	8	9	2	5
8	2	6	7	9	5	3	1	4
4	5	9	3	1	2	6	7	8
6	7	8	2	5	4	1	3	9
9	3	5	8	7	1	4	6	2
1	4	2	9	3	6	8	5	7

909

1	5	6	3	7	2	8	4	9
4	2	8	9	6	1	7	3	5
3	9	7	4	8	5	6	2	1
2	7	3	6	1	8	9	5	4
5	4	1	2	9	7	3	6	8
6	8	9	5	4	3	2	1	7
9	3	4	8	5	6	1	7	2
7	6	5	1	2	9	4	8	3
8	1	2	7	3	4	5	9	6

910

4	2	7	5	1	8	9	6	3
9	3	5	6	4	2	8	7	1
8	6	1	3	9	7	2	4	5
2	9	8	1	6	4	3	5	7
5	1	3	8	7	9	4	2	6
7	4	6	2	5	3	1	8	9
6	8	9	7	2	1	5	3	4
3	7	4	9	8	5	6	1	2
1	5	2	4	3	6	7	9	8

911

6	5	7	3	2	8	9	1	4
2	3	9	1	4	5	6	8	7
4	8	1	6	7	9	5	3	2
3	7	4	5	8	2	1	6	9
9	2	6	7	3	1	4	5	8
5	1	8	4	9	6	2	7	3
1	4	3	2	6	7	8	9	5
7	9	5	8	1	4	3	2	6
8	6	2	9	5	3	7	4	1

912

6	5	7	1	4	2	8	3	9
4	8	3	5	9	6	7	1	2
2	1	9	3	8	7	6	4	5
7	2	1	4	5	8	9	6	3
3	4	8	9	6	1	2	5	7
9	6	5	2	7	3	4	8	1
8	3	4	7	1	9	5	2	6
5	7	2	6	3	4	1	9	8
1	9	6	8	2	5	3	7	4

SUDOKU

913

6	2	9	4	1	8	7	5	3
1	4	5	7	6	3	2	8	9
3	8	7	9	5	2	1	6	4
2	7	8	5	3	9	6	4	1
4	9	3	6	2	1	8	7	5
5	1	6	8	7	4	9	3	2
7	3	2	1	4	6	5	9	8
9	6	1	3	8	5	4	2	7
8	5	4	2	9	7	3	1	6

914

9	8	4	5	3	2	6	7	1
6	5	2	9	7	1	4	3	8
1	7	3	6	8	4	5	9	2
5	3	1	2	6	7	9	8	4
4	2	9	3	1	8	7	6	5
8	6	7	4	9	5	1	2	3
3	1	8	7	5	6	2	4	9
2	9	6	1	4	3	8	5	7
7	4	5	8	2	9	3	1	6

915

3	5	4	8	1	2	6	7	9
6	2	7	9	5	3	4	1	8
1	9	8	4	6	7	2	3	5
7	3	1	5	4	6	9	8	2
9	8	5	3	2	1	7	6	4
2	4	6	7	9	8	3	5	1
8	6	2	1	3	9	5	4	7
5	7	9	6	8	4	1	2	3
4	1	3	2	7	5	8	9	6

916

6	7	8	1	2	9	4	3	5
9	3	4	8	7	5	6	1	2
2	5	1	6	3	4	7	8	9
8	6	2	4	9	1	3	5	7
3	4	9	5	8	7	2	6	1
5	1	7	2	6	3	9	4	8
4	2	5	9	1	6	8	7	3
7	9	6	3	5	8	1	2	4
1	8	3	7	4	2	5	9	6

917

1	3	4	9	2	6	7	5	8
6	7	2	5	1	8	9	4	3
8	5	9	4	7	3	6	1	2
4	6	7	2	3	1	8	9	5
3	9	5	8	4	7	2	6	1
2	8	1	6	9	5	3	7	4
7	2	8	1	6	4	5	3	9
9	1	6	3	5	2	4	8	7
5	4	3	7	8	9	1	2	6

918

9	3	4	5	1	7	2	8	6
1	7	8	6	4	2	3	5	9
5	2	6	3	8	9	7	1	4
7	9	2	4	6	8	5	3	1
3	4	1	7	9	5	8	6	2
8	6	5	1	2	3	4	9	7
2	5	3	9	7	6	1	4	8
6	1	7	8	5	4	9	2	3
4	8	9	2	3	1	6	7	5

SUDOKU

919

1	3	8	9	5	2	6	4	7
7	6	2	4	3	1	8	9	5
9	4	5	7	8	6	2	1	3
5	9	1	6	4	8	7	3	2
8	7	4	2	1	3	5	6	9
3	2	6	5	9	7	1	8	4
2	1	7	3	6	9	4	5	8
4	8	9	1	2	5	3	7	6
6	5	3	8	7	4	9	2	1

920

3	8	4	1	2	5	9	7	6
5	6	9	3	7	8	1	4	2
2	7	1	9	6	4	8	3	5
9	2	7	4	8	3	5	6	1
4	1	8	5	9	6	3	2	7
6	3	5	2	1	7	4	8	9
7	5	3	6	4	9	2	1	8
8	9	2	7	3	1	6	5	4
1	4	6	8	5	2	7	9	3

921

1	2	4	3	6	8	5	9	7
3	9	6	7	5	2	8	4	1
8	7	5	9	1	4	2	3	6
5	8	2	1	4	3	7	6	9
6	4	1	8	9	7	3	5	2
7	3	9	5	2	6	4	1	8
2	1	7	4	3	9	6	8	5
4	5	8	6	7	1	9	2	3
9	6	3	2	8	5	1	7	4

922

3	4	5	7	9	6	8	1	2
7	2	9	8	1	5	3	4	6
6	8	1	3	2	4	7	9	5
1	7	4	2	8	3	6	5	9
8	9	6	1	5	7	2	3	4
2	5	3	4	6	9	1	7	8
4	3	2	9	7	8	5	6	1
5	1	7	6	4	2	9	8	3
9	6	8	5	3	1	4	2	7

923

6	3	5	1	2	9	8	4	7
2	9	4	7	6	8	1	5	3
1	7	8	5	4	3	2	6	9
8	4	9	2	3	7	6	1	5
5	6	3	9	8	1	7	2	4
7	1	2	4	5	6	9	3	8
3	8	7	6	1	4	5	9	2
4	2	6	8	9	5	3	7	1
9	5	1	3	7	2	4	8	6

924

3	4	6	7	5	2	9	1	8
1	7	5	6	9	8	3	4	2
2	9	8	1	4	3	5	6	7
8	2	3	9	1	4	6	7	5
7	5	9	3	2	6	1	8	4
6	1	4	8	7	5	2	3	9
4	6	7	5	3	9	8	2	1
9	8	2	4	6	1	7	5	3
5	3	1	2	8	7	4	9	6

SUDOKU

925

9	1	8	4	6	5	2	3	7
6	5	3	9	7	2	8	4	1
4	7	2	1	8	3	5	6	9
8	3	5	6	9	7	1	2	4
1	9	4	2	5	8	6	7	3
2	6	7	3	1	4	9	5	8
5	2	9	7	3	1	4	8	6
3	4	1	8	2	6	7	9	5
7	8	6	5	4	9	3	1	2

926

7	5	1	8	3	6	9	4	2
4	8	3	2	9	1	5	6	7
2	9	6	4	7	5	1	3	8
9	3	2	6	5	4	7	8	1
6	1	5	7	8	2	4	9	3
8	4	7	9	1	3	6	2	5
1	2	8	5	4	9	3	7	6
5	6	4	3	2	7	8	1	9
3	7	9	1	6	8	2	5	4

927

5	8	1	9	7	2	4	6	3
3	7	9	4	6	1	8	2	5
6	4	2	5	8	3	1	9	7
1	9	8	7	3	6	5	4	2
4	6	3	8	2	5	7	1	9
2	5	7	1	4	9	3	8	6
9	2	4	3	1	7	6	5	8
7	1	5	6	9	8	2	3	4
8	3	6	2	5	4	9	7	1

928

9	8	7	6	1	2	5	4	3
4	6	3	8	9	5	2	1	7
2	1	5	4	3	7	9	8	6
3	9	8	7	2	6	1	5	4
5	7	2	1	4	8	6	3	9
6	4	1	9	5	3	7	2	8
1	3	9	5	7	4	8	6	2
7	2	6	3	8	1	4	9	5
8	5	4	2	6	9	3	7	1

929

2	3	6	9	4	8	7	1	5
1	8	9	5	7	6	4	3	2
7	5	4	3	1	2	9	6	8
9	7	1	8	2	3	5	4	6
5	6	8	4	9	1	2	7	3
4	2	3	6	5	7	1	8	9
6	9	7	1	3	5	8	2	4
3	1	5	2	8	4	6	9	7
8	4	2	7	6	9	3	5	1

930

6	9	3	5	7	4	1	8	2
2	5	7	1	3	8	4	9	6
1	4	8	9	6	2	3	5	7
5	3	6	4	8	1	7	2	9
4	8	9	2	5	7	6	1	3
7	2	1	6	9	3	8	4	5
9	7	4	8	2	6	5	3	1
8	6	5	3	1	9	2	7	4
3	1	2	7	4	5	9	6	8

931

5	6	2	7	4	3	8	1	9
3	8	1	2	9	6	5	7	4
9	7	4	8	1	5	2	6	3
7	9	5	4	2	1	3	8	6
6	1	8	9	3	7	4	2	5
2	4	3	6	5	8	7	9	1
4	5	6	1	8	2	9	3	7
8	3	7	5	6	9	1	4	2
1	2	9	3	7	4	6	5	8

932

5	9	2	3	1	7	6	8	4
3	7	6	9	8	4	2	1	5
4	1	8	6	2	5	7	3	9
9	3	4	1	5	2	8	7	6
7	2	1	8	4	6	9	5	3
6	8	5	7	3	9	4	2	1
1	4	7	2	6	3	5	9	8
2	5	3	4	9	8	1	6	7
8	6	9	5	7	1	3	4	2

933

8	4	9	6	7	5	1	2	3
6	2	3	8	9	1	7	4	5
5	7	1	3	4	2	6	8	9
3	9	2	7	8	4	5	6	1
7	6	5	1	2	3	8	9	4
4	1	8	5	6	9	2	3	7
1	3	4	2	5	8	9	7	6
2	5	6	9	3	7	4	1	8
9	8	7	4	1	6	3	5	2

934

3	6	8	9	7	2	1	5	4
5	2	9	8	4	1	7	6	3
1	7	4	6	5	3	8	9	2
9	1	7	4	2	5	3	8	6
2	8	6	3	9	7	4	1	5
4	3	5	1	8	6	2	7	9
8	5	1	2	6	4	9	3	7
6	9	2	7	3	8	5	4	1
7	4	3	5	1	9	6	2	8

935

7	8	6	4	2	9	3	1	5
9	3	5	1	6	8	7	4	2
1	2	4	7	3	5	9	6	8
4	5	3	6	7	2	8	9	1
8	1	2	5	9	3	4	7	6
6	9	7	8	1	4	5	2	3
3	4	9	2	8	1	6	5	7
5	6	1	3	4	7	2	8	9
2	7	8	9	5	6	1	3	4

936

4	9	5	2	8	6	1	3	7
2	1	6	5	3	7	4	9	8
8	7	3	9	4	1	5	6	2
5	8	7	3	1	9	2	4	6
1	4	9	6	2	5	7	8	3
3	6	2	8	7	4	9	5	1
7	3	4	1	5	8	6	2	9
9	2	1	4	6	3	8	7	5
6	5	8	7	9	2	3	1	4

SUDOKU

937

2	1	9	5	3	6	8	7	4
5	3	8	1	7	4	9	6	2
4	6	7	9	2	8	5	3	1
1	8	6	2	4	3	7	9	5
9	7	4	8	6	5	1	2	3
3	2	5	7	9	1	6	4	8
6	5	2	3	1	9	4	8	7
7	9	1	4	8	2	3	5	6
8	4	3	6	5	7	2	1	9

938

9	3	2	4	5	1	6	8	7
8	7	1	6	2	3	4	9	5
6	4	5	7	9	8	1	2	3
4	8	9	2	3	6	7	5	1
7	2	6	9	1	5	8	3	4
1	5	3	8	4	7	9	6	2
5	6	8	3	7	4	2	1	9
2	1	7	5	6	9	3	4	8
3	9	4	1	8	2	5	7	6

939

8	5	4	1	9	7	3	2	6
1	6	2	3	5	4	8	9	7
9	3	7	6	2	8	5	4	1
3	8	6	5	1	9	4	7	2
7	1	9	4	8	2	6	3	5
4	2	5	7	3	6	1	8	9
6	9	3	8	7	5	2	1	4
2	4	8	9	6	1	7	5	3
5	7	1	2	4	3	9	6	8

940

3	2	9	1	6	4	7	5	8
6	4	5	9	8	7	3	1	2
1	7	8	3	2	5	9	6	4
2	6	4	7	1	3	8	9	5
9	8	7	4	5	2	6	3	1
5	3	1	6	9	8	2	4	7
8	1	3	5	7	6	4	2	9
7	9	6	2	4	1	5	8	3
4	5	2	8	3	9	1	7	6

941

5	7	4	9	8	1	3	2	6
8	3	6	2	5	4	7	1	9
2	1	9	3	7	6	8	5	4
9	5	2	7	3	8	6	4	1
3	6	8	4	1	2	5	9	7
1	4	7	5	6	9	2	8	3
6	9	1	8	2	7	4	3	5
4	2	3	6	9	5	1	7	8
7	8	5	1	4	3	9	6	2

942

2	1	4	9	3	7	6	5	8
8	7	9	6	5	4	1	3	2
5	6	3	2	8	1	9	7	4
3	2	1	4	6	5	7	8	9
7	9	5	8	2	3	4	6	1
6	4	8	1	7	9	5	2	3
9	3	6	5	4	2	8	1	7
4	5	2	7	1	8	3	9	6
1	8	7	3	9	6	2	4	5

SUDOKU

943

3	1	8	6	2	9	5	7	4
2	4	6	7	5	1	3	8	9
7	9	5	4	8	3	6	2	1
9	8	2	1	3	7	4	6	5
6	5	3	9	4	8	2	1	7
1	7	4	2	6	5	8	9	3
8	6	1	3	7	4	9	5	2
4	2	9	5	1	6	7	3	8
5	3	7	8	9	2	1	4	6

944

1	8	6	7	3	5	4	2	9
7	9	5	2	6	4	1	3	8
4	2	3	1	8	9	7	5	6
2	1	7	6	5	3	9	8	4
3	4	8	9	2	1	6	7	5
5	6	9	4	7	8	3	1	2
6	3	2	8	4	7	5	9	1
9	7	4	5	1	2	8	6	3
8	5	1	3	9	6	2	4	7

945

6	3	9	1	8	4	7	2	5
4	5	2	3	7	9	8	6	1
7	8	1	2	6	5	9	3	4
9	2	5	4	3	1	6	7	8
3	4	6	7	5	8	1	9	2
1	7	8	6	9	2	5	4	3
2	6	4	8	1	7	3	5	9
5	1	3	9	4	6	2	8	7
8	9	7	5	2	3	4	1	6

946

3	9	4	7	1	6	2	8	5
6	5	2	8	4	9	7	3	1
8	7	1	3	5	2	4	6	9
1	3	5	9	7	8	6	4	2
4	2	7	1	6	3	5	9	8
9	8	6	4	2	5	1	7	3
7	4	9	5	3	1	8	2	6
5	6	3	2	8	4	9	1	7
2	1	8	6	9	7	3	5	4

947

3	4	6	2	1	5	8	7	9
2	5	1	8	9	7	6	3	4
9	8	7	3	6	4	1	5	2
4	1	5	6	2	3	7	9	8
8	3	2	7	5	9	4	1	6
7	6	9	1	4	8	5	2	3
6	2	3	5	8	1	9	4	7
1	9	8	4	7	2	3	6	5
5	7	4	9	3	6	2	8	1

948

3	6	8	9	2	4	7	5	1
9	2	7	1	5	3	6	4	8
1	4	5	6	7	8	3	2	9
7	1	2	3	8	6	5	9	4
8	3	9	4	1	5	2	7	6
4	5	6	2	9	7	8	1	3
2	8	1	7	6	9	4	3	5
6	7	4	5	3	1	9	8	2
5	9	3	8	4	2	1	6	7

SUDOKU

949

6	7	4	1	3	5	9	2	8
1	9	5	8	7	2	3	6	4
8	2	3	9	4	6	5	1	7
9	3	6	2	8	1	7	4	5
2	4	8	7	5	3	1	9	6
5	1	7	4	6	9	2	8	3
4	5	9	3	1	8	6	7	2
3	8	1	6	2	7	4	5	9
7	6	2	5	9	4	8	3	1

950

4	6	9	7	3	5	2	8	1
2	8	5	6	1	4	7	9	3
3	1	7	8	2	9	6	4	5
1	7	4	3	9	6	8	5	2
6	5	8	2	7	1	4	3	9
9	3	2	4	5	8	1	7	6
7	2	1	9	4	3	5	6	8
8	4	3	5	6	2	9	1	7
5	9	6	1	8	7	3	2	4